IAN RANKIN
Verschlüsselte Wahrheit

Buch

Voller Vorfreude auf das gemeinsame Abendessen mit seiner Freundin Dr. Patience Aitken gönnt sich Inspector John Rebus noch ein Pint frisch gebrautes Bier. Doch der Abend hält einige Überraschunge für ihn bereit: Plötzlich steht sein Bruder vor der Tür mit der Bitte um Hilfe, und nach einem Streit trennt Patience sich von Rebus. Wieder einer dieser Tage, tröstet sich Rebus. Als jedoch ein ihm nahe stehender Kollege auf brutale Weise zusammengeschlagen wird, verliert Rebus seine Geduld. Um dem unbekannten Täter auf die Spur zu kommen, eignet er sich das Notizbuch seines Kollegen an. Dies enthält zwar nur verschlüsselte Eintragungen, doch im Laufe mühsamer Recherchen führen die einzelnen Hinweise zu einem alten, nie aufgeklärten Fall von Brandstiftung: In einem Flammenmeer war fünf Jahre zuvor das Central-Hotel bis auf die Grundmauern niedergebrannt. Die grauenhafte Tat trug »Big Ger« Caffertys Handschrift, doch die Polizei konnte ihn nicht dingfest machen. Das Notizbuch enthält allerdings genug Beweise, und Rebus setzt alles daran, dem skrupellosesten Schurken Edinburghs endlich das Handwerk zu legen. Aber »Big Gers« Macht und Einfluss sind nicht zu unterschätzen: Rebus wird vom Dienst suspendiert ...

Autor

Ian Rankin wurde 1960 im schottischen Fife geboren, lebte in Edinburgh und London, bevor er mit seiner Familie für einige Zeit nach Südfrankreich zog. Sein melancholischer Serienheld John Rebus ist aus den britischen Bestsellerlisten nicht mehr wegzudenken und bereits mehrfach ausgezeichnet worden.

Von Ian Rankin außerdem bei Goldmann lieferbar

Verborgene Muster. Roman (44607)
Das zweite Zeichen. Roman (44608)
Wolfsmale. Roman (44609)
Ehrensache. Roman (45014)
Der kalte Hauch der Nacht. Roman (Manhattan HC/54521)
Puppenspiel. Roman (Manhattan HC/54546)

Ian Rankin

Verschlüsselte Wahrheit

Roman

Deutsch von
Ellen Schlootz

GOLDMANN

Die Originalausgabe erschien 1993
unter dem Titel »The Black Book«
bei Orion, an imprint
of Orion Books Ltd., London

Umwelthinweis:
Alle bedruckten Materialien dieses Taschenbuches
sind chlorfrei und umweltschonend.

Deutsche Erstveröffentlichung Oktober 2002
Copyright © 1993 by Ian Rankin
Copyright © 2002 der deutschsprachigen Ausgabe
by Wilhelm Goldmann Verlag, München,
in der Verlagsgruppe Random House GmbH
Umschlaggestaltung: Design Team München
Umschlagfoto: Wolf Huber
Redaktion: Irmgard Perkounigg
Satz: deutsch-türkischer fotosatz, Berlin
Druck: Elsnerdruck, Berlin
Verlagsnummer: 45015
KvD · Herstellung: Sebastian Strohmaier
Made in Germany
ISBN 3-442-45015-2
www.goldmann-verlag.de

1 3 5 7 9 10 8 6 4 2

»Für die Bösen sind alle Dinge böse;
doch für die Guten sind alle Dinge gerecht und gut.«

James Hogg

Die privaten Memoiren und Bekenntnisse
eines gerechtfertigten Sünders.

Dank

Der Autor möchte sich für die Verleihung des Chandler-Fulbright-Stipendiums bedanken, das ihm beim Schreiben dieses Buches sehr geholfen hat.

PROLOG

An jenem Morgen saßen sie zu zweit in dem Lieferwagen, dessen Scheinwerfer gegen den Nebel ankämpften, der von der Nordsee landeinwärts zog. Er war dicht und weiß wie Rauch. Gemäß den strengen Anweisungen, die ihnen erteilt worden waren, fuhren sie sehr vorsichtig.

»Warum müssen *wir* das überhaupt machen?«, fragte der Fahrer, ein Gähnen unterdrückend. »Was ist mit den beiden anderen?«

Der Beifahrer war viel größer als sein Begleiter. Obwohl bereits über vierzig, trug er sein Haar lang, in Form eines deutschen Militärhelms geschnitten. Immer wieder zupfte er an den Haaren auf der linken Seite seines Kopfs und strich sie glatt. In diesem Augenblick jedoch hielt er sich mit beiden Händen an seinem Sitz fest. Ihm gefiel nicht, dass der Fahrer so häufig gähnte und dabei jedes Mal die Augen zukniff. Der Beifahrer war kein großer Plauderer, aber vielleicht würde es den Fahrer wach halten, wenn er mit ihm redete.

»Ist nur vorübergehend«, sagte er. »Außerdem kommt das ja auch nicht jeden Tag vor.«

»Gott sei Dank.« Der Fahrer schloss wieder die Augen und gähnte. Der Lieferwagen bewegte sich auf den mit Gras bewachsenen Seitenstreifen zu.

»Soll ich fahren?«, fragte der Beifahrer. Dann lächelte er. »Du könntest ja hinten ein bisschen pennen.«

»Sehr witzig. Da ist noch so eine Sache, Jimmy, dieser *Gestank*!«

»Fleisch fängt halt nach 'ner Weile an zu riechen.«

»Hast wohl auf alles 'ne Antwort parat, was?«

»Ja.«

»Sind wir bald da?«

»Ich dachte, du kennst den Weg.«

»Über die Hauptstraßen schon. Aber nicht bei diesem Nebel.«

»Wenn wir uns dicht an der Küste halten, kann es nicht mehr weit sein.« Der Beifahrer dachte außerdem: Wenn wir uns dicht an der Küste halten, dann brauchen nur zwei Räder über den Seitenstreifen zu rutschen und wir fliegen die Klippe hinunter. Aber nicht nur das beunruhigte ihn. Bisher hatten sie noch nie die Ostküste benutzt, doch an der Westküste wurde jetzt zu sehr aufgepasst. Also war dies eine unerprobte Route, und *das* machte ihn nervös.

»Hier ist ein Schild.« Sie bremsten und versuchten, im Nebel was zu erkennen. »Nächste rechts.« Der Mann am Steuer fuhr ruckelnd weiter, blinkte und kam dann an ein niedriges eisernes Tor, an dem ein offenes Vorhängeschloss hing. »Wenn es nun abgeschlossen gewesen wäre?«, fragte er.

»Ich hab einen Bolzenschneider hinten drin.«

»Auf alles eine verdammte Antwort.«

Sie fuhren auf einen kleinen schotterbedeckten Parkplatz. Zwar konnten sie es nicht sehen, doch auf einer Seite standen Tische und Bänke aus Holz, wo sonntags Familien Picknick machten und mit den Mücken kämpften. Der Platz war wegen seiner Aussicht sehr beliebt, eine endlose Weite von Himmel und Meer. Als sie die Türen öffneten, konnten sie das Meer hören und riechen. Über ihnen schrien bereits die Möwen.

»Muss später sein, als wir gedacht haben, wenn die Vögel schon auf sind.« Sie wappneten sich innerlich, die Hecktür des Lieferwagens zu öffnen, dann taten sie es. Der Gestank war wirklich entsetzlich. Selbst der ansonsten gleichmütige Beifahrer rümpfte die Nase und bemühte sich, nicht zu atmen.

»Je schneller, desto besser«, sagte er in hastigem Tonfall. Die Leiche steckte in zwei dicken Plastiksäcken, in denen mal Kunstdünger gewesen war. Einen hatte man ihr über die Füße gezogen und einen über den Kopf, so dass sie in der Mitte überlappten. Sie wurden von einem Klebeband und einer Schnur zusammengehalten. In den Säcken befanden sich außerdem einige Hohlblocksteine, die das Ganze schwer und sperrig machten. Die beiden Männer hielten ihre groteske Ladung so tief, dass sie über das nasse Gras schleifte. Ihre Schuhe quatschten bereits vor Nässe, als sie das Schild passierten, das vor der steilen Klippe warnte. Noch schwieriger war es, über den Zaun zu klettern, obwohl der eh schon ziemlich wackelig war.

»Der könnte noch nicht mal ein dämliches Kind aufhalten«, bemerkte der Fahrer. Er keuchte vor Anstrengung, und die Zunge klebte ihm am Gaumen.

»Vorsicht«, sagte der Beifahrer. Schlurfend bewegten sie sich in winzigen Schritten vorwärts, bis sie überaus deutlich den Rand der Klippe ausmachen konnten. Dahinter gab es keinen festen Boden mehr, da ging es nur noch senkrecht nach unten in ein aufgewühltes Meer. »Okay.« Ohne lange zu fackeln, warfen sie das Ding ins Leere, heilfroh, es los zu sein. »Gehn wir.«

»Mann, was riecht die Luft gut.« Der Fahrer griff in seine Jackentasche und zog eine Viertelflasche Whisky hervor. Sie waren schon fast wieder beim Wagen, als sie ein Auto auf der Straße hörten, dann das Knirschen von Reifen auf Schotter.

»Verdammt und zugenäht.«

Die Scheinwerfer erwischten sie, als sie den Wagen erreichten.

»Scheißpolizei!«, sagte der Fahrer mit erstickter Stimme.

»Reiß dich zusammen«, erwiderte der Beifahrer warnend. Seine Stimme war ruhig, doch seine Augen funkelten. Sie hörten, wie die Handbremse angezogen wurde, dann ging die

Autotür auf. Ein uniformierter Beamter stieg aus. Er hielt eine Taschenlampe in der Hand. Die Scheinwerfer und den Motor hatte er angelassen. Im Wagen war niemand sonst.

Der Beifahrer wusste, was das bedeutete. Das hier hatte nichts mit ihnen zu tun. Vermutlich kam der Polizist immer gegen Ende seiner Nachtschicht hierher. Bestimmt hatte er eine Thermosflasche und eine Decke im Auto. Eine Tasse Kaffee und ein Nickerchen, bevor er den Dienst beendete.

»Morgen«, sagte der Uniformierte. Er war nicht mehr jung, und er war keinen richtigen Ärger gewohnt. Höchstens mal eine Schlägerei am Samstagabend oder ein Streit zwischen benachbarten Bauern. Für ihn war es eine weitere langweilige Nacht gewesen, eine Nacht, die ihn seiner Pension ein Stückchen näher brachte.

»Morgen«, sagte der Beifahrer. Er wusste, dass er den Mann austricksen konnte, sofern der Fahrer ruhig blieb. Doch dann dachte er, *ich* bin ja der Auffällige von uns beiden.

»Eine richtige Waschküche, was?«, meinte der Polizist.

Der Beifahrer nickte.

»Deshalb haben wir auch angehalten«, erklärte der Fahrer. »Dachten, wir warten, bis es klarer wird.«

»Sehr vernünftig.«

Der Fahrer beobachtete, wie der Beifahrer sich zum Wagen drehte, den hinteren Reifen auf der Fahrerseite inspizierte und ihm anschließend einen Tritt gab. Dann ging er zum hinteren Reifen auf der Beifahrerseite und tat das Gleiche, bevor er sich hinkniete, um einen Blick unter das Fahrzeug zu werfen. Der Polizist beobachtete das Schauspiel ebenfalls.

»Irgendwelche Probleme?«

»Eigentlich nicht«, sagte der Fahrer nervös. »Aber es ist besser sicherzugehen.«

»Dann sind Sie also schon länger unterwegs.«

Der Fahrer nickte. »Und wir müssen noch bis rauf nach Dundee.«

Der Polizist runzelte die Stirn. »Von Edinburgh? Warum sind Sie denn nicht auf der Autobahn geblieben oder auf der A 914?«

Der Fahrer dachte rasch nach. »Wir mussten erst noch was in Tayport ausliefern.«

»Trotzdem«, begann der Polizist. Der Fahrer beobachtete, wie der Beifahrer sich von seiner Inspektion aufrichtete, die sich nun im Rücken des Polizisten abspielte. Er hielt einen großen Stein in der Hand. Der Fahrer sah dem Polizisten starr in die Augen, während der Stein sich hob und herabsauste. Der Monolog endete mitten im Satz, während der Mann zu Boden sank.

»Das ist ja eine schöne Scheiße.«

»Was hätten wir denn tun sollen?« Der Beifahrer steuerte bereits auf den Wagen zu. »Komm, lass uns abhauen!«

»Aye«, sagte der Fahrer, »noch 'ne Minute länger, und der hätte dein … äh …«

Der Beifahrer musterte ihn finster. »Du meinst wohl, noch 'ne Minute länger, und er hätte deine Schnapsfahne gerochen.« Seine finstere Miene entspannte sich erst, als der Fahrer gleichgültig die Schultern zuckte.

Sie wendeten den Wagen und fuhren vom Parkplatz. Aus der Ferne war immer noch der Lärm der Möwen zu hören. Der Motor des Polizeiwagens lief weiter. Das Licht der Scheinwerfer fiel auf die am Boden liegende bewusstlose Gestalt. Doch die Taschenlampe war bei dem Sturz kaputtgegangen.

I

Alles passierte nur, weil John Rebus in seiner Lieblingsmassagepraxis saß und die Bibel las.

Alles passierte nur, weil ein Mann in der irrigen Annahme durch die Tür spazierte, dass ein Massagesalon, der so nah an einer Brauerei und einem halben Dutzend guter Pubs lag, zwangsläufig Kunden bediente, die freitags ihre Lohntüten versoffen oder überhaupt ständig betrunken waren, also ein äußerst zwielichtiges Etablissement sein musste.

Doch der Organ Grinder, wie sich dieser Muskelkneter nannte, der gottesfürchtige Mieter dieses Ladens, führte ein sauberes Geschäft. Es war ein Ort, an dem müde Muskeln weich geklopft wurden. Und Rebus war müde, müde von den Streitereien mit Patience Aitken, müde von den Problemen mit seinem Bruder Michael, der plötzlich aufgetaucht war, eine Bleibe gesucht und Unterschlupf in einer Wohnung gefunden hatte, die voller Studenten war, und vor allem war er müde von seinem Job.

Es war mal wieder so eine Woche gewesen.

Am Montagabend hatte er einen Anruf aus seiner Wohnung in der Arden Street bekommen. Die Studenten, an die er sie vermietet hatte, hatten Patiences Nummer und wussten, dass sie ihn dort erreichen konnten, aber es war das erste Mal, dass sie einen Grund dafür hatten. Der Grund war Michael Rebus.

»Hallo, John.«

Rebus erkannte die Stimme sofort. »Mickey?«

»Wie geht's dir, John?«

»Mein Gott, Mickey. Wo bist du? Nein, Unsinn, ich weiß natürlich, wo du bist. Ich meine ...« Michael lachte leise. »Ich hab halt gehört, du wärst in den Süden gegangen.«

»Hat nicht funktioniert.« Seine Stimme wurde leise. »Die Sache ist die, John, können wir irgendwo miteinander reden? Ich hab zwar schon die ganze Zeit Horror davor, aber ich muss unbedingt mit dir reden.«

»Okay.«

»Soll ich bei dir vorbeikommen?«

Rebus dachte rasch nach. Patience war zur Waverley Station gefahren, um ihre beiden Nichten abzuholen, aber trotzdem ... »Nein, bleib, wo du bist. Ich komm vorbei. Die Studenten sind ganz nett. Vielleicht machen sie dir 'ne Tasse Tee oder drehen dir 'nen Joint, während du auf mich wartest.«

Von der anderen Seite erst Schweigen, dann Michaels Stimme: »Das wär nicht unbedingt nötig gewesen.« Die Verbindung wurde unterbrochen.

Michael Rebus war wegen Drogendealerei zu fünf Jahren Gefängnis verurteilt worden, von denen er drei hatte absitzen müssen. In dieser Zeit hatte John Rebus seinen Bruder noch kein halbes Dutzend Mal besucht. Er war überaus erleichtert gewesen, als Michael nach seiner Entlassung den Bus nach London nahm. Zwei Jahre war das nun her, und die beiden Brüder hatten seitdem kein Wort miteinander gesprochen. Aber nun war Michael wieder da und brachte ungute Erinnerungen an eine Zeit in John Rebus' Leben zurück, die er am liebsten vergessen hätte.

Die Wohnung in der Arden Street war verdächtig sauber, als er dort eintraf. Nur zwei von den Studenten waren da, nämlich das Paar, das sich in Rebus' ehemaligem Schlafzimmer häuslich eingerichtet hatte. Er redete im Flur mit ihnen. Sie waren gerade auf dem Weg ins Pub, drückten ihm aber vorher schnell noch einen neuen Brief vom Finanzamt in die Hand. Rebus hätte sie am liebsten gebeten zu bleiben. Nachdem sie weg waren, war es in der Wohnung sehr still. Rebus wusste, dass Michael im Wohnzimmer sein würde, und dort fand er ihn auch. Er hockte vor der Stereoanlage und schaute die Schallplatten durch.

»Sieh dir das an«, sagte Michael, immer noch mit dem Rücken zu Rebus. »Die Beatles und die Stones, das gleiche Zeug, das du früher gehört hast. Weißt du noch, wie du Dad damit wahnsinnig gemacht hast? Was war das noch mal für ein Plattenspieler …?«

»Ein Dansette.«

»Genau. Dad hat ihn für Zigarettencoupons bekommen, die er gesammelt hat.« Michael stand auf und drehte sich zu seinem Bruder um. »Hallo, John.«

»Hallo, Michael.«

Sie umarmten sich nicht und gaben sich auch nicht die Hand. Sie setzten sich einfach hin. Rebus in den Sessel, Michael aufs Sofa.

»Hier sieht's ja völlig anders aus«, sagte Michael.

»Ich musste ein paar Möbel kaufen, bevor ich die Wohnung vermieten konnte.« Bereits jetzt waren Rebus einige Dinge aufgefallen – Brandstellen von Zigaretten auf dem Teppich, Poster, die gegen sein ausdrückliches Verbot mit Tesafilm auf die Tapete geklebt worden waren. Er öffnete den Brief vom Finanzamt.

»Du hättest mal sehen sollen, wie die plötzlich aktiv wurden, als ich ihnen sagte, du kämst vorbei. Staubgesaugt und Geschirr gespült. Da soll noch mal einer sagen, Studenten wären faul.«

»Die sind ganz in Ordnung.«

»Und wann ist das alles passiert?«

»Vor ein paar Monaten.«

»Die haben mir erzählt, du lebst mit einer Ärztin zusammen.«

»Sie heißt Patience.«

Michael nickte. Er sah blass und krank aus. Rebus wollte eigentlich nicht neugierig sein, aber er war es. Der Brief vom Finanzamt gab ihm deutlich zu verstehen, sie wüssten, dass er seine Wohnung vermietet hätte. Ob er denn seine zusätzlichen Einkünfte nicht angeben wollte? Sein Hinterkopf kribbelte. Das passierte immer, wenn er sich aufregte, seit er sich bei einem Feuer dort üble Verbrennungen zugezogen hatte. Die Ärzte meinten, es gebe nichts, was er oder sie dagegen tun könnten.

Außer natürlich, sich nicht aufzuregen.

Er steckte den Brief in die Jackentasche. »Also, was willst du, Mickey?«

»Kurz gesagt, John, ich brauche eine Bleibe. Nur für ein bis zwei Wochen, bis ich wieder Boden unter den Füßen habe.« Rebus starrte mit steinerner Miene auf die Poster an den Wänden, während Michael weiterredete. Er wolle sich eine Arbeit suchen ... das Geld wäre knapp ... er würde jeden Job nehmen – er brauche bloß eine Chance.

»Weiter nichts, John, bloß eine Chance.«

Rebus dachte nach. Patience hatte natürlich Platz in ihrer Wohnung. Selbst jetzt, wo die Nichten zu Besuch waren, gab es immer noch genügend Platz. Aber Rebus würde auf keinen Fall seinen Bruder mit nach Oxford Terrace nehmen. Die Dinge liefen eh schon nicht besonders gut. Sie engagierten sich beide beruflich, arbeiteten lange und waren deshalb häufig erschöpft. Rebus bezweifelte, dass sich die Situation durch Michael entspannen würde. Ich bin doch nicht der Hüter meines Bruders, dachte er. Aber trotzdem.

»Wir könnten dich vielleicht hier in der Abstellkammer unterbringen. Ich muss allerdings erst mit den Studenten reden.« Er glaubte zwar nicht, dass sie nein sagen würden, doch es schien ihm höflicher zu fragen. Wie *könnten* sie es überhaupt wagen, nein zu sagen? Er war schließlich ihr Vermieter, und Wohnungen waren schwer zu finden.

»Das wär toll.« Michael klang erleichtert. Er stand auf und ging zur Tür der Abstellkammer. Die war eher ein großer belüfteter Schrank, der vom Wohnzimmer abging. Gerade groß genug für ein Bett und eine Kommode, wenn man die Kisten und den übrigen Plunder ausräumte. *Junk*

»Das ganze Zeug kriegen wir vermutlich im Keller unter«, sagte Rebus, der nun direkt hinter seinem Bruder stand.

»John«, erwiderte Michael, »so wie ich mich fühle, wär ich schon zufrieden, wenn ich im Keller schlafen dürfte.« Und als er sich zu seinem Bruder umdrehte, hatte Michael Rebus Tränen in den Augen.

Am Mittwoch wurde Rebus allmählich klar, dass seine Welt eine schwarze Komödie war.

Michael war ohne jedes Aufhebens in die Wohnung in der Arden Street eingezogen. Rebus hatte Patience mitgeteilt, dass sein Bruder wieder da war, ansonsten jedoch nicht viel dazu gesagt. Sie verbrachte ohnehin viel Zeit mit den Töchtern ihrer Schwester. Sie hatte sich ein paar Tage freigenommen, um ihnen Edinburgh zu zeigen, was sich jedoch als ziemlich anstrengend erwies. Die fünfzehnjährige Susan wollte nämlich genau die Dinge tun, die Jenny mit ihren acht Jahren nicht tun wollte oder konnte. Rebus fühlte sich von diesem weiblichen Triumvirat fast völlig ausgeschlossen. Allerdings schlich er sich manchmal nachts in Jennys Zimmer, um den unschuldigen Anblick eines schlafenden Kindes zu erleben. Susan versuchte er allerdings eher aus dem Weg zu gehen, da diese sich anscheinend der Unterschiede zwischen Männern und Frauen nur allzu sehr bewusst war.

Beruflich war er so eingespannt, dass er nicht mehr als ein paarmal am Tag an Michael dachte. Ach ja, die Arbeit, das war auch so eine Sache. Nachdem die Great London Road Police Station abgebrannt war, hatte man Rebus nach St. Leonard's versetzt, der Hauptwache im Stadtzentrum.

Mit ihm gekommen waren Detective Sergeant Brian Holmes und – zu ihrer beider Bestürzung – Chief Superintendent »Farmer« Watson und Chief Inspector »Fart« Lauderdale. Der Umzug hatte durchaus Vorteile gebracht – neuere Büros und Möbel, günstigere Lage und bessere Ausstattung –, aber nicht genug. Rebus konnte sich immer noch nicht so ganz an seinen neuen Arbeitsplatz gewöhnen. Alles war dermaßen aufgeräumt, dass er nie etwas fand. Folglich war er stets darauf erpicht, aus dem Büro heraus und auf die Straße zu kommen.

Was dazu führte, dass er in einer Metzgerei in der South Clerk Street landete und auf einen Mann mit einer schweren Stichwunde hinunterstarrte.

Der Mann war bereits von einem Arzt versorgt worden, der zufällig in der Schlange gestanden hatte und auf seine Koteletts und ein paar Scheiben Vorderschinken wartete, als der Verletzte in den Laden taumelte. Die Wunde war provisorisch mit einer sauberen Metzgerschürze verbunden worden, und nun warteten alle darauf, dass aus dem Krankenwagen vor der Tür eine Trage ausgeladen wurde.

Ein Constable setzte Rebus kurz ins Bild.

»Ich war nur ein Stück weiter die Straße rauf, als mich jemand über den Vorfall informierte. Deshalb kann er nicht länger als fünf Minuten hier gewesen sein, und ich bin sofort gekommen. Dann hab ich's gleich per Funk durchgegeben.«

Rebus hatte die Funkmeldung des Constable im Auto aufgeschnappt und beschlossen vorbeizufahren. Nun wünschte er beinah, er hätte es nicht getan. Der Fußboden war voller Blut, das das dort ausgebreitete Sägemehl rot gefärbt hatte. Warum einige Metzger immer noch Sägemehl über ihre Böden schütteten, war ihm unbegreiflich. Außerdem war an der weiß gekachelten Wand ein blutiger Handabdruck und darunter ein Blutfleck von undefinierbarer Form.

Der Verletzte hatte auch draußen eine feucht schimmernde Blutspur hinterlassen, die Clerk Street entlang und ein Stück in den Lutton Place hinein (beleidigend nahe an St. Leonard's), wo sie urplötzlich am Bordstein endete.

Der Name des Mannes war Rory Kintoul, und jemand hatte ihm ein Messer in den Unterleib gerammt. Das wussten sie. Viel mehr jedoch nicht, da der Mann sich weigerte, über den Vorfall zu sprechen. Ganz anders verhielten sich dagegen die Leute, die zum fraglichen Zeitpunkt in der Metzgerei gewesen waren. Sie standen jetzt draußen und berichteten denjenigen, die stehen blieben, um durch das Schaufenster zu starren, von den aufregenden Ereignissen. Das erinnerte Rebus an Samstagnachmittage im St. James Centre, wenn sich Männer vor den Fernsehläden scharten in der Hoffnung, die Fußballergebnisse mitzukriegen.

Rebus beugte sich zu Kintoul hinab.

»Und wo wohnen Sie, Mr Kintoul?«

Doch der Mann hatte nicht vor zu antworten. Stattdessen kam von der anderen Seite der Glastheke eine Stimme.

»Duncton Terrace.« Der Sprecher trug eine blutige Metzgerschürze und wischte gerade ein großes Messer an einem Geschirrtuch ab. »Das ist in Dalkeith.«

Rebus sah den Metzger an. »Und Sie sind …?«

»Jim Bone. Mir gehört der Laden.«

»Und Sie kennen Mr Kintoul?«

Kintoul hatte mühsam den Kopf gedreht und suchte offenbar Blickkontakt mit dem Metzger, als ob er dessen Antwort beeinflussen wollte. Doch so schlaff, wie er da unten gegen die Theke gelehnt saß, hätte er schon dämonische Fähigkeiten besitzen müssen, um das tatsächlich zu bewirken.

»Sollte ich wohl«, antwortete der Metzger. »Er ist mein Cousin.«

Rebus wollte gerade etwas sagen, doch in diesem Augenblick wurde die Fahrtrage von zwei Sanitätern hereingerollt. Einer von ihnen wäre fast auf dem glitschigen Fußboden ausgerutscht. Als sie die Trage vor Kintoul hinstellten, bemerkte Rebus etwas, das er so schnell nicht vergessen würde. Hinter der Theke waren zwei kleine Schilder, eines steckte in einem Stück Cornedbeef, das andere in einer dicken Scheibe Hüft-steak.

Kalter Aufschnitt stand auf dem einen Schild, auf dem an-deren ganz lapidar Frischfleisch. Als die Sanitäter den Cou-sin des Metzgers hochhoben, blieb ein großer Flecken fri-schen Blutes auf dem Fußboden zurück. Kalter Aufschnitt und Frischfleisch. Rebus ging schaudernd zur Tür.

An dem Freitag nach der Arbeit beschloss Rebus, eine Mas-sage zu nehmen. Er hatte Patience zwar versprochen, dass er um acht zu Hause sein würde, aber jetzt war es erst sechs. Außerdem schien ein kräftiges Durchkneten ihn immer für das Wochenende fit zu machen.

Doch als Erstes spazierte er ins Broadsword, um sich ein Pint des dort ausgeschenkten Biers einzuverleiben. Es gab nichts Typischeres in dieser Gegend als Gibson's Dark, ein starkes Bier, das nur sechshundert Meter weiter in der Gibson Brewery hergestellt wurde. Eine Brauerei, ein Pub und ein Massagesalon – es fehlte nur noch ein gutes indisches Restau-rant und ein kleiner Lebensmittelladen, und Rebus hätte hier bis in alle Ewigkeit glücklich und zufrieden leben können.

Nicht dass er nicht gerne mit Patience in deren Gartenwoh-nung in der Oxford Terrace wohnen würde. Das stellte sozu-sagen die andere Seite seines Lebens dar. Denn zweifellos la-gen Welten zwischen Oxford Terrace und dieser anrüchigen Gegend Edinburghs, einer von vielen dieser Art. Rebus frag-te sich, warum diese eine so starke Anziehungskraft auf ihn ausübten.

Die Luft draußen war von dem typischen Hefegeruch der Bierherstellung erfüllt, der mit dem noch schlimmeren Ge-stank der viel größeren Brauereien der Stadt konkurrierte.

Das Broadsword war eine beliebte Kneipe und wurde wie die meisten beliebten Kneipen in Edinburgh von einem gemischten Publikum frequentiert: Studenten, Proleten und ab und zu ein Geschäftsmann. Das Einzige, was für das ansonsten recht anspruchslose Lokal sprach, war gutes Bier und ein guter Weinkeller. Das Wochenende hatte bereits begonnen, und Rebus stand eingezwängt an der Bar neben einem Mann, dessen riesiger Schäferhund hinter den Barhockern auf dem Fußboden schlief. Das Tier nahm den Stehplatz von mindestens zwei erwachsenen Männern ein, doch niemand forderte es auf, ein wenig zu rücken. Ein Stück von ihm entfernt sah Rebus einen Mann an der Bar, der in einer Hand einen Drink hielt und die andere besitzergreifend um einen wohl gerade in einem der Secondhandläden in der Nähe erstandenen Garderobenständer gelegt hatte. Alle an der Bar tranken das gleiche dunkle Gebräu.

Obwohl es in dieser Gegend ein halbes Dutzend Pubs gab, schenkte nur das Broadsword Gibson's vom Fass aus, da alle anderen Pubs an eine der großen Brauereien gebunden waren. Während das Bier seine Kehle hinunterrann, fragte sich Rebus, welche Wirkung es auf seinen Stoffwechsel haben würde, wenn der Organ Grinder ihn erst mal in der Mangel hatte. Er entschied sich gegen ein zweites Pint und machte sich stattdessen auf den Weg zu O-Gee's. So hatte der Organ Grinder seinen Salon genannt. Rebus gefiel der Name, weil er genauso klang wie das Geräusch, das die Kunden von sich gaben, wenn der Organ Grinder sie bearbeitete: »O Jeez!« Doch alle waren stets bemüht, es nicht laut zu sagen, denn der Organ Grinder hörte nicht gern Flüche auf seiner Massagebank. Das brachte ihn auf, und niemand wollte den Händen eines aufgebrachten Organ Grinder ausgeliefert sein. Niemand wollte sich für ihn zum Affen machen.

So saß er also da, mit der Bibel auf dem Schoß, und wartete auf seinen Termin um halb sieben. Die Bibel war das Einzige, das der Organ Grinder als Lektüre zur Verfügung stellte. Rebus hatte sie sich schon einmal vorgenommen, doch es machte ihm nichts aus, sie noch einmal zu lesen.

Dann flog die Eingangstür auf.

»Wo sind denn die Mädchen, eh?« Dieser neue Kunde war nicht nur falsch informiert, sondern auch ganz schön betrunken. Und der Organ Grinder lehnte es strikt ab, Betrunkene zu behandeln.

»Falscher Laden, Kumpel.« Rebus wollte ihm gerade ein paar Salons in der Nähe nennen, wo er ganz bestimmt unter den Händen sachkundiger Thailänderinnen auf seine Kosten kommen würde, da gebot ihm der Mann mit einem dicken ausgestreckten Finger Einhalt.

»John Rebus, du alter Scheißkerl!«

Rebus runzelte die Stirn und versuchte, das Gesicht irgendwie einzuordnen. Er überflog in Gedanken die Verbrecherfotos von zwei Jahrzehnten. Der Mann bemerkte Rebus' Ratlosigkeit und breitete die Arme aus. »Deek Torrance, erinnerst du dich nicht an mich?«

Rebus schüttelte den Kopf. Torrance kam entschlossen auf ihn zu. Rebus ballte die Fäuste, auf alles gefasst.

»Wir haben die Fallschirmspringerausbildung zusammen gemacht«, sagte Torrance. »Mein Gott, da musst du dich doch dran erinnern!«

Und plötzlich fiel es Rebus wieder ein. Er erinnerte sich an alles, an die gesamte schwarze Komödie, die seine Vergangenheit darstellte.

Sie tranken zusammen im Broadsword und tauschten Geschichten aus. Deek hatte es nur ein Jahr im Fallschirmregiment ausgehalten und sich nicht viel später ganz vom Militär getrennt.

»Zu rastlos, John, das war mein Problem. Und was war deins?«

Rebus schüttelte den Kopf und nahm noch einen Schluck Bier. »Mein Problem, Deek? Dafür gibt es keinen Namen.« Doch es *hatte* einen Namen bekommen, zuerst durch Mickeys plötzliches Wiederauftauchen und nun durch Deek Torrance. Geister. Beide waren sie Geister aus der Vergangenheit, doch Rebus wollte kein Geizhals wie Ebenezer Scrooge von Dickens sein. Er bestellte eine weitere Runde.

»Du hast immer gesagt, du wolltest dich für den SAS bewerben«, sagte Torrance.

Rebus zuckte die Achseln. »Hat nicht geklappt.«

In der Bar wurde es immer voller, und irgendwann wurde Torrance von einem jungen Mann angerempelt, der versuchte, einen Kontrabass durch das Gedränge zu bugsieren.

»Kannst du das Ding nicht draußen lassen?«

»Nicht in der Gegend hier.«

Torrance wandte sich wieder Rebus zu. »Hast du das gesehen?«

Rebus lächelte. Er fühlte sich gut nach der Massage. »Niemand bringt in dieser Gegend irgendwas Kleines mit in eine Bar.« Deek Torrance antwortete nur mit einem Grunzen. Ja, jetzt erinnerte er sich genau an ihn. Er war dicker und kahlköpfiger und sein Gesicht grober und fleischiger geworden. Er hörte sich nicht mal mehr so an wie damals, jedenfalls nicht ganz so. Aber eine Eigenheit gab es noch, das Torrance-Grunzen. Ein Mann von wenigen Worten, das war Deek Torrance gewesen. Jetzt allerdings hatte er eine Menge zu sagen.

»Was machst du denn so, Deek?«

Torrance grinste. »Da ich weiß, dass du Polizist bist, sollte ich das besser nicht sagen.« Rebus wartete einfach ab. Torrance war so betrunken, dass er schon fast sabberte. Er würde sich gewiss nicht lange zurückhalten können. »Ich mache in An- und Verkauf, hauptsächlich Verkauf.«

»Und was verkaufst du?«

Torrance beugte sich dicht zu ihm. »Rede ich mit der Polizei oder mit einem alten Kumpel?«

»Mit einem Kumpel«, erwiderte Rebus. »Strikt außerdienstlich. Also, was verkaufst du?«

Torrance grunzte. »Alles, was du willst, John. Ich bin so was wie Jenners, das Kaufhaus ... bloß ich komm an Dinge ran, die die nicht führen.«

»Zum Beispiel?« Rebus sah auf die Uhr über der Bar. Es konnte doch unmöglich schon so spät sein. Die ließen die Uhr hier immer zehn Minuten vorgehen, aber trotzdem.

»Einfach alles«, sagte Torrance. »Alles von 'ner Matratze bis zum Schießeisen. Du brauchst es nur zu sagen.«

»Wie wär's mit einer Uhr?« Rebus begann seine abzunehmen. »Meine scheint immer nur für ein paar Stunden zu gehen.«

Torrance warf einen Blick darauf. »Longines«, sagte er und sprach den Namen korrekt aus, »die solltest du nicht wegwerfen. Lass sie mal richtig reinigen, dann tut sie's auch wieder. Ich könnte sie allerdings auch für 'ne Rolex in Zahlung nehmen ...«

»Du handelst also mit geklauten Uhren.«

»Hab ich das gesagt? Kann ich mich nicht dran erinnern. *Alles,* John, was auch immer der Kunde will. Ich besorge es ihm.« Torrance zwinkerte.

»Hör mal, wie spät ist es eigentlich?«

Torrance zuckte die Schultern und zog den Ärmel seines Jacketts hoch. Er hatte keine Uhr an. Rebus wurde nachdenklich. Er hatte seinen Termin mit dem Grinder eingehalten. Deek hatte bereitwillig im Vorraum auf ihn gewartet. Und danach hatten sie immer noch Zeit für ein bis zwei Pints gehabt, bevor er nach Hause musste. Bisher hatten sie zwei ... nein drei Bier getrunken. Vielleicht war er schon ein bisschen spät dran. Es gelang ihm, den Barmann auf sich aufmerksam zu machen. Er tippte auf sein Handgelenk.

»Zwanzig nach acht!«, rief der Barmann.

»Dann sollte ich wohl besser Patience anrufen«, meinte Rebus.

Doch irgendwer benutzte das öffentliche Telefon, um jemandem seine große Liebe zu gestehen. Außerdem hatte derjenige den Hörer in die Damentoilette gezogen, damit er trotz all dem Lärm in der Bar etwas verstehen konnte. Die Telefonschnur war straff gespannt und drohte jeden zu garrottieren, der versuchte, die Toilette zu benutzen. Rebus wartete zunächst geduldig, dann starrte er immer eindringlicher auf die Gabel des Telefons an der Wand. Zum Teufel damit. Er drückte mit der Hand auf die Gabel, ließ sie los und reihte sich wieder in die Schar der Trinker ein. Ein junger Mann tauchte aus der Damentoilette auf und knallte den Hörer auf die Gabel. Er wühlte in der Tasche nach Kleingeld, hatte aber keins und steuerte auf die Bar zu.

Rebus ging zum Telefon. Er nahm den Hörer ab, hörte aber kein Freizeichen. Er versuchte es noch einmal, dann versuchte er zu wählen. Nichts. Irgendetwas war offensichtlich kaputtgegangen, als der Mann den Hörer aufknallte. Verdammte Scheiße. Es war jetzt fast halb neun, und bis zur Oxford Terrace brauchte er mit dem Auto fünfzehn Minuten. Dafür würde er teuer bezahlen müssen.

»Du siehst aus, als könntest du noch 'nen Drink vertragen«, bemerkte Torrance, als Rebus sich wieder neben ihn an die Bar stellte.

»Weißt du was, Deek?«, sagte Rebus. »Mein Leben ist eine schwarze Komödie.«

»Na ja, besser als eine Tragödie, was?«

Rebus fragte sich allmählich, worin der Unterschied bestand.

Um zwanzig nach neun war er an der Wohnung. Vermutlich hatte Patience für vier Personen gekocht. Vermutlich hatte sie fünfzehn Minuten gewartet, bevor sie anfingen zu essen. Sie würde sein Essen weitere fünfzehn Minuten warm gestellt haben, dann hatte sie es weggeschmissen. Wenn es Fisch war, hatte es die Katze gefressen. Ansonsten war es auf dem Komposthaufen im Garten gelandet. Das war schon vorgekommen, viel zu häufig vorgekommen. Und doch kam es immer wieder vor, und Rebus war sich nicht sicher, ob die Entschuldigung, einen alten Freund getroffen zu haben oder dass seine Uhr kaputt war, irgendetwas bewirken würde.

Die Stufen zu der Gartenwohnung hinunter waren ausgetreten und glatt. Rebus nahm sie ganz vorsichtig, und so kam es, dass er erst ziemlich spät die große Sporttasche bemerkte, die – angestrahlt vom orangefarbenen Licht der Straßenlaterne – auf der Rattanmatte vor der Wohnungstür stand. Es war seine Tasche. Er zog den Reißverschluss auf und sah hinein. Auf einigen Kleidungsstücken und einem Paar Schuhe lag ein Zettel. Er las ihn zweimal.

Du brauchst es gar nicht erst an der Tür zu versuchen, ich hab den Riegel vorgeschoben. Ich hab außerdem die Klingel abgestellt, und der Telefonhörer liegt das ganze Wochenende neben dem Telefon. Ich stell dir am Montagmorgen eine weitere Landung von deinem Kram an die Treppe.

Diese Nachricht brauchte keine Unterschrift. Rebus stieß einen tiefen Seufzer aus, dann steckte er seinen Schlüssel ins Schloss. Er ließ sich nicht drehen. Er drückte auf die Klingel. Kein Ton. Zuletzt bückte er sich und linste durch den Briefschlitz. Der Flur lag im Dunkeln, und auch aus keinem der Zimmer drang Licht.

»Mir ist was dazwischengekommen«, rief er. Keine Antwort. »Ich hab versucht anzurufen, bin aber nicht durchgekommen.« Immer noch nichts. Er wartete noch eine Weile und hoffte, dass zumindest Jenny das Schweigen brechen würde. Oder Susan, sie war doch so eine richtige kleine Unruhestifterin. Und außerdem eine Herzensbrecherin, so wie sie aussah. »Wiedersehen, Patience!«, rief er. »Wiedersehen, Susan. Wiedersehen, Jenny.« Schweigen. »Es tut mir Leid.«

Und das war auch so.

»Mal wieder eine von diesen Wochen«, murmelte er vor sich hin und nahm die Tasche.

Am Sonntagmorgen kam Andrew McPhail bei fahlem Sonnenschein und eisigem Wind klammheimlich nach Edinburgh zurück. Er war lange fort gewesen, und die Stadt hatte sich verändert. Alles hatte sich verändert, überall. Obwohl er bereits seit ein paar Tagen zurück war, litt er immer noch unter Jetlag, und aufgrund der überhöhten Preise in London war er ärmer, als er eigentlich hätte sein sollen. Er ging zu Fuß vom Busbahnhof in den Stadtteil Broughton, ganz in der Nähe des Leith Walk. Obwohl es kein weiter Weg war und er nicht viel Gepäck hatte, fiel ihm jeder Schritt schwerer. Im Bus hatte er schlecht geschlafen, doch das war nichts Neues. Er konnte sich gar nicht erinnern, wann er das letzte Mal so richtig gut geschlafen hatte, traumlos.

Die Sonne sah aus, als ob sie jeden Augenblick verschwinden könnte. Dichte Wolken zogen über Leith herein. McPhail bemühte sich, schneller zu gehen. Er hatte eine Adresse in der Tasche, die einer Pension. Am Abend zuvor hatte er dort angerufen, und seine Vermieterin erwartete ihn. Sie klang nett am Telefon, doch war ihm das letztlich egal, solange sie nur den Mund hielt. Er wusste, dass seine Ausreise aus Kanada in den kanadischen Zeitungen gestanden hatte, sogar in einigen amerikanischen, und er hatte angenommen, dass die Journalisten hier auf der Suche nach einer Geschichte hinter ihm her sein würden. Es hatte ihn überrascht, dass er völlig unbemerkt in Heathrow aussteigen konnte. Niemand schien zu wissen, wer er war, und das war gut so.

Er wünschte sich nichts weiter als ein ruhiges Leben, wenn auch vielleicht nicht ganz so ruhig wie die letzten Jahre.

Er hatte seine Schwester von London aus angerufen und sie gebeten, sich bei der Auskunft nach einer Mrs MacKenzie im Belevue-Viertel zu erkundigen. (Die Auskunft in London hatte sich nicht als besonders hilfsbereit erwiesen.) Melanie und ihre Mutter hatten bei Mrs MacKenzie gewohnt, als er sie kennen lernte, bevor sie zusammenzogen. Alexis war allein erziehende Mutter, ein Fall fürs Sozialamt. Mrs MacKenzie war verständnisvoller gewesen als die meisten Vermieter. Nicht dass er Melanie und ihre Mum je dort besucht hätte – das hätte Mrs MacKenzie nicht behagt.

Heutzutage nahm sie nur noch selten Pensionsgäste auf, doch sie war eine gute Christin, und McPhail war sehr überzeugend gewesen.

Nun stand er vor dem Haus. Es war ein schlichtes, zweistöckiges Gebäude mit grauem Rauputz und hässlichen Doppelfenstern. Es sah genauso aus wie die Häuser rechts und links von ihm. Mrs MacKenzie öffnete die Tür, als hätte sie schon länger auf ihn gewartet. Sie machte sich umständlich in Wohnzimmer und Küche zu schaffen, dann führte sie ihn die Treppe hinauf, um ihm das Bad und schließlich sein eigenes Zimmer zu zeigen. Es war nicht größer als eine Gefängniszelle, aber nett eingerichtet (irgendwann Mitte der sechziger Jahre, nahm er an) und soweit ganz in Ordnung. Er hatte nichts daran auszusetzen.

»Es ist sehr schön«, erklärte er Mrs MacKenzie, die mit den Schultern zuckte, als wollte sie sagen, natürlich ist es das.

»Der Tee ist fertig«, sagte sie. »Ich schenk uns beiden ein Tässchen ein.« Dann erinnerte sie sich an etwas. »Denken Sie daran, dass im Zimmer nicht gekocht werden darf.«

Andrew McPhail schüttelte den Kopf. »Ich koche nicht«, erwiderte er. Ihr fiel noch etwas ein, und sie ging zum Fenster, an dem die Gardinen noch geschlossen waren.

»Ich zieh die mal auf. Sie können auch ein Fenster öffnen, wenn Sie frische Luft wollen.«

»Ein bisschen frische Luft wär nicht schlecht«, stimmte er zu. Sie schauten beide aus dem Fenster auf die Straße hinunter.

»Es ist ruhig hier«, sagte sie. »Nicht allzu viel Verkehr. Tagsüber gibt's natürlich schon ein bisschen Lärm.«

McPhail sah, was sie meinte. Auf der anderen Straßenseite stand ein altes Schulgebäude mit einem schwarzen Eisenzaun davor. Es war keine große Schule, vermutlich eine Grundschule. Von McPhails Fenster aus konnte man auf das Schultor blicken, das sich rechts vom Hauptgebäude befand. Gleich hinter dem Tor lag der derzeit verlassene Schulhof.

»Ich schenk uns jetzt den Tee ein«, sagte Mrs MacKenzie. Nachdem sie fort war, legte McPhail sein Gepäck auf das weich gefederte Bett, neben dem ein kleiner Schreibtisch und ein Stuhl standen. Er nahm den Stuhl und stellte ihn vor das Fenster, dann setzte er sich darauf. Er schob einen kleinen Glasclown auf der Fensterbank ein Stück weiter, so dass er sein Kinn an der Stelle aufstützen konnte, wo die Figur gestanden hatte. Nun behinderte nichts mehr seine Aussicht. Er saß dort und blickte verträumt auf den Schulhof, bis Mrs MacKenzie rief, dass der Tee im Wohnzimmer bereitstehe.

»Es gibt auch Sandkuchen.« Andrew McPhail stand seufzend auf. Ihm war jetzt eigentlich gar nicht nach Tee zumute, aber vermutlich konnte er ihn auch mit auf sein Zimmer nehmen und später trinken. Er fühlte sich müde, hundemüde, aber er war zu Hause und irgendetwas sagte ihm, dass er diese Nacht schlafen könnte, in einen totenähnlichen Schlaf sinken würde.

»Ich komme, Mrs MacKenzie!«, rief er und riss seinen Blick von der Schule los.

2

Am Montagmorgen ging das Gerücht durch die Polizeiwache St. Leonard's, dass Inspector John Rebus in noch üblerer Laune wäre als gewöhnlich. Einige konnten sich das kaum vorstellen und wären beinahe so weit gegangen, sich in seine Nähe zu wagen, um sich mit eigenen Augen davon zu überzeugen ... aber auch nur beinahe.

Andere hatten gar keine andere Wahl.

DS Brian Holmes und DC Siobhan Clarke, die sich mit Rebus im abgetrennten Teil des Kripobüros einen Raum teilten, sahen aus, als säßen sie auf rohen Eiern.

»Also«, sagte Rebus, »was ist mit Rory Kontoul?«

»Er ist aus dem Krankenhaus entlassen worden, Sir«, antwortete Siobhan Clarke.

Rebus nickte ungeduldig. Er wartete nur darauf, dass sie einen Fehler machte. Und zwar nicht deshalb, weil sie Engländerin war oder studiert hatte oder reiche Eltern besaß, die ihr eine Wohnung in der New Town gekauft hatten. Auch nicht, weil sie eine Frau war. Es war einfach Rebus' Art, mit jungen Beamten umzugehen.

»Und er redet immer noch nicht«, sagte Holmes. »Er will nicht sagen, was passiert ist, und ganz bestimmt wird er keine Anklage erheben.«

Brian Holmes sah müde aus. Rebus konnte das aus den Augenwinkeln erkennen. Er wollte Holmes nicht in die Augen blicken, wollte nicht, dass Holmes merkte, dass sie nun etwas gemein hatten.

Beide waren von ihren Freundinnen rausgeschmissen worden.

Bei Holmes war es vor etwas mehr als einem Monat passiert. Wie Holmes später gestand, nachdem er zu einer Tante nach Barnton gezogen war, hatte sich der ganze Streit an der Kinderfrage entzündet. Ihm war nicht klar gewesen, wie sehr Nell sich ein Baby wünschte, und er hatte angefangen, darüber Witze zu machen. Eines Tages war sie dann explodiert und hatte ihn unter den Augen fast aller Nachbarinnen ihres Bergarbeiterdorfs vor die Tür gesetzt. Angeblich hatten die Frauen applaudiert, als Holmes sich aus dem Staub machte.

Nun arbeitete er noch härter als vorher. (Das war auch einer der Streitpunkte zwischen den beiden gewesen. Sie hatte ziemlich regelmäßige Arbeitszeiten, seine waren alles andere als das.) Er erinnerte Rebus an eine durchgescheuerte und völlig ausgeblichene Arbeitsjeans, die sich rapide dem Ende ihres Daseins näherte.

»Was wollen Sie damit sagen?«, fragte Rebus.

»Ich will damit sagen, dass wir die Angelegenheit meiner Meinung nach auf sich beruhen lassen sollten, Sir, bei allem Respekt.«

»›Bei allem Respekt‹, Brian? Das sagen die Leute, wenn sie in Wirklichkeit meinen ›du verdammter Idiot‹.« Rebus sah Holmes immer noch nicht an, doch er konnte spüren, wie der junge Mann rot wurde. Clarke blickte auf ihren Schoß.

»Jetzt hört mir mal zu«, begann Rebus. »Dieser Typ schleppt sich mit einer fünf Zentimeter langen, klaffenden Wunde im Bauch ein paar hundert Meter über die Straße. Warum?« Keine Antwort. »Warum«, fuhr Rebus fort, »geht er an einem Dutzend Läden vorbei und hält bei dem seines Cousins an?«

»Vielleicht wollte er zu einem Arzt, konnte aber nicht mehr weiter«, schlug Clarke vor.

»Vielleicht«, meinte Rebus wegwerfend. »Nur merkwürdig, dass er es bis in den Laden seines *Cousins* geschafft hat.«

»Sie glauben, es hat was mit dem Cousin zu tun, Sir?«

»Jetzt will ich euch mal was anderes fragen.« Rebus stand auf, ging einige Schritte auf und ab und bemerkte, wie

Holmes und Clarke einen kurzen Blick tauschten. Das machte Rebus nachdenklich. Zunächst waren zwischen den beiden die Fetzen geflogen. Doch nun arbeiteten sie gut zusammen. Er hoffte nur, dass die Beziehung nicht darüber hinausging. »Ich möchte euch Folgendes fragen«, sagte er. »Was wissen wir über das Opfer?«

»Nicht viel«, antwortete Holmes.

»Er wohnt in Dalkeith«, erklärte Clarke. »Arbeitet dort als Labortechniker im Krankenhaus. Verheiratet, ein Sohn.« Sie zuckte die Schultern.

»Das ist alles?«, fragte Rebus.

»Das ist alles, Sir.«

»Genau«, sagte Rebus. »Er ist niemand, ein Nichts. Keine einzige Person, mit der wir geredet haben, wusste ein schlechtes Wort über ihn zu sagen. Also erklärt mir eines: Wieso wird so jemand niedergestochen? Und das am helllichten Mittwochmorgen? Wenn es ein Straßenräuber gewesen wäre, hätte er uns das bestimmt erzählt. Doch stattdessen ist sein Mund so fest verschlossen wie das Portemonnaie eines Aberdeeners bei der Kirchenkollekte. Er hat etwas zu verbergen. Weiß der liebe Himmel, was, aber es hat was mit einem Auto zu tun.«

»Wie kommen Sie denn darauf, Sir?«

»Die Blutspur beginnt am Bordstein, Holmes. Das sieht für mich so aus, als wär er aus einem Auto gestiegen und da bereits verletzt gewesen.«

»Er hat zwar einen Führerschein, Sir, besitzt aber zurzeit kein Auto.«

»Kluges Mädchen, Clarke.« Sie zuckte bei »Mädchen« zusammen, doch Rebus sprach bereits weiter. »Und er hatte sich einen halben Tag freigenommen, ohne seiner Frau etwas davon zu sagen.« Er setzte sich wieder hin. »Warum denn bloß? Ich möchte, dass ihr beide ihn euch noch mal vorknöpft. Sagt ihm, wir sind nicht glücklich über sein Schweigen. Wenn ihm keine Geschichte einfällt, rücken wir ihm so lange auf den Pelz, bis er mit einer rausrückt. Und lasst ihn wissen, dass wir es ernst meinen.« Rebus zögerte. »Und danach überprüft ihr den Metzger.«

»Zack, zack, Sir«, bemerkte Holmes. Das Klingeln des Telefons rettete ihn. Rebus nahm den Hörer ab. Vielleicht war es ja Patience.

»DI Rebus.«

»John, können Sie bitte in mein Büro kommen?«

Es war nicht Patience, sondern der Chief Super. »In zwei Minuten, Sir«, erwiderte Rebus und legte den Hörer auf. Dann, zu Holmes und Clarke gewandt: »Setzt euch in Bewegung.«

»Ja, Sir.«

»Sie meinen, ich mache zu viel Wind um die Sache, Brian?«

»Ja, Sir.«

»Na ja, vielleicht tue ich das ja tatsächlich. Aber ich mag keine Rätsel, egal, wie unbedeutend. Also zieht Leine und befriedigt meine Neugier.«

Im Aufstehen deutete Holmes auf den großen Koffer, den Rebus hinter seinem Schreibtisch verstaut hatte, in der Hoffnung, dass ihn niemand sehen würde. »Sollte ich was darüber wissen?«

»Ja«, sagte Rebus. »Darin bewahre ich meine ganzen Schmiergelder auf. Ihre haben wahrscheinlich noch in der Gesäßtasche Platz.« Holmes machte keinerlei Anstalten, sich von der Stelle zu rühren, obwohl Clarke sich bereits an ihren Schreibtisch zurückgezogen hatte. »Ich gehöre jetzt auch zum Klub derer, die kein Zuhause haben.« Holmes' Miene wurde lebhafter. »Kein Sterbenswörtchen, verstanden. Das bleibt unter uns.«

»Verstanden.« Holmes fiel etwas ein. »Wissen Sie, ich gehe jetzt fast jeden Abend zum Essen ins Heartbreak Café ...«

»Dann weiß ich ja, wo ich Sie finden kann, wenn mir danach zumute ist, den frühen Elvis zu hören.«

Holmes nickte. »Auch den Las-Vegas-Elvis. Ich meinte ja nur, wenn ich irgendwas tun kann ...«

»Als Erstes könnten Sie mal kurz in meine Haut schlüpfen und sich zu Farmer Watson begeben.«

Doch Holmes schüttelte den Kopf. »Ich hatte da eher an etwas Zumutbares gedacht.«

Etwas Zumutbares. Rebus fragte sich, ob es zumutbar war, von den Studenten zu verlangen, ihn auf dem Sofa schlafen zu lassen, während sein Bruder in der Abstellkammer nächtigte. Vielleicht sollte er ihnen anbieten, die Miete zu senken. Als er am Freitagabend unangekündigt in der Wohnung aufgetaucht war, hatten drei der Studenten mit Michael auf dem Fußboden gesessen, Joints gedreht und sich eine Rolling-Stones-Platte aus der mittleren Phase angehört. Rebus starrte entsetzt auf die Zigarettenblättchen in Michaels Hand.

»Verdammt noch mal, Mickey!« Also hatte Michael Rebus seinem Bruder endlich eine Reaktion entlockt. Die Studenten hatten zumindest den Anstand, wie auf frischer Tat ertappte Verbrecher auszusehen. »Ihr könnt von Glück sagen«, erklärte Rebus ihnen, »dass mir genau in diesem Augenblick alles scheißegal ist.«

»Na komm schon, John«, meinte Michael und bot ihm eine halb aufgerauchte Zigarette an. »Das bringt dich nicht um.«

»Der Meinung bin ich auch.« Rebus zog eine Flasche Whisky aus der Tragetasche, die er in der Hand hielt. »Aber das hier vielleicht.«

Er hatte den restlichen Abend ausgestreckt auf dem Sofa verbracht, Whisky getrunken und jede Platte mitgesungen, die aufgelegt wurde. Er hatte auch den größten Teil des Wochenendes so verbracht. Die Studenten schien das nicht zu stören, obwohl er von ihnen verlangt hatte, die Drogen weg-zupacken, solange er da war. Sie räumten mit Michaels Hil-fe die Wohnung um ihn herum auf, und am Samstagabend marschierten alle ins Pub und ließen Rebus mit dem Fernse-her und ein paar Dosen Bier allein. Es sah nicht so aus, als hätte Michael den Studenten von seiner Gefängnisstrafe er-zählt, und Rebus hoffte, dass es so bleiben würde. Michael hatte angeboten auszuziehen oder zumindest seinem Bruder die Abstellkammer zu überlassen, doch Rebus hatte dies ab-gelehnt. Er wusste selbst nicht genau, warum.

Am Sonntag fuhr er zur Oxford Terrace, doch es schien niemand zu Hause zu sein, und die Tür ließ sich mit seinem Schlüssel nicht öffnen. Also hatte Patience offenbar das Schloss austauschen lassen, versteckte sich vielleicht irgend-wo da drinnen und machte in Gesellschaft der Kinder auf ihre Art eine Entziehungskur.

Nun stand er vor der Tür zu Farmer Watsons Büro und blickte an sich herunter. Wie zu erwarten, hatte heute Mor-gen in der Oxford Terrace ein Koffer mit seinen Sachen vor der Tür auf ihn gewartet. Keine Nachricht, nur der Koffer. Er hatte auf der Toilette der Polizeiwache einen sauberen Anzug angezogen. Der war ein bisschen verknittert, aber nicht schlimmer als das, was er sonst trug. Allerdings fand er kei-ne passende Krawatte. Patience hatte ihm zu dem dunkel-blauen Anzug zwei scheußliche braune Schlipse dazugelegt (waren die wirklich von *ihm*?). Braune Krawatten sind das Letzte. Er klopfte kurz an die Tür, bevor er sie öffnete.

»Kommen Sie rein, John, kommen Sie rein.« Rebus hatte den Eindruck, dass der Farmer ebenfalls Mühe hatte, sich in St. Leonard's einzugewöhnen. Irgendwie passten die Räum-lichkeiten nicht zu ihm. »Setzen Sie sich.« Rebus schaute sich nach einem Stuhl um. An der Wand stand einer, der allerdings voll mit Akten beladen war. Er nahm den Stapel und versuch-te, ihn irgendwo auf dem Fußboden zu deponieren. Wenn das überhaupt möglich war, dann hatte der Chief Super in seinem Büro sogar noch weniger Platz als Rebus. »Ich warte immer noch auf diese verdammten Aktenschränke«, schimpfte er. Rebus rollte den Stuhl zum Schreibtisch und setzte sich.

»Was liegt an, Sir?«

»Wie läuft denn alles so?«

»Alles?«

»Ja.«

»Es läuft alles ganz gut, Sir.« Rebus fragte sich, ob der Farmer über die Sache mit Patience Bescheid wusste. Ganz sicher nicht.

»DC Clarke kommt gut zurecht, ja?«

»Ich kann mich nicht beklagen.«

»Das ist gut. Es kommt da nämlich eine größere Aufgabe auf uns zu, eine Gemeinschaftsoperation mit der Steuerfahndung.«

»Ach?«

»Chief Inspector Lauderdale wird Sie über die Einzelheiten informieren, aber ich wollte erst mal bei Ihnen vorfühlen, mal hören, wie alles so läuft.«

»Worum geht's bei dieser Gemeinschaftsoperation?«

»Um Zinswucher«, antwortete Watson. »Ich hab ganz vergessen zu fragen, möchen Sie einen Kaffee?« Rebus schüttelte den Kopf und beobachtete, wie Watson sich von seinem Stuhl herabbeugte. In dem Zimmer war so wenig Platz, dass er die Kaffeemaschine hinter dem Schreibtisch auf den Boden stellen musste. Soweit Rebus bekannt war, hatte er bereits zweimal die ganze Brühe über den neuen beigen Teppich gekippt. Als Watson sich wieder aufrichtete, hielt er eine Tasse des teuflischen Gebräus in seiner Pranke. Der Kaffee des Chief Super war in Edinburgh berüchtigt.

»Zinswucher und dazu noch ein bisschen Schutzgelderpressung«, ergänzte Watson. »Aber hauptsächlich Zinswucher.«

Mit anderen Worten, die altbekannte traurige Geschichte. Leute, die bei der Bank keine Chance und auch nichts zu verpfänden hatten, konnten sich, ungeachtet des hohen Risikos trotzdem Geld leihen. Das Problem war natürlich, dass der Zinssatz sich fast auf hundert Prozent belief und sie rasch in Rückstand gerieten, was zu weiteren unbezahlbaren Zinsen führte. Es war der teuflischste aller Teufelskreise, weil den Schuldner am Ende Einschüchterung, Prügel und Schlimmeres erwarteten.

Plötzlich wusste Rebus, warum der Chief Super ihn zu dieser kleinen Plauderei bestellt hatte. »Es geht doch wohl nicht etwa um Big Ger?«, fragte er.

Watson nickte. »In gewisser Weise schon.«

Rebus sprang auf. »Das wäre das vierte Mal in genauso vielen Jahren! Er kommt doch immer wieder ungeschoren davon. Sie wissen das, und ich weiß das!« Normalerweise wäre er bei diesem kleinen Vortrag auf und ab gegangen, doch es war so eng in dem Zimmer, dass er dastand wie ein geifernder Sonntagsprediger. »Es ist reine Zeitverschwendung, ihm eine Anklage wegen Zinswucher anhängen zu wollen. Ich dachte, wir hätten das bereits zigmal durchgekaut und beschlossen, dass es keinen Sinn hat, ihn aufs Korn zu nehmen, sofern man es nicht auf eine völlig neue Art versucht.«

»Ich weiß, ich weiß, John, doch die Leute von der Steuerfahndung sind beunruhigt. Das Problem scheint größer zu sein, als sie gedacht haben.«

»Scheißsteuerfahndung.«

»John, also bitte …«

»Aber«, Rebus zögerte, »bei allem Respekt, Sir, es ist eine absolute Verschwendung von Zeit und Arbeitskraft. Es wird eine Überwachung geben, wir machen einige Fotos und nehmen ein paar arme Schweine fest, die für ihn die Laufburschen spielen, und niemand wird eine Aussage machen.

Wenn der Staatsanwalt Big Ger drankriegen will, dann sollten die uns mit genügend Mitteln ausstatten, damit wir eine anständige Operation auf die Beine stellen können.«

Das eigentliche Problem war allerdings, dass niemand so versessen darauf war, Morris Gerald Cafferty (allgemein bekannt als Big Ger) dranzukriegen wie John Rebus. Er wollte eine Kreuzigung mit allem Drum und Dran. Er wollte sogar mit dem Speer ein letztes Mal zustoßen, um nur ja sicher zu sein, dass der Dreckskerl wirklich tot war. Cafferty war Abschaum, aber cleverer Abschaum. Immer wieder gingen Handlanger für ihn ins Gefängnis. Da Rebus schon so oft daran gescheitert war, den Mann hinter Gitter zu bringen, dachte er am liebsten gar nicht an ihn. Und nun erklärte ihm der Farmer, es würde eine »Operation« stattfinden. Das bedeutete tage- und nächtelange Überwachung, jede Menge Papierkram und am Ende die Verhaftung von ein paar pickeligen Nachwuchsgangstern.

»John«, sagte Watson und nahm seine gesamte Menschenkenntnis zusammen, »ich weiß, wie Ihnen zumute ist. Aber lassen Sie uns doch noch einen Versuch wagen, ja? Selbst auf die Gefahr hin, dass es wieder ein Schuss in den Ofen wird.«

»Ich wüsste schon, was ich bei Cafferty versuchen würde, wenn ich auch nur halbwegs eine Chance hätte.« Rebus formte mit der Hand eine Pistole und imitierte den Rückstoß.

Watson lächelte. »Dann ist ja gut, dass wir keine Schusswaffen ausgeben, was?«

Einen Augenblick später lächelte Rebus ebenfalls. Er nahm wieder Platz. »Fahren Sie fort«, Sir«, sagte er, »ich bin ganz Ohr.«

Gegen elf Uhr an jenem Abend saß Rebus in der Wohnung und sah fern. Wie üblich war niemand zu Hause. Entweder lernten sie noch fleißig in der Universitätsbibliothek, oder sie hielten sich im Pub auf. Da Michael ebenfalls nicht da war, schien das Pub die sicherere Adresse. Er wusste, dass die Studenten sehr rücksichtsvoll waren, weil sie damit rechneten, dass er zumindest einen von ihnen rausschmeißen würde, um ein eigenes Zimmer zu haben. Sie schlichen durch die Wohnung, als hätten sie die Kündigung bereits in der Tasche.

Er hatte dreimal bei Patience angerufen, immer nur den Anrufbeantworter erreicht und diesem erklärt, dass er wüsste, dass sie da sei, und warum sie denn nicht endlich abnehmen würde.

Deshalb stand das Telefon neben dem Sofa auf dem Boden, und als es schließlich klingelte, nahm er den Hörer auf und hielt ihn an sein Ohr.

»Hallo?«

»John?«

Rebus richtete sich hastig auf. »Patience, Gott sei Dank, dass du …«

»Hör zu, es ist wichtig.«

»Ich weiß, dass es wichtig ist. Ich weiß, dass ich mich blöd benommen hab, aber du musst mir glauben …«

»Jetzt hör mir doch endlich zu!« Rebus schwieg und hörte zu. Er würde alles tun, was sie von ihm verlangte, keine Frage. »Sie meinten, du wärst hier, deshalb hat gerade jemand von der Wache bei mir angerufen. Es handelt sich um Brian Holmes.«

»Was wollte er?«

»Nein, die haben *wegen* ihm angerufen.«

»Was ist denn mit ihm?«

»Er ist in irgendwas reingeraten … ich weiß auch nicht. Jedenfalls ist er verletzt.«

Rebus stand mit dem Hörer in der Hand auf und riss den ganzen Apparat vom Boden hoch. »Wo ist er?«

»Irgendwo am Haymarket, in irgendeiner Bar …«

»Im Heartbreak Café?«

»Genau. Und hör mal, John?«

39

»Ja?«

»Wir werden miteinander reden. Aber jetzt noch nicht. Gib mir etwas Zeit.«

»Ganz wie du willst, Patience. Wiedersehn.« John Rebus legte auf und schnappte sich seine Jacke.

Knapp sieben Minuten später parkte Rebus draußen vor dem Heartbreak Café. Das war das Schönste an Edinburgh, wenn man Ampeln umgehen konnte. Das Heartbreak Café war erst vor gut einem Jahr eröffnet worden, und zwar von einem Koch, der zufällig auch ein Elvis-Presley-Fan war. Er hatte das Lokal mit Stücken aus seiner umfangreichen Memorabiliensammlung dekoriert, und seine Kochkünste lohnten einen Besuch, auch wenn man, wie Rebus, Elvis nicht mochte. Holmes hatte seit seiner Eröffnung von dem Laden geschwärmt und konnte stundenlang von einem Dessert namens Blue Suede Choux schwärmen. Das Café war gleichzeitig eine Bar mit grellbunten Cocktails und Musik aus den fünfziger Jahren sowie amerikanischem Bier in Flaschen zu Preisen, die im Broadsword Pub schallendes Gelächter ausgelöst hätten. Rebus vermutete, dass Holmes mit dem Besitzer befreundet war. Zweifellos hatte er seit der Trennung von Nell eine Menge Zeit dort verbracht und infolgedessen einige Pfunde zugelegt.

Von außen machte das Lokal nicht viel her, eine helle Betonfassade mit einem schmalen rechteckigen Fenster in der Mitte, das größtenteils mit Neonschildern ausgefüllt war, die für die diversen Biersorten warben. Darüber blinkte ein größerer Neonschriftzug mit dem Namen des Restaurants. Doch hier hatte sich der Zwischenfall nicht ereignet. Holmes war hinter dem Lokal überfallen worden. Eine schmale Gasse, durch die knapp ein Ford Cortina passte, führte zum Gästeparkplatz. Der war recht klein für ein Restaurant, außerdem standen dort auch noch die überquellenden Mülltonnen. Rebus nahm an, dass die meisten Gäste ihre Autos vorn an der Straße abstellten. Holmes parkte nur deshalb hier hinten, weil er so viel Zeit in der Bar verbrachte und sein Auto vorne mal verkratzt worden war.

Auf dem Parkplatz befanden sich zwei Autos. Das eine war das von Holmes, das andere gehörte mit größter Wahrscheinlichkeit dem Inhaber des Heartbreak Cafés. Es war ein alter Ford Capri mit einem Bild von Elvis auf der Motorhaube. Brian Holmes lag zwischen den beiden Fahrzeugen. Bisher hatte ihn niemand von der Stelle bewegt. Das würde erst geschehen, wenn der Arzt seine Untersuchung beendet hatte. Einer der anwesenden Beamten erkannte Rebus und ging zu ihm.

»Übler Schlag auf den Hinterkopf. Er ist seit mindestens zwanzig Minuten bewusstlos. Da wurde er nämlich vom Inhaber des Lokals gefunden. Er hat ihn erkannt und angerufen. Könnte ein Schädelbruch sein.«

Rebus nickte schweigend, den Blick auf die am Boden liegende Gestalt seines Kollegen geheftet. Der andere Detective redete immer noch, ließ sich darüber aus, dass Holmes' Atem regelmäßig sei, die üblichen beruhigenden Worte. Rebus stellte sich hinter den neben Holmes knienden Arzt, der nicht mal aufblickte. Stattdessen bat er einen uniformierten Constable, der eine Taschenlampe über Brian Holmes hielt, diese etwas weiter nach links zu bewegen. Dann begann er diesen Teil von Holmes' Schädel zu untersuchen.

Rebus konnte kein Blut entdecken, aber das hieß nicht viel. Ständig starben Menschen, ohne dabei auch nur einen Tropfen Blut zu verlieren. Mein Gott, Brian sah so friedlich aus. Es war fast, als würde man in einen Sarg blicken. Er drehte sich zu dem Detective um.

»Wie ist noch mal der Name des Besitzers?«

»Eddie Ringan.«

»Ist er drinnen?«

Der Detective nickte. »Hockt an der Bar.«

Das passte. »Ich werd mal ein paar Worte mit ihm reden«, sage Rebus.

Eddie Ringan hatte seit etlichen Jahren das, was man – euphemistisch ausgedrückt – ein Alkoholproblem nennt, also schon lange bevor er das Heartbreak Café eröffnete. Aus diesem Grund vermuteten viele Leute, dass das Unternehmen scheitern würde, wie schon andere Projekte von Ringan gescheitert waren. Doch sie vermuteten falsch, und das aus dem einfachen Grund, weil es Eddie gelungen war, einen Manager zu finden, und zwar einen, der nicht nur ein Finanzgenie war, sondern auch eine starke Persönlichkeit und absolut ehrlich. Er haute Eddie nicht übers Ohr, und er sorgte dafür, dass Eddie während der Arbeitszeit dort blieb, wo Eddie hingehörte, nämlich in der Küche.

Eddie trank zwar immer noch, aber er konnte auch betrunken kochen, das war kein Problem. Besonders wenn noch ein oder zwei Hilfsköche da waren, die die Dinge erledigten, die einen klaren Blick oder eine ruhige Hand erforderten. Und auf diese Weise, so Brian Holmes, florierte das Heartbreak Café. Er hatte Rebus allerdings immer noch nicht dazu überreden können, ihn auf eine Portion King Shrimp Creole oder ein Love Me Tenderloin dorthin zu begleiten. Rebus hatte keine Lust verspürt, das Lokal zu betreten ... bis zu diesem Abend.

Die Beleuchtung war noch an. Es schien, als würde man einen Schrein betreten, den irgendein Teenager seinem Idol errichtet hat. An den Wänden hingen Poster und Plattenhüllen von Elvis, eine ausgeschnittene Figur des Sängers in Lebensgröße, und es gab sogar eine Elvis-Uhr, auf der die Arme des King die Zeit anzeigten. Der Fernseher lief. In den Spätnachrichten wurde gerade gezeigt, wie von der Gibson's Brewery ein überdimensionaler Scheck für wohltätige Zwecke übergeben wurde.

Es war niemand im Lokal außer Eddie Ringan, der zusammengesunken auf einem Barhocker saß, und einem weiteren Mann hinter der Bar, der gerade zwei Jim Beam ausschenkte. Der Barmann stellte sich als Pat Calder vor.

»Ich bin Mr Ringans Partner.« Er sagte das so, dass Rebus sich fragte, ob die beiden jungen Männer mehr als nur Geschäftspartner waren. Holmes hatte nicht erwähnt, dass Eddie schwul war. Er sah sich den Koch genauer an.

Eddie Ringan war vermutlich Ende zwanzig, sah aber zehn Jahre älter aus. Er hatte dünne Haare, die strähnig an seinem ovalen Kopf klebten, der wiederum wackelig auf dem noch größeren Oval saß, das sein Körper bildete. Rebus hatte schon beleibtere Köche gesehen, und Ringan war zweifellos eine lebende Werbung für die Kochkunst. Sein teigiges Gesicht war vom Alkohol gezeichnet, nicht nur von dem Besäufnis an diesem Abend, sondern von Wochen und Monaten beständigen harten Trinkens. Rebus beobachtete, wie er die drei Zentimeter bernsteinfarbenes Feuerwasser genüsslich in einem Zug leerte.

»Gib mir noch einen.«

Doch Pat Calder schüttelte den Kopf. »Nicht wenn du noch fährst.« Dann fügte er in klarem und deutlichem Tonfall hinzu: »Dieser Mann ist von der Polizei, Eddie. Er will mit uns über Brian reden.«

Eddie Ringan nickte. »Er ist hingefallen und mit dem Kopf aufgeschlagen.«

»Glauben Sie das wirklich?«, fragte Rebus.

»Nein, eigentlich nicht.« Zum ersten Mal blickte Ringan von der Theke auf und sah Rebus an. »Vielleicht war's ein Straßenräuber oder auch eine Warnung.«

»Eine Warnung wovor?«

»Eddie hat heute Abend zu viel getrunken, Inspector«, ergriff Pat Calder das Wort. »Er fängt an, sich Dinge einzubilden ...«

»Ich bild mir überhaupt nichts ein, verdammt noch mal.« Ringan schlug zum Nachdruck mit der Hand auf die Theke. Er sah Rebus immer noch an. »Sie wissen doch, wie das ist. Entweder geht's um Schutzgeld – Versicherung nennen die das –, oder die anderen Restaurants tun sich gegen einen zusammen, weil ihnen nicht passt, dass dein Laden läuft und ihrer nicht. Man macht sich eine Menge Feinde in diesem Geschäft.«

Rebus nickte. »Denken Sie dabei an irgendjemanden, Eddie? Irgendwer Bestimmtes?«

Doch Ringan schüttelte ganz langsam den Kopf. »Eigentlich nicht. Nein, eigentlich nicht.«

»Aber Sie glauben, dass *Sie* möglicherweise das vorgesehene Opfer waren?«

Ringan verlangte nach einem weiteren Drink, und Calder schenkte ein. Er antwortete erst, nachdem er getrunken hatte. »Vielleicht. Ich weiß es nicht. Sie könnten auch versuchen, die Kunden abzuschrecken. Die Zeiten sind hart.«

Rebus wandte sich an Calder, der Eddie Ringan mit Abscheu anstarrte. »Und was meinen Sie, Mr Calder, irgendeine Idee?«

»Ich denke, das waren bloß Straßenräuber.«

»Sieht aber nicht so aus, als hätten die was mitgenommen.«

»Vielleicht wurden sie gestört.«

»Von jemandem, der durch die Gasse kam? Wie sollen die denn dann entkommen sein? Der Parkplatz hat nur einen Zugang.«

»Ich weiß es nicht.« Rebus ließ Pat Calder die ganze Zeit nicht aus den Augen. Er war ein paar Jahre älter als Ringan, sah aber jünger aus. Seine dunklen Haare hatte er zu einem, wie Rebus annahm, modischen Pferdeschwanz gebunden, und an den Seiten trug er lange, glatte Koteletten, die bis unter die Ohren reichten. Er war groß und dünn und sah aus, als könnte er mal eine ordentliche Mahlzeit vertragen. »Vielleicht«, sagte Calder gerade, »vielleicht ist er ja doch bloß gefallen. Es ist ziemlich dunkel da draußen. Wir werden ein paar Lampen anbringen lassen.«

»Sehr umsichtig von Ihnen, Sir.« Rebus erhob sich von dem unbequemen Barhocker. »Wenn Ihnen doch noch etwas einfällt, besonders irgendwelche *Namen*, können Sie uns jederzeit anrufen.«

»Ja, selbstverständlich.«

In der Tür blieb Rebus noch einmal stehen. »Und Mr Calder?«

»Ja?«

»Wenn Sie Mr Ringan diese Nacht fahren lassen, dann sorge ich dafür, dass er angehalten wird, noch bevor er am Haymarket ist. Können Sie ihn nicht nach Hause bringen?«

»Ich hab keinen Führerschein.«

»Dann würde ich vorschlagen, Sie greifen in die Kasse und nehmen sich das Geld für ein Taxi raus. Ansonsten könnte Mr Ringans nächste Kreation vielleicht ein Jailhouse Roquefort sein.«

Als Rebus das Restaurant verließ, hörte er tatsächlich, wie Eddie Ringan anfing zu lachen.

Er lachte allerdings nicht lange. Das Verlangen nach etwas Trinkbarem wurde wieder übermächtig. »Gib mir noch einen«, befahl er. Pat Calder goss schweigend das Schnapsglas bis zum Rand voll. Sie hatten die Gläser zusammen mit einer Menge anderem Kram auf einem Trip nach Miami gekauft. Viel von dem Geld war aus Pat Calders Tasche gekommen sowie aus der seiner Eltern. Er hielt das Glas Ringan hin, dann prostete er ihm zu und trank es selbst aus. Als Ringan sich darüber beklagte, schlug Calder ihm ins Gesicht.

Ringan wirkte weder überrascht noch verletzt. Calder schlug ihn erneut.

»Du dämlicher Scheißkerl«, fauchte er. »Du absolut dämlicher Scheißkerl!«

»Ich kann nichts dafür«, sagte Ringan und hielt ihm sein leeres Glas hin. »*I'm all shook up,* um es mit Elvis zu sagen. Und jetzt gib mir endlich was zu trinken, bevor ich was *wirklich* Dämliches tu.«

Pat Calder dachte einen Augenblick nach. Dann schenkte er Eddie Ringan den gewünschten Drink ein.

Der Krankenwagen brachte Brian Holmes ins Royal Infirmary.

Rebus hatte noch nie viel von diesem Krankenhaus gehalten. Man schien sich dort alle Mühe zu geben, aber unter unglaublichem Personalmangel zu leiden. Also stellte er sich ganz nah an Brian Holmes' Bett, so nah, wie man ihm erlaubte. Und während sich die Nacht dahinzog, wich er nicht von der Stelle; er rutschte nur ein bisschen tiefer die Wand hinunter. Dort kauerte er, den Kopf auf die Knie gelegt, die Hände auf dem kalten Fußboden, als er spürte, dass jemand vor ihm stand. Es war Nell Stapleton. Rebus erkannte sie schon an ihrer Größe, noch bevor sein Blick ihr verweintes Gesicht sah.

»Ach, hallo, Nell.«

»Mein Gott, John.« Und die Tränen strömten aufs Neue. Er richtete sich auf und umarmte sie kurz. Ihre Worte sprudelten nur so aus ihr heraus. »Wir haben heute Abend noch miteinander geredet. Ich war gemein zu ihm. Und jetzt passiert so etwas …«

»Ganz ruhig, Nell. Es ist ja nicht Ihre Schuld. So etwas kann jederzeit geschehen.«

»Ja, aber ich muss ständig daran denken, dass wir uns heute Abend gestritten haben. Wenn wir uns nicht gestritten hätten …«

»Schscht, beruhigen Sie sich.« Er nahm sie in die Arme.

Gott, fühlte sich das gut an. Er mochte gar nicht darüber nachdenken, wie gut sich das anfühlte, aber es war trotzdem schön. Ihr Parfüm, ihre Figur, wie sie sich an ihn schmiegte.

»Wir haben uns gestritten, und dann ist er in diese Bar gegangen und dann ...«

»Schscht, Nell. Es ist nicht Ihre Schuld.«

Und das glaubte er auch, obwohl er nicht wusste, wessen Schuld es war: Schutzgelderpresser? Neidische Restaurantbesitzer? Oder einfach Rowdys? Schwer zu sagen.

»Darf ich ihn sehen?«

»Natürlich.« Rebus deutete mit der Hand auf Holmes' Bett. Er wandte sich ab, als Nell Stapleton darauf zuging, um ihr wenigstens ein bisschen das Gefühl von Privatsphäre zu vermitteln. Nicht dass sie irgendwas davon gehabt hätte. Holmes war immer noch bewusstlos; er lag da, an einen Monitor angeschlossen, den Kopf dick verbunden. Aber Rebus konnte trotzdem die Worte verstehen, die Nell zu ihrem Freund sagte, mit dem sie sich überworfen hatte. Ihr Tonfall ließ ihn an Dr. Patience Aitken denken, löste in ihm beinah den Wunsch aus, *er* läge dort bewusstlos. Es war schön zu glauben, dass andere Menschen nette Dinge über einen sagten.

Nach fünf Minuten kam sie erschöpft zu Rebus zurück. »Harte Arbeit?«, fragte er.

Nell Stapleton nickte. »Wissen Sie«, sagte sie leise, »ich kann mir denken, was passiert ist.«

»Ach?«

Sie sprach flüsternd, obwohl in dem Krankensaal alles ruhig war. Nell seufzte theatralisch. Rebus fragte sich, ob sie vielleicht mal Schauspielunterricht genommen hatte.

»Das schwarze Buch«, sagte sie. Rebus nickte, als wüsste er, wovon sie sprach, dann runzelte er die Stirn.

»Was für ein schwarzes Buch?«, fragte er.

»Ich sollte Ihnen das vermutlich nicht erzählen, aber Sie

47

sind ja nicht bloß jemand, mit dem er zusammenarbeitet, oder? Sondern ein Freund.« Sie stieß einen weiteren Stoßseufzer aus. »Brians Notizbuch. Nichts Offizielles. Da hat er Sachen reingeschrieben, denen er von sich aus nachgegangen ist.«

Rebus, der fürchtete, jemanden zu wecken, führte sie aus dem Krankensaal. »Ein Tagebuch?«, fragte er.

»Nein, eigentlich nicht. Er hörte bloß manchmal Gerüchte, irgendwelchen Tratsch im Pub. So was schrieb er in das schwarze Buch. Manchmal verfolgte er die Sache auch weiter. Das war für ihn eine Art Hobby, aber vielleicht glaubte er auch, das könnte ihm helfen, schneller befördert zu werden. Ich weiß es nicht. Deswegen haben wir uns auch gestritten. Ich hab ihn kaum noch gesehen, weil er so viel gearbeitet hat.«

Rebus starrte auf die Wand im Flur. Das Licht der Deckenbeleuchtung schmerzte in den Augen. In seiner Gegenwart hatte Holmes noch nie irgendein Notizbuch erwähnt.

»Und was hat es damit auf sich?«

Nell schüttelte den Kopf. »Bloß irgendwas, das er gesagt hat, bevor wir ...« Ihre Hand fuhr an ihren Mund, als ob sie einen Schrei unterdrücken wollte, »... bevor wir uns getrennt haben.«

»Worum ging es denn dabei, Nell?«

»Ich weiß nicht genau.« Ihre Blicke begegneten sich. »Ich weiß nur, dass irgendetwas Brian Angst machte, und das hatte ich bis dahin noch nie erlebt.«

»Wovor hatte er Angst?«

Sie zuckte die Schultern. »Irgendwas in dem Buch.« Dann schüttelte sie wieder den Kopf. »Ich weiß nicht genau, was. Ich werd nur einfach das Gefühl nicht los ... das Gefühl, dass ich irgendwie dafür verantwortlich bin. Wenn wir uns nicht ...«

Rebus zog sie wieder an sich. »Ganz ruhig. Es ist nicht Ihre Schuld.«

»Doch, das *ist* es! Es *ist* meine Schuld!«

»Nein, ist es nicht.« Rebus versuchte, seine Stimme entschlossen klingen zu lassen. »So, und jetzt erzählen Sie mir, wo Brian dieses kleine schwarze Buch aufbewahrt.«

Er hat es immer bei sich gehabt, lautete die Antwort. Bei seiner Ankunft im Krankenhaus hatte man Brian Holmes ausgezogen und all seine persönliche Habe zusammengepackt. Doch Rebus' Dienstausweis reichte aus, um an Holmes' Sachen heranzukommen, selbst um diese gottlose Uhrzeit. Er zog das Notizbuch aus einem DIN-A4-Umschlag und sah sich den übrigen Inhalt an. Brieftasche, Terminkalender, Ausweis. Armbanduhr, Schlüssel, Kleingeld. Separat von ihrem Besitzer wirkten diese Dinge ganz unpersönlich, bestärkten Rebus jedoch in der Annahme, dass es kein Raubüberfall gewesen war.

Nell hatte sich, immer noch weinend, auf den Heimweg gemacht und keine Nachricht für Brian Holmes hinterlassen. Rebus wusste nun lediglich, dass sie vermutete, der Angriff auf Holmes könnte etwas mit dem Notizbuch zu tun haben. Und vielleicht stimmte das ja auch. Er saß im Flur vor Holmes' Krankensaal, nippte an einem Glas Wasser und blätterte das billige Büchlein aus Kunstleder durch. Holmes hatte eine Art Kurzschrift verwandt, doch der Code war bei weitem nicht komplex genug, um einem anderen Polizisten Probleme zu bereiten. Ein großer Teil der Informationen stammte aus einer einzigen Nacht und von einem einzigen Zwischenfall, als nämlich eine Gruppe von Tierschützern in das Archiv des Polizeipräsidiums Fettes eingebrochen war. Dabei hatten sie unter anderem Hinweise auf einen Strichjungenskandal unter hoch angesehenen Edinburgher Bürgern entdeckt. *Das* war für Rebus nichts Neues, aber einige andere Einträge fand er interessant, besonders die, die sich auf das Central Hotel bezogen.

Das Central Hotel war in Edinburgh eine Institution gewesen, bis es vor fünf Jahren völlig niederbrannte. Gerüchte sprachen von einem Versicherungsbetrug, und die betroffene Versicherungsgesellschaft hatte eine Belohnung von fünftausend Pfund ausgesetzt für Hinweise, die belegten, dass tatsächlich Betrug im Spiel gewesen war. Doch die Belohnung wurde nie ausbezahlt.

Das Central Hotel, einst ein Paradies für Reisende, lag in der Princes Street, ganz in der Nähe der Waverley Station, und wurde damit für viele Geschäftsleute, die in Edinburgh zu tun hatten, ein zweites Zuhause. Doch gegen Ende war das Central immer schlechter gelaufen, und während die ehrlichen Geschäfte zurückgingen, nahmen die fragwürdigen immer mehr zu. Es war ein offenes Geheimnis, dass die plüschigen Zimmer des Central stundenweise oder für einen Nachmittag gemietet werden konnten. Der Zimmerservice brachte eine Flasche Champagner und so viel Talkumpuder, wie die Gäste des jeweiligen Zimmers benötigten.

Mit anderen Worten, aus dem Central war ein Puff geworden, und keineswegs ein diskreter. Man zählte auch alle möglichen zwielichtigen Gestalten der Stadt zu seiner Kundschaft. So wurden dort Hochzeitspartys und Junggesellenabende für diverse Gangster veranstaltet, und Minderjährige konnten stundenlang in der Hotelbar herumhängen und trinken, da sie wussten, dass kein ehrlicher Polizist sich dorthin verirren würde. Dieses Gefühl von Sicherheit machte die Gangster immer dreister, und schon bald wurde die Hotelbar auch für Drogendeals und noch weniger erquickliche Geschäfte benutzt, so dass das Hotel allmählich mehr als nur ein Puff war. Es wurde zu einem Sumpf.

Zu einem Sumpf, dem die Räumungsklage drohte.

Die Polizei konnte nicht ewig ein Auge zudrücken, besonders als die Beschwerden der Anwohner von Monat zu Monat zunahmen. Und je mehr Gesindel im Central verkehrte, desto üblere Dinge liefen dort ab. Wenn man sich ins Central begab, war man auf der Suche nach einer Frau, nach billigen Drogen oder einer Schlägerei. Und wehe, man hatte was anderes im Sinn.

Und eines Nachts passierte, was irgendwann passieren musste – das Central brannte ab. Das überraschte niemanden; ja, es war so wenig verwunderlich, dass selbst die Reporter der Lokalzeitung kaum über den Brand berichteten. Die Polizei war natürlich hocherfreut, blieb ihr durch das Feuer doch eine Razzia auf den Laden erspart.

Am nächsten Morgen gab es jedoch eine böse Überraschung. Obwohl man glaubte, über den Verbleib des Personals und sämtlicher Gäste Bescheid zu wissen, fand man zwischen den Trümmern eine Leiche. Eine Leiche, die bis zur Unkenntlichkeit verbrannt war.

Die Leiche von jemandem, der bereits tot gewesen war, als das Feuer ausbrach.

Über diese groben Fakten wusste Rebus Bescheid. Er wäre kein Detective der City of Edinburgh gewesen, wenn er das *nicht* gewusst hätte. Doch nun hatte er Holmes' schwarzes Buch in der Hand, das viel versprechende Hinweise enthielt. Zumindest sahen sie viel versprechend aus. Rebus las den relevanten Abschnitt noch einmal.

> Feuer im Central. El war dort! Pokerspiel auf der 1. Etage. R. Brothers beteiligt (also vielleicht auch Mork?) Mehr rauszukriegen versuchen.

Er betrachtete Holmes' Handschrift genauer und versuchte dahinter zu kommen, ob dort El oder E1 stand; der Buchstabe l oder die Zahl 1. Und wenn es der Buchstabe l war, stand dann El vielleicht für die phonetische Entsprechung des Buchstaben L? Warum das Ausrufezeichen? Es sah so aus, als wäre die Anwesenheit von E1 (oder L oder E-Eins) eine

Art Offenbarung für Brian Holmes gewesen. Und wer, zum Teufel, waren die R. Brothers? Rebus dachte sofort an Michael und sich, die Rebus-Brüder, schlug sich die Vorstellung aber rasch wieder aus dem Kopf. Und bei Mork fiel ihm nur eine schlechte Fernsehserie um einen Außerirdischen ein, weiter nichts.

Nein, er fühlte sich jetzt zu müde für so etwas. Morgen wäre auch noch Zeit dafür. Vielleicht wachte Brian ja bald auf und konnte reden. Rebus beschloss, vor dem Einschlafen ein kleines Gebet für ihn zu sprechen.

3

Ein Gebet, das nicht erhört wurde. Brian Holmes hatte das Bewusstsein noch nicht wiedererlangt, als Rebus um sieben Uhr morgens im Krankenhaus anrief.

»Liegt er denn im Koma, oder was ist mit ihm?«

Die Stimme am anderen Ende der Leitung war kühl und sachlich. »Heute Morgen werden Untersuchungen durchgeführt.«

»Was für Untersuchungen?«

»Sind Sie ein naher Verwandter von Mr Holmes?«

»Nein, das bin ich verdammt noch mal nicht. Ich bin ...« Ein Polizeibeamter? Sein Boss? Nur ein Freund? »Ach, egal.« Er legte den Hörer auf. Eine der Studentinnen streckte den Kopf durch die Wohnzimmertür.

»Möchten Sie etwas Kräutertee?«

»Nein, danke.«

»Eine Schale Müsli?«

Rebus schüttelte den Kopf. Sie lächelte ihn an und verschwand wieder. Kräutertee und Müsli, großer Gott. Was war das denn für eine Art, den Tag zu beginnen? Die Tür zur Abstellkammer ging von innen auf, und Rebus beobachtete entsetzt, wie ein Mädchen im Teenageralter, nur mit einem Männerhemd bekleidet, ins Tageslicht trat und sich die Augen rieb. Sie steuerte auf die Wohnzimmertür zu und lächelte ihn im Vorbeigehen an. Sie bewegte sich auf Zehenspitzen, damit ihre nackten Füße das kalte Linoleum so wenig wie möglich berührten.

Rebus starrte noch weitere zehn Sekunden auf die Wohnzimmertür, dann ging er zur Abstellkammer hinüber. Michael lag nackt auf dem schmalen Bett, dem Bett, das Rebus am Wochenende gebraucht gekauft hatte. Er rieb sich mit einer Hand die Brust und starrte an die Decke. In der Abstellkammer roch es streng.

»Was zum Teufel denkst du dir eigentlich?«, fragte Rebus.

»Sie ist achtzehn, John.«

»Das meinte ich nicht.«

»Ach? Was hast du denn gemeint?«

Doch das wusste Rebus nicht mehr so genau. Jedenfalls war es einfach widerwärtig, dass sein Bruder das Bett in der Abstellkammer mit einer Studentin teilte, während er selbst noch keine drei Meter entfernt auf dem Sofa schlief. Es war alles widerwärtig, einfach alles. Michael musste verschwinden und er selbst in ein Hotel oder so was ziehen. So konnte es nicht weitergehen. Das war den Studenten gegenüber unfair.

»Du solltest häufiger mit ins Pub kommen«, schlug Michael vor. »Das ist der Fehler, weißt du.«

»Was?«

»Das Leben geht an dir vorbei, John. Es wird Zeit, dass du endlich damit anfängst.«

Michael lächelte immer noch, als sein Bruder die Tür der Abstellkammer zuknallte.

»Ich hab gerade das mit Brian erfahren.«

DC Siobhan Clarke sah schlecht aus. Alle Farbe war aus

ihrem Gesicht gewichen bis auf zwei rote Flecken auf den Wangen und das blassere Rot ihrer Lippen. Rebus deutete ihr mit einem Nicken an, sich zu setzen. Sie zog einen Stuhl zu seinem Schreibtisch.

»Was genau ist passiert?«

»Man hat ihm eins über den Schädel gehauen.«

»Womit?«

Tja, *das* war eine gute Frage, genau die Art Frage, die ein Detective normalerweise stellen würde, und außerdem eine Frage, die Rebus letzte Nacht vergessen hatte zu stellen. »Keine Ahnung«, sagte er. »Und wir haben auch kein Motiv, jedenfalls bisher nicht.«

»Es ist beim Heartbreak Café passiert?«

Rebus nickte. »Auf dem Parkplatz hinter dem Lokal.«

»Brian hat häufiger gesagt, er würde mich dort mal zum Essen einladen.«

»Brian hält immer Wort. Machen Sie sich keine Sorgen, Siobhan, er wird wieder gesund.«

Sie nickte, bemüht, es zu glauben. »Ich werd ihn nachher besuchen.«

»Wenn Sie das möchten«, erwiderte Rebus, ohne genau zu wissen, was sein Tonfall besagen sollte. Sie sah ihn wieder an.

»Ich möchte es«, sagte sie.

Nachdem sie fort war, las Rebus eine Nachricht von Chief Inspector Lauderdale. Darin wurden die vorläufigen Überwachungspläne für die Operation gegen illegalen Geldverleih beschrieben. Rebus wurde um Fragen und »nützliche Kommentare« gebeten. Er musste über diese Formulierung grinsen, da er wusste, dass Lauderdale sie benutzt hatte, um Rebus von der grundlegenden Kritik abzuhalten, mit der er normalerweise alles bedachte, was ihm vorgelegt wurde. Dann brachte ihm jemand ein großes Paket. Genau darauf hatte er gewartet. Er zog die Laschen des Kartons auf und fing damit an, die prall gefüllten Akten herauszunehmen. Es handelte sich um die Unterlagen über das Central Hotel, seine Geschichte und sein trauriges Ende. Da er wusste, dass er damit den ganzen Morgen beschäftigt sein würde, nahm er Lauderdales Brief, malte ein großes OK darauf, setzte seine Unterschrift darunter und legte ihn in den Ausgangskorb. Lauderdale würde nicht glauben können, dass Rebus die Überwachung ohne ein einziges Murren akzeptiert hatte. Das musste den Chief Inspector ganz schön irritieren.

Kein schlechter Anfang für einen Arbeitstag.

Rebus nahm Platz und begann, sich in die erste Akte zu vertiefen.

Er füllte bereits die zweite Seite mit eigenen Notizen, da klingelte das Telefon. Es war Nell Stapleton.

»Nell, wo sind Sie?«

»Ich bin in der Arbeit. Wollte nur mal hören, ob Sie schon was herausgefunden haben.«

Er schrieb den Satz zu Ende. »Zum Beispiel?«

»Na ja, was genau mit Brian passiert ist.«

»Ich bin mir noch nicht sicher. Vielleicht erzählt er's uns ja, wenn er aufwacht. Haben Sie schon mit dem Krankenhaus gesprochen?«

»Heute Morgen als Allererstes.«

»Ich auch.« Rebus fing wieder an zu schreiben. Am anderen Ende der Leitung herrschte nervöses Schweigen.

»Was ist mit dem schwarzen Buch?«

»Ach, das. Ja, da habe ich ein bisschen drin rumgestöbert.«

»Haben Sie herausgefunden, wovor Brian Angst hatte?«

»Vielleicht, vielleicht aber auch nicht. Keine Sorge, Nell, ich arbeite daran.«

»Das ist gut.« Ihre Stimme klang erleichtert. »Bloß wenn Brian aufwacht, sagen Sie ihm bitte nicht, dass ich Ihnen davon erzählt hab.«

»Und warum nicht? Ich meine, das ist ... das zeigt doch, dass Sie sich Sorgen um ihn machen.«

»Natürlich mache ich mir Sorgen!«

»Das hat Sie aber nicht daran gehindert, ihn rauszuschmeißen.« Sofort tat es ihm Leid, was er gesagt hatte, aber es war nun mal passiert. Er konnte beinah hören, wie sie litt, und stellte sich vor, wie sie in der Universitätsbibliothek saß und sich bemühte, das Gesicht vor ihren Kolleginnen zu verbergen.

»John«, sagte sie schließlich, »Sie kennen nicht die ganze Geschichte. Sie haben nur Brians Seite gehört.«

»Das stimmt. Wollen Sie mir die Ihre erzählen?«

Sie dachte darüber nach. »Nicht hier am Telefon. Vielleicht ein andermal.«

»Wann immer Sie wollen, Nell.«

»Ich sollte mich jetzt besser wieder an die Arbeit machen. Gehen Sie heute zu Brian?«

»Vielleicht am Abend. Den ganzen Vormittag über werden Untersuchungen durchgeführt. Und Sie?«

»Klar geh ich bei ihm vorbei. Ist ja nur zwei Minuten von hier.«

Das stimmte. Rebus dachte an Siobhan Clarke. Aus irgendeinem Grund wollte er nicht, dass die beiden Frauen sich an Brians Bett trafen. »Wann wollen Sie ihn denn besuchen?«

»Wahrscheinlich gegen Mittag.«

»Noch eine Sache, Nell.«

»Ja?«

»Hat Brian irgendwelche Feinde?«

Sie brauchte eine Weile, um zu antworten. »Nein.«

Rebus wartete, ob sie dem noch etwas hinzuzufügen hätte. »Na schön, passen Sie gut auf sich auf, Nell.«

»Sie auch, John. Wiedersehen.«

Nachdem er den Hörer aufgelegt hatte, nahm Rebus sich wieder seine Notizen vor. Doch bereits nach einem halben

Satz hielt er inne und klopfte mit dem Bleistift nachdenklich gegen seine Lippen. So verharrte er eine Zeit lang, dann führte er einige Telefongespräche mit seinen Kontaktpersonen (er mochte das Wort »Informant« nicht) und erklärte ihnen, sie sollten die Ohren aufhalten bezüglich eines Überfalls hinter dem Heartbreak Café.

»Ein Kollege von mir, das heißt, es ist ernst, okay?«

Letztendlich hatte er doch »Kollege« gesagt, obwohl er eigentlich »Freund« sagen wollte.

Am Mittag spazierte er zur Universität hinüber und machte im Institut für Pathologie seine Aufwartung. Er hatte vorher angerufen, und Dr. Curt erwartete ihn bereits ausgehbereit in seinem Büro. Er trug einen cremefarbenen Regenmantel und summte irgendwas Klassisches vor sich hin, das Rebus zwar kannte, an dessen Titel er sich zu seiner Verärgerung jedoch nicht erinnern konnte.

»Ah, Inspector, was für eine angenehme Überraschung.«

Rebus blinzelte. »Tatsächlich?«

»Natürlich. Wenn Sie mir sonst auf die Pelle rücken, geht es um irgendeinen aktuellen, dringenden Fall. Aber heute ...« Curt breitete die Arme weit aus. »Kein Fall! Und trotzdem rufen Sie mich an und laden mich zum Mittagessen ein. Dann kann ja in St. Leonard's nicht viel los sein.«

Ganz im Gegenteil, aber Rebus wusste die Arbeit in guten Händen. Bevor er ging, hatte er Siobhan Clarke so viel aufs Auge gedrückt, dass sie keine Zeit für eine Mittagspause haben würde, außer vielleicht einem Sandwich und was zu trinken aus der Cafeteria. Als sie sich beklagte, hatte er erklärt, sie könne sich dafür am Nachmittag freinehmen, um Brian Holmes zu besuchen.

»Wie haben Sie sich im Übrigen dort eingelebt?«

Rebus zuckte die Schultern. »Ist mir eigentlich egal, wo man mich hinsteckt. Wo möchten Sie essen?«

»Ich hab mir erlaubt, einen Tisch im University Staff Club zu reservieren.«

»Was, in einer Kantine?«

Curt schüttelte lachend den Kopf. Er war mit Rebus aus dem Büro getreten und schloss nun die Tür ab. »Nein«, sagte er, »da *gibt* es natürlich auch eine Kantine. Aber wenn Sie mich schon einladen, dachte ich, gönnen wir uns ein bisschen was Edleres.«

»Dann geleiten Sie mich zu Tisch.«

Der Speisesaal lag im Erdgeschoss, in der Nähe des Haupteingangs zum Staff Club auf der Chambers Street. Sie waren den kurzen Weg zu Fuß gegangen und hatten sich unterhalten, sofern man das bei dem Verkehrslärm überhaupt als Unterhaltung bezeichnen konnte. Curt ging immer, als käme er zu spät zu einer Verabredung. Nun ja, er war ein viel beschäftigter Mann. Er unterrichtete an der Uni, dazu kamen die Aufgaben, die ihm immer mal wieder von allen möglichen Polizeistellen in Schottland aufgebürdet wurden, am meisten allerdings von der City of Edinburgh Police.

Der Speisesaal war klein, aber es gab viel Platz zwischen den Tischen. Rebus nahm erfreut zur Kenntnis, dass die Preise ganz annehmbar waren, allerdings verteuerte sich die Rechnung um einiges, als Curt eine Flasche Wein bestellte.

»Die spendiere ich«, sagte er. Doch Rebus schüttelte den Kopf.

»Die spendiert der Chief Constable«, korrigierte er. Er war nämlich fest entschlossen, das Essen als Spesen abzurechnen. Der Wein wurde noch vor der Suppe gebracht. Während die Bedienung einschenkte, fragte sich Rebus, wann wohl der geeignete Augenblick wäre, das *eigentliche* Gespräch zu beginnen.

»Slainte!«, sagte Curt und hob sein Glas. »Also, worum geht's? Sie sind doch nicht der Typ, der einfach so mit einem

Freund mittagessen geht. Das tun Sie doch nur, wenn Sie was wollen, das Sie nicht mit ein paar Pints und gefüllten Pasteten in einer verräucherten Kneipe kriegen können.«

Rebus quittierte das mit einem Lächeln. »Erinnern Sie sich noch an das Central Hotel?«

»Eine üble Spelunke in der Princes Street, ist vor sechs oder sieben Jahren abgebrannt.«

»Vor fünf Jahren.«

Curt nahm einen weiteren Schluck Wein. »Soweit ich mich erinnere, gab's da eine verkohlte Leiche. ›Knusperstückchen‹ nennen wir so was.«

»Doch als Sie die Leiche untersucht haben, haben Sie festgestellt, dass derjenige nicht in dem Feuer umgekommen war, richtig?«

»Ist neues Beweismaterial aufgetaucht?«

»Nicht direkt. Ich wollte Sie nur fragen, woran Sie sich bei diesem Fall erinnern.«

»Tja, mal überlegen.« Curt verstummte, als die Suppe kam. Er nahm drei oder vier Löffel, dann wischte er sich mit der Serviette den Mund ab. »Die Leiche wurde nie identifiziert. Ich weiß, dass wir es über die Zähne versucht haben, doch ohne Erfolg. Natürlich gab es keinerlei äußerliche Hinweise, aber die Leute sind so dumm zu glauben, dass ein verbrannter Körper keine Geschichten erzählt. Ich habe den Verstorbenen aufgeschnitten und wie erwartet festgestellt, dass die inneren Organe in ziemlich gutem Zustand waren. Außen geröstet, innen roh, wie ein gutes französisches Steak.«

An einem Tisch in der Nähe kaute ein Paar schweigend vor sich hin, den Blick starr auf den Tisch gerichtet. Curt schien das entweder nicht zu bemerken, oder es kümmerte ihn nicht.

»Die DNA-Analyse gab's damals seit etwa vier Jahren, und wir hatten sogar etwas Blut aus dem Herzen, aber leider nichts, womit wir es vergleichen konnten. Das Herz war natürlich der Knaller.«

»Wegen der Schusswunde.«

»Zwei Wunden, Inspector, Eintritt und Austritt. Das hat eure Truppe ganz schnell wieder an den Tatort zurückgebracht, stimmt's?«

Rebus nickte. Sie hatten zunächst die unmittelbare Umgebung der Leiche abgesucht, dann die Suche erweitert, bis ein Polizeischüler schließlich die Kugel fand. Sie hatte ein Kaliber von acht Millimetern, was zu der Wunde im Herzen passte, gab ihnen aber keine weiteren Anhaltspunkte.

»Sie haben außerdem festgestellt«, fuhr Rebus fort, »dass der Verstorbene irgendwann mal einen Arm gebrochen hatte.«

»Tatsächlich?«

»Doch das brachte uns auch nicht weiter.«

»Besonders«, sagte Curt und tunkte seinen Teller mit Brot aus, »wenn man bedenkt, welchen Ruf das Central hatte. Vermutlich war jeder Zweite, der dort verkehrte, mal in eine Schlägerei verwickelt und hatte sich *irgendwas* gebrochen.«

Rebus nickte. »Richtig. Dennoch wurde er nie identifiziert. Wenn es ein Stammgast war oder einer vom Personal, hätte sich doch irgendwer melden müssen. Aber das ist nie geschehen.«

»Nun ja, die Sache ist lange her. Haben Sie vor, ein paar Geister aus der Mottenkiste zu holen?«

»Das waren keine Geister, die Brian Holmes den Schädel eingeschlagen haben.«

»Sergeant Holmes? Was ist denn passiert?«

Rebus hatte gehofft, er könnte am Nachmittag mit seinem Aktenstudium über das Central Hotel fortfahren, und geglaubt, es würde ihn nur einen halben Tag kosten, doch das war von Anfang an zu optimistisch gewesen. Jetzt rechnete er eher mit einer halben Woche, wenn er sich ein bisschen Abendlektüre mit in die Wohnung nahm. Es gab so viel Material. Ausführliche Berichte von der Feuerwehr und der städtischen Baubehörde, Zeitungsausschnitte, Polizeiberichte, Aussagen von Zeugen ...

Doch als er zurück nach St. Leonard's kam, wartete Lauderdale bereits auf ihn. Er hatte Rebus' hastiges Okay zu den Überwachungsplänen für die Operation gegen illegalen Geldverleih erhalten und wollte nun die Dinge vorantreiben. Was bedeutete, dass Rebus fast zwei Stunden im Büro des Chief Inspector verbrachte, eine Stunde davon mit ihm allein. In der zweiten Stunde gesellte sich Detective Inspector Alister Flower zu ihnen, der seit der Eröffnung der Wache im September 1989 in St. Leonard's arbeitete und ständig mit der Geschichte angab, wie er bei ebendiesem Anlass dem Hauptwürdenträger die Hand geschüttelt und sich herausgestellt hatte, dass sie beide Freimaurer waren, Flower allerdings dem älteren Clan angehörte.

Flower mochte die Neuankömmlinge aus der Great London Road nicht. Wenn es irgendwo im Haus Spannungen und Streitereien gab, konnte man davon ausgehen, dass Flower dahinter steckte. Wenn Lauderdale und Rebus etwas verband, so war es die Abneigung gegen Flower, obwohl Lauderdale sich ganz allmählich in das Flower-Lager hinüberziehen ließ.

Rebus hingegen hatte selbst für die komische Art, in der der Mann seinen Vornamen schrieb, nichts als Verachtung übrig. Er nannte ihn »Little Weed«, kleines Unkraut, und glaubte, dass Flower möglicherweise etwas mit den plötzlichen Anfragen des Finanzamts zu tun hatte.

Bei der Operation gegen illegalen Geldverleih sollte Flower das zweite Überwachungsteam leiten. Wie nicht anders zu erwarten, ließ Lauderdale ihn – sozusagen als Beschwichtigungsangebot – entscheiden, welches Team er übernehmen wollte. Die eine Überwachung galt einem Pub, in dem die Geldeintreiber angeblich herumlungerten und Zahlungen kassierten. Die andere betraf das nominelle Hauptquartier der Bande, ein Büro, das zu einem Minicar-Unternehmen auf der Gorgie Road gehörte.

»Ich hab die Gorgie-Überwachung mit der Hauptabteilung West abgesprochen«, erklärte Lauderdale. Draußen auf der Straße würde er, das war Rebus klar, ungefähr so viel ausrichten wie Pfeffer auf einem südlichen Currygericht.

»Nun ja«, meinte Flower, »wenn Inspector Rebus einverstanden ist, würde ich wohl die Überwachung des Pubs vorziehen. Ist ein bisschen näher an zu Hause.« Er lächelte.

»Interessante Wahl«, sagte Rebus, der mit verschränkten Armen und ausgestreckten Beinen dasaß.

Lauderdale nickte und ließ seinen Blick zwischen den beiden Männern hin und her wandern. »Gut, das wäre geklärt. Dann kommen wir jetzt zu den Einzelheiten.«

Es waren die gleichen Einzelheiten, die er mit Rebus bereits in der Stunde zuvor besprochen hatte. Rebus versuchte sich zu konzentrieren, was ihm jedoch nicht gelang. Er wollte unbedingt wieder zu den Akten des Central Hotels. Doch je nervöser er wurde, desto länger dauerte alles.

Der Plan an sich war einfach. Die Geldverleiher arbeiteten vom Firth Pub in Tollcross aus. Dort gabelten sie ihre Kunden auf, und dort saßen sie auch in der Regel herum und warteten darauf, dass die Schuldner ihre wöchentlichen Raten bezahlten. Irgendwann wurde das Geld dann zum Büro in der Gorgie Road gebracht. Dieses Büro wurde ebenfalls von den Schuldnern als Zahlstelle benutzt, und hier konnte man auch denjenigen antreffen, der nach außen hin als Hauptakteur in Erscheinung trat.

Die Männer, die in dem Firth Pub tätig waren, spielten nur Nebenrollen. Sie kassierten Geld und übten auch manchmal verbal ein bisschen Druck aus, wenn Zahlungen überfällig waren. Doch wenn es hart auf hart kam, beglichen die Leute ihre Raten direkt bei Davey Dougary. Davey fuhr jeden

Morgen pünktlich wie jeder normale Geschäftsmann am Büro vor und parkte seinen BMW 635 CSi neben den zerbeulten Minicars. Wenn das Wetter warm war, zog er auf dem Weg zwischen Auto und Büro sein Jackett aus und krempelte die Hemdsärmel hoch. Ja, die Steuerfahndung beobachtete Davey schon seit geraumer Zeit.

An beiden Überwachungen würden Steuerfahndungsbeamte teilnehmen. Die Polizei würde im Grunde nur hinzugezogen, um dem Gesetz Genüge zu tun; nominell war es eine Operation der Steuerfahndung. Der Name, den sie dafür gewählt hatten, war »Operation Geldsäcke«. Interessante Wahl fand Rebus, und so originell. Die Überwachung im Pub würde bedeuten, dass man dort herumsaß und Zeitung las, die Namen von Pferden auf einem Wettzettel einkreiste, Pool oder Domino spielte und die Jukebox fütterte. O ja, und Bier trank. Schließlich wollte man in der Menge doch nicht auffallen.

Das Büro zu überwachen würde bedeuten, dass man in der Mietskaserne auf der anderen Straßenseite in einer leer stehenden Wohnung im ersten Stock am Fenster saß. Die Wohnung verfügte über keinerlei Annehmlichkeiten, besaß noch nicht mal eine Toilette oder Heizung. (Die Badezimmerausstattung war einschließlich der Toilettenschüssel bei einem Einbruch Anfang des Jahres gestohlen worden.) Tolle Aussichten, insbesondere für Holmes und Clarke, die die Hauptlast der Überwachung zu tragen hätten, falls Holmes sich rechtzeitig erholte. Er stellte sich vor, wie seine beiden jungen Untergebenen dort viele Tage aneinander gekuschelt in einem Zweierschlafsack verbrachten, um sich ein bisschen zu wärmen. Verdammt. Gott sei Dank arbeitete Dougary nicht nachts. Und Gott sei Dank würde auch jemand von der Steuerfahndung dabei sein.

Trotzdem wurde Rebus bei der Vorstellung, Davey Dougary zu schnappen, ganz warm ums Herz. Dougary war durch und durch verdorben, wie ein fauler Apfel. Und er würde immer verdorben bleiben, mochte die Oberfläche auch noch so makellos aussehen. Dougary zählte natürlich zu einem von Big Ger Caffertys »Lieutenants«. Cafferty war sogar einmal im Büro aufgetaucht, was sie auf Film festgehalten hatten. Doch das nützte ihnen wenig; er könnte vermutlich tausend Gründe für den Besuch angeben, und es würde ihnen nicht gelingen, ihn vor Gericht festzunageln. Vielleicht würden sie Dougary kriegen, doch Cafferty war praktisch unerreichbar.

»Also«, sagte Lauderdale gerade, »dann können wir am nächsten Montag anfangen, ja?«

Rebus erwachte aus seiner Träumerei. Es war klar, dass während seiner geistigen Abwesenheit viel besprochen worden war. Er fragte sich, ob er irgendeiner Sache zugestimmt hatte. (Sein Schweigen war zweifellos als Einverständnis interpretiert worden.)

»Für mich ist das kein Problem«, meinte Flower.

Rebus rutschte auf seinem Stuhl hin und her. »Ich brauche vermutlich jemand, der für DS Holmes einspringt.«

»Ach ja, wie geht's ihm eigentlich?«

»Ich hab heute noch nichts gehört«, sagte Rebus, »aber ich ruf dort an, bevor ich Feierabend mache.«

»Dann sagen Sie mir bitte Bescheid.«

»Wir sind dabei, für ihn zu sammeln«, warf Flower ein.

»Um Himmels willen, er ist doch noch nicht tot!«

Flower nahm diesen Ausbruch ohne mit der Wimper zu zucken hin. »Na ja, trotzdem.«

»Es ist eine nette Geste«, bemerkte Lauderdale. Flower zuckte bescheiden die Achseln. Lauderdale öffnete seine Brieftasche, zog einen widerspenstigen Fünfer heraus und reichte ihn Flower.

Hey, *big spender,* schoss es Rebus durch den Kopf. Selbst Flower wirkte verblüfft.

»Fünf Pfund«, sagte er überflüssigerweise.

Lauderdale wollte keinen Dank. Er wollte, dass Flower einfach das Geld nahm. Der steckte den Schein in seine Hemdtasche und erhob sich. Rebus stand ebenfalls auf und war gar nicht erpicht darauf, mit Flower allein im Flur zu sein. Doch Lauderdale hielt ihn zurück.

»Eins noch, John.«

Flower verließ mit schadenfroher Miene den Raum, weil er vermutlich glaubte, Rebus würde wegen seines Ausbruchs einen Rüffel abbekommen. Doch das war keineswegs Lauderdales Absicht.

»Als ich vorhin an Ihrem Schreibtisch vorbeikam, fiel mir auf, dass Sie dort die Akten von dem Brand im Central Hotel liegen haben. Das ist doch Schnee von gestern, oder?« Rebus schwieg. »Sollte ich irgendwas darüber wissen?«

»Nein, Sir«, antwortete Rebus, stand auf und ging zur Tür. Er nahm an, dass Flower mittlerweile verschwunden war. »Nichts, was Sie wissen müssten. Ich les da nur ein bisschen drin rum. Man könnte es als historische Studien bezeichnen.«

»Eher archäologisch, oder?«

Wohl wahr. Alte Knochen und Hieroglyphen; der Versuch, die Toten zum Leben zu erwecken.

»Die Vergangenheit ist wichtig, Sir«, sagte Rebus und ging hinaus.

4

In Edinburgh spielte die Vergangenheit eine wichtige Rolle. Die Stadt lebte davon wie die berühmte Schlange, die sich in den Schwanz beißt. Und Rebus schien auch schon wieder von seiner eigenen Vergangenheit eingeholt zu werden. Auf seinem Schreibtisch lag eine Nachricht in Clarkes Handschrift. Anscheinend besuchte sie gerade Holmes, hatte zuvor jedoch einen Anruf für ihren Vorgesetzten entgegengenommen.

> DI Morton hat aus Falkirk angerufen. Er versucht es später noch mal. Wollte nicht sagen, worum es geht. Sehr geheimnisvoll. Bin in zwei Stunden zurück.

Siobhan Clarke war jemand, der die zwei Stunden nacharbeiten würde, indem sie an ein paar Abenden länger blieb, obwohl Rebus sie um ihre Mittagspause gebracht hatte. Obwohl Engländerin, steckte etwas vom schottischen Protestantismus in ihr. Und dass sie Siobhan hieß, war auch nicht ihre Schuld. Ihre Eltern hatten in den sechziger Jahren an der Edinburgh University englische Literatur gelehrt und ihr den gälischen Namen verpasst. Sie waren dann wieder nach Süden gezogen, und ihre Tochter hatte in Nottingham und London die Schule besucht. Doch sie war nach Edinburgh zurückgekehrt, um zu studieren, hatte sich – wie sie behauptete – in die Stadt verliebt und dann beschlossen, zur Polizei zu gehen (und damit ihre Freunde und, wie Rebus vermutete, ihre liberalen Eltern vor den Kopf gestoßen). Trotzdem hatten die Eltern ihr eine Wohnung in der New Town gekauft, also konnte sie sich nicht völlig mit ihnen überworfen haben.

Rebus nahm an, dass ihre Aussichten bei der Polizei gut waren, trotz Leuten wie ihm. Frauen mussten hier härter arbeiten, um den gleichen Posten zu bekommen wie ihre männlichen Kollegen, das wusste jeder. Siobhan arbeitete hart – und sie hatte ein Mordsgedächtnis. Er könnte sie noch einen Monat später nach dieser Nachricht auf seinem Schreibtisch fragen, und sie würde sich Wort für Wort an das Telefongespräch erinnern. Es war unheimlich.

Ebenfalls ein wenig unheimlich war, dass Jack Mortons Name ausgerechnet zu diesem Zeitpunkt wieder auftauchte.

Ein weiterer Geist aus Rebus' Vergangenheit. Als sie vor sechs Jahren zusammengearbeitet hatten, hätte Rebus dem jüngeren Kollegen nur noch vier bis fünf Jahre zu leben gegeben, bei dessen beträchtlichem Konsum an Alkohol und Zigaretten.

Es stand keine Telefonnummer dabei, unter der er hätte zurückrufen können. Zwar wäre es keine große Affäre gewesen, die Nummer von Mortons Wache herauszufinden, doch Rebus hatte keine Lust dazu. Er wollte sich lieber wieder in die Akten auf seinem Schreibtisch vertiefen. Aber zuvor rief er im Krankenhaus an, um sich zu erkundigen, ob es bei Brian Holmes irgendwelche Fortschritte gab. Man erklärte ihm, es gebe keinen, allerdings auch keinen Rückschritt.

»Das klingt ja sehr ermutigend.«

»Nur so eine Redensart«, meinte die Person am anderen Ende der Leitung.

Die Ergebnisse der Untersuchungen würden erst am nächsten Morgen bekannt sein. Er dachte einen Augenblick nach, dann tätigte er einen weiteren Anruf, diesmal bei der Gemeinschaftspraxis von Patience Aitken. Doch Patience machte gerade einen Hausbesuch, also hinterließ Rebus eine Nachricht für sie. Er bat die Sprechstundenhilfe, sie ihm noch einmal vorzulesen, um sich zu vergewissern, dass er den richtigen Ton getroffen hatte.

»»Dachte, ich ruf dich mal an, um dir zu sagen, wie es Brian geht. Schade, dass du nicht da warst. Du kannst mich in der Arden Street erreichen, wenn du magst. John.‹«

Ja, das würde gehen. Jetzt *musste* sie ihn anrufen, schon allein um zu beweisen, dass ihr Brians Zustand nicht gleichgültig war. Mit einem winzigen Hoffnungsschimmer im Herzen machte Rebus sich wieder an die Arbeit.

Um sechs war er wieder in der Wohnung, nachdem er auf dem Heimweg noch ein paar Sachen besorgt hatte. Eigentlich hatte er die Akten mit nach Hause nehmen wollen, ließ es dann aber doch bleiben. Er war müde, und sein Kopf schmerzte. Erschöpft stieg er die Treppe hinauf, öffnete die Tür und ging mit den Einkaufstüten in die Küche, wo einer der Studenten gerade Erdnussbutter auf eine dicke Scheibe braunes Brot strich.

»Hi, Mr Rebus. Es hat jemand für Sie angerufen.«

»Oh?«

»Irgendeine Ärztin.«

»Wann?«

»Vor zehn Minuten oder so.«

»Was hat sie gesagt?«

»Sie hat gesagt, wenn sie was über …«

»Brian? Brian Holmes?

»Aye, das war's. Wenn sie was über ihn erfahren wollte, könnte sie im Krankenhaus anrufen, und das hätte sie heute bereits zweimal getan.« Also hatte Patience seinen Plan durchschaut, was ihn nicht überraschte, war ihre Intelligenz doch eins von den Dingen gewesen, die sie für ihn so attraktiv machten. Außerdem waren sie sich in vieler Hinsicht sehr ähnlich. Er nahm eine Schachtel Eier, eine Dose Bohnen und ein Päckchen Speck aus der Tüte.

»O mein Gott«, sagte der Student empört. »Wissen Sie eigentlich, wie *intelligent* Schweine sind, Mr Rebus?«

Rebus blickte auf das Sandwich des Studenten. »Sehr viel intelligenter als Erdnüsse«, erwiderte er. Dann: »Wo ist die Pfanne?«

Später am Abend sah Rebus fern. Zuvor war er kurz im Krankenhaus gewesen, um Brian Holmes zu besuchen. Er hatte sich überlegt, dass er schneller zu Fuß dort wäre als mit dem Auto. Also war er gelaufen und hatte versucht, einen klaren Kopf zu bekommen. Doch der Besuch selbst war deprimierend gewesen. Nicht die geringste Besserung.

»Wie lange wird er denn noch bewusstlos sein?«

»Das kann schon noch eine Weile dauern«, hatte eine Schwester ihm geantwortet.

»Es *dauert* schon eine Weile.«

Sie berührte seinen Arm. »Geduld, nur Geduld.«

Geduld. Patience! Fast hätte er ein Taxi zu ihrer Wohnung genommen, doch dann verwarf er den Gedanken. Stattdessen ging er zurück zur Arden Street, schleppte sich wieder die Treppe hinauf und ließ sich auf das Sofa plumpsen. Er hatte schon so viele Abende mit tief schürfenden Gedanken hier in diesem Zimmer verbracht, allerdings zu der Zeit, als die Wohnung noch die seine war.

Michael kam ins Wohnzimmer, frisch rasiert und geduscht. Er hatte ein Handtuch fest um seinen flachen Bauch geschlungen und schien gut in Form zu sein; das war Rebus bisher noch gar nicht aufgefallen. Doch Michael bemerkte Rebus' Blick und klopfte auf seinen Bauch.

»Ein Gutes hat Peterhead ja, man treibt viel Sport.«

»Und außerdem muss man sich ja wohl auch fit halten«, sagte Rebus, »um sich wehren zu können, wenn einem jemand an den Arsch will.«

Michael schüttelte die Bemerkung ab. »Oh, in der Richtung läuft da auch 'ne Menge. Hat mich aber nie interessiert.« Pfeifend ging er in die Abstellkammer und begann sich anzuziehen.

»Gehst du aus?«, rief Rebus.

»Was soll ich denn hier?«

»Triffst du dich wieder mit diesem kleinen Mädchen?«

Michael streckte den Kopf durch die Tür. »Sie ist eine erwachsene Frau.«

Rebus stand auf. »Sie ist ein kleines Mädchen.« Er ging zur Abstellkammer und starrte Michael so eindringlich an, dass der mitten in der Bewegung innehielt.

»Was soll das, John? Willst du mich daran hindern, mit

Frauen auszugehen? Wenn dir das keinen Spaß macht, ist das dein Bier.«

Rebus gingen die vielen Bemerkungen durch den Kopf, die er machen könnte. Das ist meine Wohnung ... ich bin dein großer Bruder ... du solltest es besser wissen ... Doch es war ihm klar, dass Mickey nur – und das zu Recht – darüber lachen würde. Also sagte er was anderes.

»Du kannst mich mal, Mickey.«

Michael Rebus zog sich weiter an. »Tut mir Leid, dass ich so eine Enttäuschung für dich bin, doch was wär die Alternative? Den ganzen Abend hier rumsitzen und dir zuschauen, wie du vor dich hinbrütest oder schmollst oder was auch immer? Vielen Dank, dazu habe ich keine Lust.«

»Ich dachte, du wolltest dich nach einem Job umsehen.«

Michael Rebus nahm ein Buch vom Bett und warf es nach seinem Bruder. »Ich seh mich um einen verdammten Job um! Was glaubst du denn, was ich den ganzen Tag mache? Nerv mich nicht damit, okay?« Er nahm seine Jacke und schob sich an Rebus vorbei. »Und bleib nicht meinetwegen auf.«

Das schien eher ein Witz zu sein, denn noch bevor die Zehn-Uhr-Nachrichten anfingen, war Rebus eingeschlafen. Es war jedoch kein ruhiger Schlaf, sondern einer voller Träume. Er jagte durch irgendein Bürogebäude hinter Patience her, doch sie entwischte ihm immer im letzten Augenblick. Er aß mit einem jungen Mädchen in einem Restaurant, während die Rolling Stones unbeachtet auf einer kleinen Bühne in der Ecke spielten. Er beobachtete, wie ein Hotel völlig abbrannte, und fragte sich, ob Brian Holmes, über dessen Verbleib man noch nichts wusste, lebend herausgekommen war ...

Dann wachte er zitternd auf. Das Zimmer wurde nur vom Licht der Straßenlaterne vor dem Haus erleuchtet, das durch einen Spalt zwischen den Vorhängen drang. Er hatte in dem Buch gelesen, das Michael nach ihm geworfen hatte. Es ging um Hypnotherapie und lag immer noch auf seinem Schoß unter der Decke, die jemand über ihn geworfen hatte. Ganz aus der Nähe, aus der Abstellkammer, kamen Geräusche, lustvolle Geräusche. Sicher auch irgendeine Therapie. Rebus lauschte ihnen – eine Ewigkeit, wie ihm vorkam –, bis von draußen fahles Licht hereindrang.

5

Andrew McPhail saß in seinem Zimmer am Fenster. Vor dem Schultor gegenüber stellten sich die Kinder gerade zu zweit in einer Reihe auf. Die Jungen mussten die Mädchen an der Hand nehmen, und das Ganze wurde von zwei Mitarbeiterinnen überwacht, die noch zu jung waren, um Mütter oder gar Lehrerinnen zu sein. McPhail schlürfte kalten Tee aus seinem Becher und beobachtete die Szene. Er sah sich die Kinder ganz genau an. Eines der Mädchen hätte schließlich Melanie sein können, außer dass diese mittlerweile älter sein würde. Nicht viel älter, aber älter. Er machte sich nichts vor. Er wusste, dass Melanie mit großer Wahrscheinlichkeit nicht auf dieser Schule war, vermutlich nicht mal mehr in Edinburgh. Aber er ließ die Kinder trotzdem nicht aus den Augen und stellte sich vor, sie wäre dort unten und würde mit ihrer Hand die kalte, feuchte Hand eines der Jungen berühren. Kleine, zarte Finger, Handflächen, auf denen sich die ersten Linien abzeichneten. Ein Mädchen schien ihr wirklich sehr ähnlich zu sehen, kurze, glatte Haare, die sich über den Ohren und im Nacken ein wenig ringelten. Auch die Größe stimmte so ungefähr, doch das Gesicht, zumindest das, was er davon erkennen konnte, war überhaupt nicht wie das von Melanie. Und außerdem, was ging McPhail das eigentlich an?

Jetzt marschierten sie in das Gebäude und ließen ihn mit dem kalten Tee und den Erinnerungen zurück. Er konnte Mrs MacKenzie unten im Erdgeschoss hören. Sie spülte das Geschirr und ramponierte oder zerschlug dabei wahrscheinlich genauso viel, wie sie sauber bekam. Sie konnte nichts dafür, ihre Augen ließen nach. Alles an der alten Frau ließ nach. Das Haus war bestimmt vierzigtausend Pfund wert, so gut wie bares Geld auf der Bank. Und was besaß er? Nur Erinnerungen daran, wie es in und vor Kanada gewesen war.

Krachend fiel ein Teller auf den Boden. So konnte es nicht weitergehen, wirklich nicht. Bald wäre nichts mehr übrig. Und an den Wellensittich im Wohnzimmer mochte er überhaupt nicht denken ...

McPhail trank den kalten Tee aus. Er war stark, und ihm wurde leicht schwindlig. Schweiß trat auf seine Stirn. Der Schulhof war leer und das Tor geschlossen. Durch die wenigen von ihm aus sichtbaren Fenster des Gebäudes konnte er nichts erkennen. Es mochte zwar noch ein kleiner Nachzügler kommen, doch er hatte keine Zeit. Er hatte zu tun. Und es war gut, beschäftigt zu sein. Wenn man beschäftigt war, kam man nicht auf dumme Gedanken.

»Big Ger«, sagte Rebus gerade, »wirklicher Name Morris Gerald Cafferty.«

Trotz ihres guten Gedächtnisses notierte DC Siobhan Clarke sich das pflichtbewusst in ihrem Block. Rebus hatte nichts dagegen, dass sie sich Notizen machte. Das war eine gute Übung. Wenn sie den Kopf senkte, um zu schreiben, konnte Rebus den Wirbel oben sehen. Hellbraune Haare fielen nach vorn. Sie sah auf eine biedere Art gut aus. Tatsächlich erinnerte sie ihn ein wenig an Nell Stapleton.

»Er ist der Hauptdrahtzieher, und wenn sich die Möglichkeit ergeben sollte, ihn zu fassen, greifen wir ihn uns. Doch ›Operation Geldsäcke‹ konzentriert sich auf David Charles Dougary, genannt ›Davey‹.« Wieder wurde eifrig mitgeschrieben. »Dougary hat ein Büro von einem zwielichtigen Minicar-Unternehmen in der Gorgie Road gemietet.«

»Das ist doch nicht weit vom Heartbreak Café?«

Die Frage überraschte ihn. »Nein«, sagte er, »nicht sehr weit.«

»Und der Besitzer des Restaurants hat angedeutet, dass es sich um eine Schutzgelderpressung handeln könnte?«

Rebus schüttelte den Kopf. »Lassen Sie Ihre Phantasie nicht mit sich durchgehen, Clarke.«

»Diese Männer haben aber doch auch ihre Finger im Schutzgeldgeschäft drin, oder?«

»Es gibt nicht viel, wo Big Ger seine Finger *nicht* drin hat – Geldwäsche, Prostitution. Er ist ein absoluter Dreckskerl, aber um ihn geht's hier nicht. Diese Operation konzentriert sich auf Zinswucher, Punkt, Ende.«

»Ich will ja nur sagen, dass Sergeant Holmes vielleicht irrtümlich anstelle des Cafébesitzers überfallen wurde.«

»Das ist eine Möglichkeit«, meinte Rebus. Und wenn es so ist, dachte er, verschwende ich eine Menge Zeit und Mühe auf einen alten Fall. Aber Nell hatte doch gesagt, dass Brian wegen irgendeiner Sache in seinem schwarzen Buch beunruhigt war. Und das nur, weil er versucht hatte, die mysteriösen R. Brothers aufzuspüren.

»Doch zurück zum Wesentlichen. Wir werden die Überwachung von der anderen Straßenseite aus durchführen, direkt gegenüber vom Taxiunternehmen.«

»Rund um die Uhr?«

»Zunächst mal nur während der Bürozeiten. Nach allem, was man so hört, hat Dougary einen ziemlich festen Tagesablauf.«

»Was tut er denn angeblich in diesem Büro?«

»So wie er es darstellt, alles von allgemeiner Unternehmensführung bis zum Organisieren von Lebensmittelpaketen für die Dritte Welt. Verstehen Sie mich nicht falsch. Dougary ist clever. Er hat sich länger gehalten als die meisten von Big Gers Komplizen. Außerdem ist er verrückt, das sollte man nicht vergessen. Wir haben ihn mal nach einer Schlägerei in einem Pub verhaftet. Er hatte einem Mann ein Ohr abgebissen. Als wir dort ankamen, kaute Dougary fröhlich vor sich hin. Das Ohr wurde nie gefunden.«

Rebus erwartete immer irgendeine Reaktion, wenn er eine seiner Lieblingsgeschichten erzählte. Doch Siobhan Clarke lächelte nur und sagte: »Ich liebe diese Stadt.« Nach einer kurzen Pause fügte sie hinzu: »Gibt es Akten über Mr Cafferty?«

»O ja, genügend. Ackern Sie sich ruhig da durch. Dann bekommen Sie eine Vorstellung davon, mit wem wir es zu tun haben.«

Sie nickte. »Das werd ich machen. Und wann beginnen wir mit der Überwachung, Sir?«

»Am Montagmorgen, ziemlich früh. Am Sonntag wird alles aufgebaut. Ich hoffe nur, die geben uns eine anständige Kamera.« Er bemerkte, dass Clarke erleichtert wirkte. Dann fiel bei ihm der Groschen. »Keine Sorge, Sie werden das Spiel der Hibs nicht verpassen.«

Sie lächelte. »Die spielen in Aberdeen.«

»Und Sie fahren trotzdem hin?«

»Na klar.« Sie versuchte, nie ein Fußballspiel ihrer Lieblingsmannschaft zu verpassen.

Rebus schüttelte den Kopf. Er kannte nicht allzu viele Hibs-Fans. »So weit würde ich noch nicht mal für die Wiederkunft Christi fahren.«

»Doch, das würden Sie.«

Nun lächelte Rebus. »Wer hat denn da geplaudert? Na schön, was steht für heute auf der Tagesordnung?«

»Ich hab mit dem Metzger gesprochen. Er war überhaupt keine Hilfe. Ich hätte eher einer Schweinehälfte in seiner Tiefkühltruhe einen vollständigen Satz entlocken können als ihm. Doch ich hab festgestellt, dass er einen Mercedes fährt. Ein ziemlich teures Auto. Dabei sind Metzger ja nicht gerade für riesige Einkommen bekannt, oder?«

Rebus zuckte die Achseln. »Bei den Preisen, die die verlangen, wär ich mir da nicht so sicher.«

»Jedenfalls hab ich vor, heute Morgen bei ihm zu Hause vorbeizuschauen, bloß um einige strittige Punkte zu klären.«

»Aber dann ist er im Laden.«

»Bedauerlicherweise, ja.«

Rebus begann zu begreifen. »Aber seine Frau wird zu Hause sein?«

»Genau das hoffe ich. Ein Tässchen Tee, ein kleiner Plausch im Wohnzimmer. War das nicht eine furchtbare Sache mit Rory? So was in der Art.«

»Auf die Tour kriegen Sie einen Einblick in sein Familienleben und, wenn Sie Glück haben, auch noch eine geschwätzige Ehefrau als Zugabe.« Rebus nickte langsam. Es war so hinterhältig, dass er selbst hätte darauf kommen müssen.

»Dann mal los, Mädchen«, sagte er, und sie verschwand. Rebus langte nach unten und griff nach einer der Central-Hotel-Akten.

Er fing an zu lesen, doch schon bald starrte er wie gebannt auf eine Seite. Hier waren die Namen der Gäste aufgelistet, die sich in der Nacht im Hotel aufgehalten hatten, als es abbrannte. Ein Name sprang ihm förmlich ins Gesicht.

»Ist das denn zu glauben!« Rebus stand vom Schreibtisch auf und zog seine Jacke an. Ein weiterer Geist aus seiner Vergangenheit. Und ein weiterer Vorwand, das Büro zu verlassen.

Der Geist war Matthew Vanderhyde.

6

Das Haus neben dem von Vanderhyde sah so verrückt aus wie immer. Es gehörte einem alten Nationalisten. Am Tor war die Fahne mit dem Andreaskreuz gehisst, und an den Fenstern klebten Flugblätter, die etwa dreißig Jahre alt sein mochten. Da würde der Bewohner wohl kaum viel Licht bekommen, andererseits waren in dem Haus, auf das Rebus zuging, die Vorhänge zugezogen.

Er klingelte an der Tür und wartete. Plötzlich kam ihm der Gedanke, dass Vanderhyde vielleicht gestorben war. Er müsste jetzt Anfang bis Mitte siebzig sein, hatte bei ihrer letzten Begegnung allerdings noch recht rüstig gewirkt. Doch das war nun über zwei Jahre her.

Er hatte Vanderhyde in einem länger zurückliegenden Fall konsultiert. Nachdem die Sache abgeschlossen war, hatte Rebus noch ab und zu ganz ungezwungen bei Vanderhyde vorbeigeschaut. Schließlich wohnten sie nur sechs Straßen auseinander. Doch dann begann seine Beziehung zu Dr. Patience Aitken, und seitdem hatte er für solche Besuche keine Zeit mehr gehabt.

Die Tür öffnete sich, und vor ihm stand Matthew Vanderhyde, der so aussah wie immer. Seine blinden Augen waren hinter dunkelgrünen Brillengläsern verborgen; darüber ragte eine hohe, glänzende Stirn auf mit langen, nach hinten gekämmten strohblonden Haaren. Er trug einen beigen Cordanzug mit einer braunen Weste, aus deren Tasche eine Uhrkette hing. Er stützte sich leicht auf einen Stock mit einem silbernen Knauf und wartete darauf, dass der Besucher etwas sagte.

»Hallo, Mr Vanderhyde.«

»Ah, Inspector Rebus. Ich hab mich schon gefragt, wann ich Sie mal wieder sehen würde. Kommen Sie rein, kommen Sie rein.«

Nach Vanderhydes Tonfall zu schließen, hätten sie sich genauso gut vor zwei Wochen das letzte Mal getroffen haben können. Er führte Rebus durch den dunklen Flur in das noch dunklere Wohnzimmer. Rebus konnte die Umrisse von Bücherregalen, Gemälden und einem breiten Kaminsims erkennen, der mit Erinnerungsstücken von Fernreisen übersät war.

»Wie Sie sehen, Inspector, hat sich während Ihrer Abwesenheit nichts verändert.«

»Es freut mich, Sie bei so guter Gesundheit anzutreffen, Sir.«

Vanderhyde tat die Bemerkung mit einem Schulterzucken ab. »Tee?«

»Nein, danke.«

»Ich freu mich wirklich sehr, dass Sie gekommen sind. Das muss ja bedeuten, dass ich was für Sie tun kann.«

Rebus lächelte. »Es tut mir Leid, dass ich Sie so lange nicht besucht habe.«

»Wir leben in einem freien Land. Und ich habe mich nicht vor Kummer verzehrt.«

»Das sehe ich.«

»Also, um was geht's? Hexerei? Satanismus mitten in der City?«

In jüngeren Jahren hatte Matthew Vanderhyde aktiv weiße Magie betrieben. Jedenfalls hoffte Rebus, dass es *weiße* Magie gewesen war. Sie hatten nie darüber gesprochen.

»Ich glaube nicht, dass es was mit Magie zu tun hat«, erwiderte Rebus. »Es geht um das Central Hotel.«

»Das Central? Ah, glückliche Erinnerungen, Inspector. Ich bin als junger Mann häufig dort gewesen. Tanztees, sehr ordentliches Mittagessen – die hatten damals eine ausgezeichnete Küche, müssen Sie wissen – ein- oder zweimal war ich sogar auf einem Ballabend.«

»Ich dachte eher an spätere Zeiten. Sie hielten sich an dem Abend im Hotel auf, an dem es abgefackelt wurde.«

»Meines Wissens wurde nie bewiesen, dass es Brandstiftung war.« Wie üblich funktionierte Vanderhydes Gedächtnis recht gut, wenn er es wollte.

»Das stimmt. Aber jedenfalls waren Sie dort.«

»Richtig. Aber ich bin mehrere Stunden, bevor das Feuer ausbrach, gegangen. Nicht schuldig, Euer Ehren.«

»Warum waren Sie denn überhaupt dort?«

»Um mich mit einem Freund auf einen Drink zu treffen.«

»Ein ziemlich übler Ort für einen Drink.«

»Tatsächlich? Sie dürfen nicht vergessen, Inspector, dass ich absolut nichts *sehen* konnte. Und es war gewiss nichts sonderlich Anrüchiges *zu riechen oder zu spüren.*«

»Akzeptiert.«

»Außerdem hatte ich meine Erinnerungen. Für mich war es immer noch das alte Central Hotel, in dem ich zu Mittag gegessen und getanzt hatte. Ich hab den Abend richtig genossen.«

»Dann hatten Sie das Central vorgeschlagen?«

»Nein, mein Freund.«

»Und dieser Freund ist …?«

Vanderhyde dachte kurz nach. »Ist ja wohl kein Geheimnis. Aengus Gibson.«

Dieser Name löste bei Rebus diverse Assoziationen aus. »Sie meinen doch nicht etwa Black Aengus?«

Vanderhyde lachte mit weit geöffnetem Mund, so dass seine kleinen schwärzlichen Zähne sichtbar wurden. »So sollten Sie ihn heutzutage in seiner Gegenwart lieber nicht nennen.«

Ja, Aengus Gibson war eine geläuterte Persönlichkeit, das wusste jeder. Er war außerdem, wie Rebus annahm, immer noch einer der begehrtesten jungen Männer Schottlands, wenn man zweiunddreißig heutzutage noch als jung bezeichnen konnte. Black Aengus war immerhin der Alleinerbe der Gibson Brewery mit allem, was dazugehörte.

»Aengus Gibson«, sagte Rebus.

»Der Nämliche.«

»Und das war vor fünf Jahren, als er noch …«

»Ganz schön ungestüm war?« Vanderhyde lachte leise vor sich hin. »O ja, der Name Black Aengus passte damals durchaus zu ihm. Die Zeitungen hatten mit diesem Spitznamen den Nagel auf den Kopf getroffen.«

Rebus überlegte. »Ich hab seinen Namen aber nicht in den Unterlagen gefunden. Ihrer stand drin, seiner nicht.«

»Ich bin sicher, seine Familie hat sich darum gekümmert, dass sein Name nirgends auftauchte, Inspector. Das hätte den Medien noch mehr Zündstoff geliefert. Und das konnte die Familie überhaupt nicht gebrauchen.«

Ja, Black Aengus war weiß Gott wild gewesen, so wild, dass selbst die Londoner Zeitungen sich für ihn interessierten. Er schien sich in immer neue, wüste Exzesse zu stürzen, doch dann hörte das plötzlich alles auf. Er hatte sich vollkommen gewandelt und war heute als Mitgeschäftsführer der Brauerei und Vorstandsmitglied mehrerer bekannter Wohltätigkeitsorganisationen so respektabel, wie man nur sein konnte.

»Aus dem Saulus ist ein Paulus geworden, Inspector. Ich weiß, dass Polizisten in diesen Dingen skeptisch sind. Jeder Täter ist ein potenzieller Wiederholungstäter. Ich nehme an, in Ihrem Beruf wird man einfach zynisch, doch im Fall des jungen Aengus ist aus dem Saulus *wirklich* ein Paulus geworden!«

»Wissen Sie, warum?«

Vanderhyde zuckte die Achseln. »Vielleicht wegen unseres kleinen Gesprächs.«

»An jenem Abend im Central Hotel?«

»Sein Vater hatte mich gebeten, mit ihm zu reden.«

»Sie kennen also die Familie?«

»Schon lange. Ich war immer eher ein Onkel für Aengus. Als ich dann erfuhr, dass das Central genau in jener Nacht abgebrannt war, schien mir das irgendwie symbolisch. Ihm vielleicht auch. Natürlich wusste ich, in welchem Ruf das Hotel mittlerweile stand. Ich stellte mir vor, dass Aengus wie ein Phönix aus der Asche steigen würde. Und so war es dann auch.« Er hielt inne. »Doch nun sind Sie hier, Inspector, und stellen mir Fragen über längst vergangene Ereignisse.«

»Da war eine Leiche.«

»Ach ja, wurde nie identifiziert.«

»Die Leiche eines Ermordeten.«

»Und nun haben Sie die Ermittlungen aus irgendeinem Grund wieder aufgenommen? Interessant.«

»Ich wollte Sie fragen, was Sie von den Ereignissen jener Nacht noch im Kopf haben. Wer Ihnen begegnet ist, was Ihnen vielleicht verdächtig erschien.«

Vanderhyde legte den Kopf schief. »An jenem Abend hielten sich viele Leute in dem Hotel auf, Inspector. Sie haben eine Liste von ihnen. Dennoch kommen Sie zu einem blinden Mann?«

»Richtig«, antwortete Rebus. »Zu einem blinden Mann mit einem fotografischen Gedächtnis.«

Vanderhyde lachte. »Ich kann sicherlich ... Eindrücke wiedergeben.« Er dachte einen Augenblick nach. »Also schön, Inspector. Für Sie werde ich mein Bestes tun. Ich habe nur eine Bitte.«

»Und die wäre?«

»Ich hocke schon zu lange hier drinnen. Gehen Sie mit mir ein bisschen raus, ja?«

»Irgendein bestimmtes Ziel?«

Vanderhyde wirkte überrascht, dass Rebus das fragte. »Aber Inspector, zum Central Hotel natürlich!«

»Also«, sagte Rebus, »hier hat es früher gestanden. Sie stehen jetzt genau davor.« Er konnte die Blicke der Vorübergehenden spüren. In der Princes Street herrschte gerade Mittagsbetrieb. Einige Passanten wirkten richtig verärgert darüber, dass sie zwei Leuten ausweichen mussten, die es *wagten,* auf dem Bürgersteig stehen zu bleiben! Aber die meisten sahen, dass einer der Männer blind war und der andere ihm irgendwie half, also zeigten sie sich verständnisvoll und beschwerten sich nicht.

»Und was ist dort jetzt, Inspector?«

»Ein Hamburgerladen.«

Vanderhyde nickte. »Ich dachte schon, dass es hier irgendwie nach Fleisch riecht. Sicher ein Lizenzunternehmen einer amerikanischen Kette. Die Princes Street hat auch schon bessere Tage gesehen, Inspector. Wussten Sie, dass Scottish Sword and Shield sich in ihrer Anfangszeit im Ballsaal des Central trafen? Dutzende und Aberdutzende von Leuten, die alle gelobten, das Königreich Dalriada in seinem einstigen Glanz wiederherzustellen.«

Rebus schwieg.

»Sie erinnern sich nicht an Sword and Shield?«

»Das muss vor meiner Zeit gewesen sein.«

»Das stimmt, wenn ich genau darüber nachdenke. Es war Anfang der fünfziger Jahre, eine Splittergruppe der National Party. Ich hab selbst zwei von ihren Versammlungen besucht. Erst wurde wild zu den Waffen gerufen, danach gab es Tee und Buttergebäck. Die haben sich nicht lange gehalten. Broderick Gibson war mal für ein Jahr Präsident.«

»Der Vater von Aengus.«

»Ja.« Vanderhyde schwelgte in Erinnerungen. »Ganz hier in der Nähe gab's ein Pub, das für Politik und Dichtung berühmt war. Einige von uns sind nach den Versammlungen dorthin gegangen.«

»Hatten Sie nicht gesagt, Sie wären nur auf zwei von diesen Versammlungen gewesen?«

»Vielleicht waren es auch mehr als zwei.«

Rebus grinste. Wenn er der Sache nachginge, würde sich vermutlich herausstellen, dass ein gewisser M. Vanderhyde irgendwann mal Präsident von Sword and Shield gewesen war.

»Es war ein schönes Pub«, erinnerte sich Vanderhyde.

»Zu seiner Zeit«, erwiderte Rebus.

Vanderhyde seufzte. »Edinburgh, Inspector. Man braucht sich nur rumzudrehen, und schon haben die den Namen von

81

einem Pub geändert oder irgendwo ist schon wieder ein anderer Laden drin.« Er zeigte mit seinem Stock hinter sich und hätte dadurch beinah jemand zu Fall gebracht. »Das können sie allerdings nicht ändern. *Das* ist auch Edinburgh.« Der Stock deutete leicht zitternd in Richtung Burgfels und stieß gegen ein Bein, ein Frauenbein. Rebus lächelte entschuldigend.

»Vielleicht sollten wir uns auf der anderen Seite hinsetzen«, schlug er vor. Vanderhyde nickte, also gingen sie an der Ampel auf die ruhigere Straßenseite hinüber. Dort standen Bänke mit den Rückenlehnen zum Park; jede war dem Gedenken an irgendeine Person gewidmet. Vanderhyde bat Rebus, ihm die Plakette auf ihrer Bank vorzulesen.

»Nein«, sagte er und schüttelte den Kopf, »von den beiden Namen kenne ich keinen.«

»Mr Vanderhyde«, sagte Rebus. »Ich glaube allmählich, dass Sie sich nur von mir hierher haben bringen lassen, um ein bisschen rauszukommen.« Vanderhyde lächelte, sagte aber nichts. »Um wie viel Uhr betraten Sie an jenem Abend die Bar?«

»Punkt sieben, wie verabredet. Aengus kam natürlich wie zu erwarten zu spät. Ich glaube, er tauchte gegen halb acht auf. Da saß ich bereits bei einem Whisky mit Wasser an einem Ecktisch. Ich glaube, es war J and B Whisky.« Es schien ihn zu freuen, dass er sich an so eine Kleinigkeit erinnerte.

»Irgendwer in der Bar, den Sie kannten?«

»Da spielt ein Dudelsack«, bemerkte Vanderhyde.

Rebus konnte ihn auch hören, sah aber nicht den Spieler. »Die machen Musik für die Touristen«, erklärte er. »Damit kann man im Sommer anscheinend viel Geld verdienen.«

»Er ist nicht besonders gut. Wahrscheinlich trägt er einen Kilt, aber mit einem Phantasiekaro.«

»Irgendwer in der Bar, den Sie kannten?«, bohrte Rebus weiter.

»Lassen Sie mich mal nachdenken ...«

»Bei allem Respekt, Sir, Sie *brauchen* nicht nachzudenken. Entweder Sie wissen es, oder Sie wissen es nicht.«

»Ich glaube, Tom Hendry war an dem Abend da und blieb kurz am Tisch stehen, um hallo zu sagen. Er hat früher bei der Zeitung gearbeitet.«

Ja, Rebus hatte den Namen auf der Liste gesehen.

»Und da war noch jemand ... Ich kannte ihn nicht, und er sprach auch nicht. Aber ich erinnere mich an einen Geruch nach Zitrone, ziemlich stark. Ich dachte, es sei vielleicht ein Parfüm, doch als ich es Aengus gegenüber erwähnte, lachte er und sagte, es käme nicht von einer Frau. Mehr wollte er nicht verraten, aber ich hatte das Gefühl, dass er es ungeheuer witzig fand, dass ich diese Bemerkung gemacht hatte. Ich weiß nicht, ob irgendwas davon relevant ist.«

»Das weiß ich auch nicht.« Rebus knurrte der Magen. Plötzlich ertönte hinter ihnen ein tiefes Dröhnen. Vanderhyde zog seine Uhr aus der Westentasche, öffnete das Glas und befühlte mit den Fingern das Zifferblatt.

»Punkt ein Uhr«, stellte er fest. »Wie ich bereits sagte, Inspector, gibt es einige Dinge in unserer hektischen Stadt, die sich nicht verändert haben.«

Rebus nickte. »Wie zum Beispiel der Regen?« Es fing an zu nieseln; die Morgensonne war wie von Zauberhand verschwunden. »Fällt Ihnen sonst noch was ein?«

»Aengus und ich haben miteinander geredet. Ich versuchte ihm klarzumachen, dass er auf einem sehr gefährlichen Pfad wandelt. Seine Gesundheit war angegriffen, das Familienvermögen ebenfalls. Das zweite Argument war sicherlich das überzeugendere.«

»Dann hat er also von dem Tag an dem ausschweifenden Leben entsagt?«

»So weit würde ich nicht gehen. Die bessere Edinburgher Gesellschaft hat noch nie was anbrennen lassen. Als wir uns trennten, machte er sich auf den Weg, um sich mit irgendeiner Frau zu treffen.« Vanderhyde war nachdenklich geworden. »Aber ich würde trotzdem sagen, dass meine Worte eine Wirkung auf ihn hatten.« Er nickte. »Ich hab an jenem Abend allein gegessen, im Eyrie.«

»Da war ich auch schon mal«, sagte Rebus. Sein Magen knurrte schon wieder. »Haben Sie Lust auf 'nen Hamburger?«

Nachdem er Vanderhyde nach Hause gebracht hatte, fuhr er zurück nach St. Leonard's – trotz all der Mühe nicht viel klüger. Siobhan sprang von ihrem Schreibtisch auf, als sie ihn sah. Sie wirkte sehr zufrieden mit sich.

»Ich nehme an, die Frau vom Metzger war geschwätzig«, sagte Rebus und ließ sich auf seinen Stuhl fallen. Auf dem Schreibtisch lag wieder eine Notiz, dass Jack Morton angerufen hätte. Doch diesmal war auch eine Telefonnummer angegeben, unter der Rebus ihn erreichen konnte.

»Eine richtige kleine Tratschtante, Sir. Ich hatte Mühe, dort wegzukommen.«

»Und?«

»Dies und das oder auch nichts.«

»Dann erzählen Sie mir das Dies und Das.« Rebus rieb sich den Magen. Der Hamburger hatte ihm gut geschmeckt, satt war er aber davon nicht geworden. Er hätte zwar in die Kantine gehen können, befürchtete jedoch, so allmählich einen »Doughnut-Ring« zu bekommen, wie er die Art Bauch nannte, den Polizisten besonders häufig entwickelten.

»Das Interessanteste ist Folgendes: Bone hat den Mercedes bei einer Wette gewonnen.«

»Einer Wette?«

Clarke nickte. »Er hatte seinen Anteil an der Metzgerei dagegen gesetzt. Aber er hat die Wette gewonnen.«

»Verdammt noch mal!«

84

»Seine Frau schien ganz stolz darauf zu sein. Jedenfalls hat sie mir erzählt, dass er ein großer Wetter sei. Aber es sieht nicht so aus, als besäße er ein Patentrezept zum Gewinnen.«

»Wie meinen Sie das?«

Sie kam immer mehr in Schwung. Rebus sah die Begeisterung gern, die die erfolgreiche Detektivarbeit in ihr hervorgerufen hatte. »In dem Wohnzimmer fand ich ein paar Dinge merkwürdig. So gab es beispielsweise Videokassetten, aber kein Videogerät. Man konnte allerdings sehen, wo der Recorder gestanden haben musste. Und obwohl sie ein großes Schrankelement für Fernseher und Video hatten, stand dort nur so ein kleines tragbares Fernsehgerät.«

»Also sind ihnen das Videogerät und der große Fernseher irgendwie abhanden gekommen.«

»Ich würde mal vermuten, um irgendwelche Schulden zu begleichen.«

»Und Sie tippen darauf, dass es sich um Wettschulden handelte?«

»Wenn ich ein Wetttyp wäre, bin ich aber nicht.«

Er lächelte. »Vielleicht hatten sie das Zeug auf Pump gekauft und konnten die Raten nicht bezahlen.«

Siobhan wirkte skeptisch. »Vielleicht«, räumte sie ein.

»Okay, das ist ja alles ganz interessant, aber es hilft uns nicht weiter … jedenfalls bis jetzt nicht. Und es verrät uns nichts über Rory Kintoul, stimmt's?« Sie runzelte die Stirn. »Wissen Sie noch, Clarke? Das war der Typ, dem man auf der Straße in den Bauch gestochen hat und der dann nicht drüber reden wollte. *Er* ist derjenige, für den wir uns interessieren.«

»Was schlagen Sie also vor, Sir?« In diesem »Sir« schwang ein Hauch von Zorn mit. Es gefiel ihr nicht, dass ihre gute Detektivarbeit nicht mehr gewürdigt worden war. »Wir haben bereits mit ihm geredet.«

»Und das werden Sie noch mal tun.« Sie sah aus, als wollte sie widersprechen. »Bloß diesmal«, fuhr Rebus fort, »werden Sie ihn über seinen Cousin ausfragen, über Mr Bone, den Metzger. Ich bin mir nicht sicher, wonach wir genau suchen, also müssen Sie sich einfach vortasten. Probieren, ob ihn irgendwas aus der Ruhe bringt.«

»Ja, Sir.« Sie stand auf. »Ach, übrigens, ich hab mir die Akten über Cafferty besorgt.«

»Reichlich Lesestoff, das meiste nicht jugendfrei.«

»Ich weiß, ich hab bereits angefangen. Außerdem heißt das heute nicht mehr ›nicht jugendfrei‹, sondern ›ab achtzehn‹.«

Rebus blinzelte. »Nur so eine Redensart.« Als sie gerade gehen wollte, rief er sie noch einmal zurück. »Machen Sie sich ein paar Notizen, ja? Über Cafferty und seine Bande, meine ich. Und wenn Sie damit fertig sind, können Sie mein Gedächtnis auffrischen. Ich hab mich so lange bemüht, dieses Monster aus meinen Gedanken zu verbannen; wird wohl Zeit, dass ich es wieder reinlasse.«

»Kein Problem.«

Und damit war sie fort. Rebus fragte sich, ob er ihr hätte sagen sollen, dass sie im Haus von Bone gute Arbeit geleistet hatte. Aber jetzt war es sowieso zu spät. Außerdem, wenn sie glaubte, dass er mit ihr zufrieden war, würde sie sich vielleicht weniger anstrengen. Er nahm den Telefonhörer und rief Jack Morton an.

»Jack? Lange nichts gehört. Hier ist John Rebus.«

»John, wie geht's dir?«

»Nicht schlecht, und dir?«

»Gut. Ich hab's zum Inspector gebracht.«

»Aye, ich auch.«

»Hab ich gehört.« Jacks Worte gingen in ein lautes, rasselndes Husten über.

»Rauchst wohl immer noch, Jack?«

»Nicht mehr so viel.«

»Erinner mich gelegentlich daran, dass ich meine Tabak-aktien verkaufe. Also, was hast du für ein Problem?«

»Du hast ein Problem, nicht ich. Ich hab nämlich eine Notiz von Scotland Yard über Andrew McPhail gelesen.«

Rebus ließ sich den Namen durch den Kopf gehen. »Nein«, bekannte er, »da hast du mich kalt erwischt.«

»Wir hatten ihn als Sexualstraftäter in den Akten. Er hat sich an der Tochter von der Frau vergriffen, mit der er zusammenlebte. Das liegt etwa acht Jahre zurück. Aber wir haben es ihm nie beweisen können.«

Rebus erinnerte sich allmählich. »Wir haben ihn verhört, als diese kleinen Mädchen anfingen zu verschwinden?« Rebus schauderte bei der Erinnerung; seine eigene Tochter war eins der »kleinen Mädchen« gewesen.

»Ganz genau, reine Routinesache. Wir haben mit über-führten und mutmaßlichen Kinderschändern angefangen und auf der Schiene weitergemacht.«

»Stämmiger Typ mit borstigen Haaren?«

»Du hast's erfasst.«

»Und warum erzählst du mir das alles, Jack?«

»Das erzähl ich dir, weil ihr ihn am Hals habt. Er ist in Edinburgh.«

»Na und?«

»Mensch, John, ich dachte, du kennst die ganze Geschichte. Er ist nach Kanada abgehauen, nachdem wir ihn das letzte Mal in die Mangel genommen hatten. Hat sich dort als Fotograf niedergelassen, Fotos für Modekataloge. Dann ist er an die Eltern von Kindern herangetreten, die ihm gefielen. Er hatte Visitenkarten, Kameraausrüstung, alles, was dazuge-hört. Er mietete sich ein Studio, machte Aufnahmen von den Kindern und versprach, dass sie in irgendeinen Katalog kommen würden. Sie posierten in schicken Klamotten und manchmal auch nur in Unterwäsche ...«

»Ich hab's begriffen, Jack.«

»Jedenfalls haben sie ihn erwischt. Er hatte die Mädchen angefasst, weiter nichts. Eine Menge Mädchen, also haben sie ihn eingesperrt.«

»Und?«

»Und nun haben sie ihn wieder rausgelassen und außerdem abgeschoben.«

»Und er ist in Edinburgh?«

»Ich hab einige Erkundigungen eingezogen. Ich wollte wissen, wo er gelandet ist. Denn wenn das in der Nähe meines Reviers gewesen wäre, hätte ich ihm irgendwann in einer dunklen Nacht einen Besuch abgestattet. Aber stattdessen ist er in deinem Revier. Ich hab eine Adresse.«

»Moment mal.« Rebus suchte einen Stift und schrieb sie auf.

»Wie bist du überhaupt an die Adresse gekommen? Durch das Sozialamt?«

»Nein, in den Akten stand, er hätte eine Schwester in Ayr. Sie hat mir erzählt, er hätte sie gebeten, ihm eine Telefonnummer zu besorgen, von einer Pension. Und weißt du, was sie noch gesagt hat? Wir sollten ihn in einen Keller sperren und den Schlüssel wegwerfen.«

»Scheint ja eine nette Frau zu sein.«

»Ja, ganz nach meinem Herzen. Natürlich geht man offiziell davon aus, dass er sich gewandelt hat.«

Schon wieder dieses Wort – gewandelt. Ein Wort, das Vanderhyde im Zusammenhang mit Aengus Gibson gebraucht hatte. »Vermutlich«, sagte Rebus, der so wenig daran glaubte wie Morton. Sie waren professionelle Zweifler – das Los eines jeden Polizisten.

»Trotzdem gut zu wissen. Danke, Jack.«

»Gern geschehen. Irgendeine Chance, dich irgendwann hier in Falkirk zu sehen? Wär nett, mal wieder einen trinken zu gehen.«

»Ja, das wär es. Könnte sein, dass ich schon bald bei euch vorbeikomme.«

»Ach?«

»Um McPhail mitten in der Stadt abzuladen.«

Morton lachte. »Du alter Scheißkerl.« Und damit legte er den Hörer auf.

Jack Morton starrte, immer noch grinsend, fast eine Minute auf das Telefon. Dann verschwand das Grinsen. Er packte ein Stück Kaugummi aus und steckte es in den Mund. Das ist besser als eine Zigarette, sagte er sich. Er blickte auf den voll geschriebenen Notizzettel, der vor ihm auf dem Schreibtisch lag. Das Mädchen, das McPhail sexuell missbraucht hatte, hieß jetzt Melanie Maclean. Seine Mutter hatte geheiratet, und Melanie lebte bei dem Ehepaar in Haddington und so weit von Edinburgh entfernt, dass sie McPhail nicht zufällig über den Weg laufen konnte. Auch würde McPhail mit größter Wahrscheinlichkeit nicht in der Lage sein, sie zu finden. Dazu müsste er den Namen des Stiefvaters wissen, und da würde er nicht so ohne weiteres rankommen. Nicht dass es für Jack Morton so einfach gewesen wäre. Doch er kannte den Namen. Alex Maclean. Außerdem hatte Jack Morton die Privatadresse, die private Telefonnummer und die Nummer von der Arbeit. Er fragte sich ...

Und er wusste, dass Alex Maclean Zimmermann war. Die Polizei von Haddington hatte ihm zudem noch berichten können, dass Maclean sehr jähzornig war und zweimal (lange vor seiner Heirat) wegen irgendwelcher Schlägereien verhaftet worden war. Er fragte sich ... Doch er wusste, er würde es tun. Er nahm den Hörer und tippte die Zahlen ein.

»Hallo, könnte ich bitte Mr Maclean sprechen? Mr Maclean? Sie kennen mich nicht, aber ich habe eine Information, die ich gerne an Sie weitergeben möchte. Es geht um einen Mann namens Andrew McPhail ...«

Matthew Vanderhyde tätigte an diesem Nachmittag ebenfalls einen Anruf, doch erst nachdem er lange in seinem Lieblingssessel nachgedacht hatte. Er hielt das schnurlose Telefon in der Hand und klopfte mit einem langen Fingernagel darauf herum. Draußen hörte er einen Hund bellen. Es war der, der jemandem ein Stück weiter die Straße entlang gehörte und der so näselnd jaulte. Die Uhr auf dem Kaminsims tickte. Das Ticken schien langsamer zu werden, je mehr er sich darauf konzentrierte. Der Herzschlag der Zeit. Schließlich machte er den Anruf und sprach ohne jede Einleitung.

»Ich hatte gerade jemanden von der Polizei hier«, sagte er. »Er hat sich nach der Nacht erkundigt, in der das Central Hotel in Flammen aufging.« Er zögerte kurz. »Ich hab ihm von Aengus erzählt.« Nun konnte er sich zurücklehnen und mit mattem Lächeln dem Gezeter am anderen Ende der Leitung lauschen, ein Gezeter, das er nur zu gut kannte. »Broderick«, unterbrach er, »wenn irgendwelche Leichen aus dem Keller geholt werden, will *ich* nicht der Einzige sein, der zittert.«

Als das Gezeter von neuem begann, beendete Matthew Vanderhyde das Gespräch.

7

An diesem Abend fiel Rebus der Mann zum ersten Mal auf. Er glaubte, er hätte ihn bereits am Nachmittag vor St. Leonard's gesehen. Ein junger Mann, groß und breitschultrig. Er stand vor dem Eingang des Hauses in der Arden Street, in dem sich Rebus' Wohnung befand. Rebus parkte sein Auto ein Stück weiter auf der anderen Straßenseite, so dass er den Mann im Rückspiegel beobachten konnte. Der Mann wirkte nervös, wie aufgedreht. Vielleicht wartete er ja nur auf seine Verabredung. Vielleicht.

Rebus hatte keine Angst, doch er startete den Wagen und fuhr weg. Er würde in einer Stunde wiederkommen, um zu sehen, ob der Mann noch da war. Wenn das zutraf, handelte es sich nicht um ein Date. So lange würde niemand warten, wie hübsch das Mädchen auch sein mochte. Er fuhr an The Meadows entlang bis Tollcross, dann bog er nach rechts in die Lothian Road. Wie gewohnt kam man nur langsam voran. Die Anzahl der Fahrzeuge, die jeden Abend durch die Stadt mussten, schien von Woche zu Woche zuzunehmen. Edinburgh in der Dämmerung sah aus wie jede andere Stadt: Geschäfte, Büros und überfüllte Bürgersteige. Niemand wirkte sonderlich glücklich.

Er überquerte die Princes Street, machte einen Schwenk in den Charlotte Square und fuhr dann im Kriechtempo über die Queensferry Street und die Queensferry Road, bis er etwas umständlich in die Oxford Terrace abbiegen konnte. Doch Patience war nicht zu Hause. Er wusste, dass sie diese Woche ihre Schwester erwartete. Sie wollte ein paar Tage bleiben und dann die Kinder mit nach Hause nehmen. Patiences Kater Lucky saß vor der Tür und begehrte Einlass, und ausnahmsweise empfand Rebus beinah so etwas wie Mitleid mit ihm.

»Da hast du wohl kein Glück«, erklärte er ihm.

Als er in die Arden Street zurückkehrte, war von dem Hünen nichts mehr zu sehen. Doch Rebus würde ihn erkennen, wenn er wieder auftauchte. O ja, er würde ihn ganz bestimmt erkennen.

In der Wohnung hatte er einen weiteren Streit mit Michael; sie beide befanden sich im Wohnzimmer, alle anderen in der Küche. Wie viele Mieter gab es hier eigentlich? Es schien sich um eine wechselnde Belegschaft von etwa einem Dutzend Leuten zu handeln, während er an drei vermietet hatte mit der Option, dass noch eine vierte Person einziehen könnte. Er war sich sicher, dass er jeden Morgen andere Gesichter sah, weshalb er sich auch keine Namen merken konnte.

Also fand noch ein Streit statt, diesmal mit den Studenten in der Küche, während Michael in der Abstellkammer hockte. Das Ganze endete damit, dass Rebus »Fahrt zur Hölle!« rief, dann aber selbst zum Auto ging und sich in eins der weniger respektablen Viertel der Stadt aufmachte, wo er etwas aß, ein paar Pints trank und auf ein Fernsehbild ohne Ton starrte. Er sprach mit einigen seiner Kontaktpersonen, die allerdings nichts über den Überfall auf Brian Holmes zu berichten hatten.

Mal wieder einer von diesen Abenden.

Rebus kam absichtlich spät zurück in der Hoffnung, dass alle anderen bereits im Bett lägen. Er fummelte am Haustürschloss herum und ließ die Tür laut hinter sich zufallen. Dann suchte er, den Blick auf den Boden gerichtet, in seinen Taschen nach dem Wohnungsschlüssel. Deshalb sah er auch nicht den Mann, der auf der untersten Treppenstufe gesessen haben musste.

»Hallo.«

Rebus hob erschrocken den Blick, erkannte die Gestalt und schlug sofort zu, wobei Münzen und Schlüssel durch die Luft flogen und klimpernd zu Boden fielen. Er war zwar nicht *so* betrunken, aber sein Opfer war stocknüchtern und zwanzig Jahre jünger. Der Mann fing den Schlag mühelos mit einer Hand ab. Er wirkte überrascht über den Angriff, aber irgendwie auch aufgeregt. Rebus bereitete der ganzen Aufregung ein rasches Ende, indem er dem Mann ein Knie in den ungeschützten Unterleib rammte. Der Mann stöhnte auf und krümmte sich, was Rebus die Gelegenheit gab, ihm auch noch einen Schlag in den Nacken zu versetzen. Er spürte, wie seine Knöchel knackten.

»O Gott«, keuchte der Mann. »Hören Sie doch auf.«

Rebus hörte auf und schüttelte seine schmerzende Hand, bot dem Mann jedoch keinerlei Hilfe an. Er hielt einen gewissen Abstand zu ihm und fragte: »Wer sind Sie?«

Dem Mann gelang es, für einen Moment sein Würgen zu unterdrücken. »Andy Steele.«

»Nett, Sie kennen zu lernen, Andy. Aber was zum Teufel wollen Sie hier?«

Der Mann blickte mit Tränen in den Augen zu Rebus auf. Es dauerte eine Weile, bis er wieder zu Atem kam. Als er dann sprach, verstand Rebus entweder seinen Akzent nicht richtig, oder er konnte einfach nicht glauben, was er da hörte. Er bat Steele, es zu wiederholen.

»Ihre Tante schickt mich«, sagte Steele. »Sie hat eine Nachricht für Sie.«

Rebus ließ Andy Steele auf dem Sofa Platz nehmen und gab ihm eine Tasse Tee mit vier Stückchen Zucker, ganz wie Steele es verlangt hatte.

»Ist aber nicht gut für Ihre Zähne.«

»Sind nicht meine eigenen«, antwortete Steele, der zusammengekauert dasaß und den heißen Becher umklammert hielt.

»Wem gehören die denn dann?«, fragte Rebus. Ein Lächeln huschte über Steeles Gesicht. »Sie sind mir den ganzen Tag gefolgt.«

»Nicht ganz. Wenn ich ein Auto hätte, wär's mir vielleicht gelungen, aber ich hab keins.«

»Sie haben kein Auto?« Steele schüttelte den Kopf. »Sie sind mir ja ein schöner Privatdetektiv.«

»Ich hab nicht gesagt, dass ich ein richtiger Privatdetektiv bin. Ich meine, ich möchte einer *werden*.«

»Sie sind also eine Art Lehrling?«

»Richtig. Teste sozusagen das Wasser.«

»Und wie ist das Wasser, Andy?«

Ein weiteres Lächeln, ein Schluck Tee. »Ein bisschen heiß. Das nächste Mal bin ich vorsichtiger.«

»Ich wusste nicht mal, dass ich eine Tante habe. Jedenfalls

nicht da oben im Norden.« So viel hatte ihm Steeles Akzent verraten.

Andy Steele nickte. »Sie wohnt neben meinen Eltern, direkt gegenüber vom Pittodrie Park.«

»Aberdeen?« Rebus nickte. »Allmählich schwant's mir wieder. Ja, ein Onkel und eine Tante in Aberdeen.«

»Ihr Vater und Jimmy – das ist Ihr Onkel – haben sich vor vielen Jahren völlig zerstritten. Sie sind wahrscheinlich zu jung, um sich daran zu erinnern.«

»Danke für das Kompliment.«

»Das hat mir Ena erzählt.«

»Und jetzt ist Onkel Jimmy tot?«

»Vor drei Wochen gestorben.«

»Und Tante Ena möchte mich sehen?« Steele nickte. »Weswegen?«

»Das weiß ich nicht. Sie hat bloß davon geredet, wie gern sie Sie wiedersehen würde.«

»Nur mich? Hat sie nichts von meinem Bruder gesagt?«

Steele schüttelte den Kopf. Rebus hatte nachgesehen, ob Michael noch in der Abstellkammer war. War er nicht. Die anderen Schlafzimmer schienen allerdings besetzt zu sein.

»Na ja, wenn die sich gestritten haben, als ich noch klein war«, bemerkte Rebus, »dann war Michael da vielleicht noch gar nicht geboren.«

»Dann wissen sie womöglich gar nichts von ihm«, vermutete Steele. Ja, so war das halt mit der lieben Verwandtschaft. »Jedenfalls hat Ena ständig über Sie geredet, da hab ich ihr gesagt, ich würd in den Süden fahren und mich umsehen. Ich hab vor sechs Monaten meinen Job auf dem Fischerboot verloren, und seitdem geh ich zu Hause die Wände hoch. Außerdem hab ich immer davon geträumt, Privatdetektiv zu werden. Ich liebe diese Filme.«

»Von den Filmen kriegen Sie aber kein Knie in die Eier gerammt.«

»Allerdings.«

»Wie haben Sie mich überhaupt gefunden?«

Jetzt strahlte Steele übers ganze Gesicht. »Ich bin zu der Adresse gegangen, die Ena mir gegeben hat, da wo Sie und Ihr Vater früher gewohnt haben. Alle Nachbarn wussten, dass Sie als Polizist in Edinburgh arbeiten. Also hab ich mir das Telefonbuch geschnappt, jede Wache angerufen, die ich finden konnte, und nach John Rebus gefragt.« Er zuckte die Schultern und wandte sich wieder seinem Tee zu.

»Aber wie sind Sie denn an meine Privatadresse gekommen?«

»Die hat mir jemand von der Kriminalpolizei gegeben.«

»Jetzt erzählen Sie mir nicht, das war Inspector Flower?«

»Kann schon sein, aye.«

Wie er da auf dem Sofa saß, sah Andy Steele aus, als wäre er etwa Mitte zwanzig. Er war kräftig gebaut und hatte eine Figur, die man nur durch harte Arbeit, wie zum Beispiel die auf einem Fischerboot in der Nordsee, in Form halten konnte. Doch bereits nach sechs Monaten ohne Arbeit hatte er aufgrund mangelnder Bewegung angefangen, Fett anzusetzen. Rebus hatte Mitleid mit Andy Steele und seinem Traum, Privatdetektiv zu werden. So wie er in die Luft starrte, während er seinen Tee trank, wirkte er irgendwie verloren, sein augenblickliches Leben schien ohne Sinn und Ziel.

»Werden Sie sie denn besuchen?«

»Vielleicht am Wochenende«, antwortete Rebus.

»Da wird sie sich aber freuen.«

»Ich kann Sie mit zurücknehmen.«

Doch der junge Mann schüttelte den Kopf. »Nein, ich würd gern noch ein bisschen in Edinburgh bleiben.«

»Wie Sie möchten«, meinte Rebus. »Aber seien Sie vorsichtig.«

»Vorsichtig? Ich könnte Ihnen Geschichten von Aberdeen erzählen, da würden Ihnen die Haare zu Berge stehen.«

»Und könnten Sie sie auch an den Schläfen ein bisschen dichter machen, wenn Sie schon mal dabei sind?«

Andy Steele brauchte eine Weile, bis er den Witz verstanden hatte.

Am nächsten Tag wollte Rebus Andrew McPhail einen Besuch abstatten. Doch McPhail war nicht zu Hause, und seine Vermieterin hatte ihn seit dem gestrigen Abend nicht mehr gesehen.

»Normalerweise kommt er Punkt sieben zu einem klitzekleinen Frühstück herunter. Also bin ich nach oben gegangen, aber er war nicht da. Er steckt doch nicht etwa in Schwierigkeiten, Inspector?«

»Nein, überhaupt nicht, Mrs MacKenzie. Dieser Sandkuchen schmeckt übrigens sehr gut.«

»Ach, ist schon ein paar Tage her, dass ich den gebacken hab. Er dürfte mittlerweile ein bisschen trocken sein.«

Rebus schüttelte den Kopf und nahm einen großen Schluck Tee, um die unzähligen Krümel in seinem Mund hinunterzuspülen. Doch stattdessen klebten sie nun zu einem festen Klumpen zusammen, den er versuchte, langsam und unbemerkt hinunterzuwürgen.

In einer Ecke des Zimmers stand ein Vogelkäfig, komplett mit Spiegeln, Kalkschale und Hirsekolben. Aber es war kein Vogel darin. Vielleicht war er fortgeflogen.

Er gab Mrs MacKenzie seine Karte und bat sie, sie Mr McPhail auszuhändigen, wenn sie ihn sah. Er hatte keinen Zweifel, dass sie seiner Bitte auch nachkäme, doch tat es ihm Leid, sich ihr als Polizist vorgestellt zu haben. Nun war sie vermutlich misstrauisch und würde McPhail vielleicht sogar kündigen. Das wäre sehr schade.

Doch eigentlich hatte Rebus nicht den Eindruck, dass Mrs MacKenzie überhaupt irgendwas kapierte. Und McPhail würde bestimmt ein Grund für Rebus' Besuch einfallen. Vermutlich wollte die City of Edinburgh Police ihm eine Auszeichnung verleihen, weil er ein paar kleine Hunde aus der reißenden Strömung des Water of Leith gerettet hatte. McPhail war schließlich gut im Erfinden von Geschichten. Kinder hörten doch so gerne Geschichten.

Rebus stand vor Mrs MacKenzies Haus und blickte hinüber auf die andere Straßenseite. Es mochte Zufall sein, dass McPhail sich eine Pension mit direktem Blick auf eine Grundschule ausgesucht hatte. Rebus war das gleich bei seiner Ankunft aufgefallen. Und das allein hatte ihn dazu bewogen, der Vermieterin zu sagen, wer er war. Schließlich glaubte er nicht an Zufälle.

Und wenn McPhail sich nicht überreden ließ umzuziehen, dann würden vielleicht die Nachbarn die wahre Geschichte von Mrs MacKenzies Untermieter herausfinden. Rebus stieg in sein Auto. Er mochte sich selbst oder seinen Job nicht immer.

Aber einiges davon war ganz okay.

In St. Leonard's hatte Siobhan Clarke nichts Neues über die Messerattacke zu berichten. Rory Kintoul gab sich sehr bedeckt, was ein weiteres Gespräch anging. Er hatte bereits einen vereinbarten Termin abgesagt, und seitdem war er nicht mehr zu erreichen gewesen.

»Sein Sohn ist siebzehn, arbeitslos und verbringt die meiste Zeit zu Hause. Ich könnte versuchen, mit ihm zu reden.«

»Könnten Sie.« Aber das Ganze war schon ein beträchtlicher Aufwand. Vielleicht hatte Holmes ja Recht. »Tun Sie einfach Ihr Bestes«, sagte Rebus. »Und wenn wir nach Ihrem Gespräch mit Kintoul immer noch nicht weiter sind, dann lassen wir die ganze Sache fallen. Wenn Kintoul sich erstechen lassen will, soll mir das recht sein.«

Sie nickte und wandte sich ab.

»Irgendwas Neues von Brian?«

Sie drehte sich wieder um. »Er hat geredet.«

»Geredet?«

»Im Schlaf. Ich dachte, Sie wüssten das.«

»Was hat er gesagt?«

»Nichts, was man verstehen konnte, aber es bedeutet, dass er langsam das Bewusstsein wiedererlangt.«

»Das ist gut.«

Sie wollte sich schon wieder abwenden, da fiel Rebus noch etwas ein. »Wie kommen Sie am Samstag nach Aberdeen?«

»Mit dem Auto, warum?«

»Ist noch Platz im Auto?«

»Ich fahr allein.«

»Dann hätten Sie doch sicher nichts dagegen, mich mitzunehmen.«

Sie sah ihn verblüfft an. »Natürlich nicht. Wohin?«

»Pittodrie Park.«

Nun wirkte sie noch überraschter. »Ich hätte Sie niemals für einen Hibs-Fan gehalten, Sir.«

Rebus verzog das Gesicht. »Nein, damit stehen Sie allein da. Ich brauche nur eine Mitfahrgelegenheit, sonst nichts.«

»Okay.«

»Und unterwegs können Sie mir erzählen, was Sie alles aus den Akten über Big Ger erfahren haben.«

8

Bis Samstag hatte Rebus sich noch dreimal mit Michael gestritten (der davon sprach, auszuziehen), einmal mit den Studenten (die ebenfalls davon sprachen, auszuziehen) und einmal mit der Sprechstundenhilfe in Patiences Praxis, weil diese Rebus nicht durchstellen wollte. Brian Holmes hatte kurz die Augen geöffnet, und die Ärzte nahmen an, dass er sich auf dem Weg der Besserung befand. Doch keiner von ihnen wagte, von einer »vollständigen Genesung« zu sprechen. Trotzdem hatte die Nachricht Siobhan Clarke aufgemuntert, und sie kam gut gelaunt vor Rebus' Wohnung in der Arden Street an. Er wartete auf der Straße auf sie. Sie fuhr einen zwei Jahre alten, kirschroten Renault 5, der im Gegensatz zu Rebus' Auto, das daneben parkte und aussah, als würde es gleich seinen Geist aufgeben, wie neu wirkte. Doch Rebus' Wagen sah schon seit drei oder vier Jahren so aus, und jedes Mal, wenn er beschlossen hatte, sich endgültig davon zu trennen, schien eine vorübergehende Besserung einzutreten. Rebus hatte das Gefühl, das Auto könne seine Gedanken lesen.

»Guten Morgen, Sir«, begrüßte Siobhan Clarke Rebus. Aus dem Radio ertönte Popmusik. Sie sah, wie Rebus das Gesicht verzog, als er auf den Beifahrersitz kletterte, und drehte die Lautstärke herunter. »Schlecht geschlafen?«

»Das fragen mich die Leute ständig.«

»Wie kommt's bloß?«

Sie hielten an einer Bäckerei, damit Rebus sich was zum Frühstück besorgen konnte. Es war nichts in der Wohnung gewesen, das die Bezeichnung »Nahrung« verdient hätte. Allerdings durfte Rebus sich auch nicht beklagen, denn sein Beitrag an Lebensmitteln hatte bisher aus einer einzigen Einkaufstüte bestanden. Und das meiste darin war Fleisch gewesen, das die Studenten nicht anrührten. Ihm war aufgefallen, dass Michael sich ebenfalls vegetarisch ernährte, zumindest wenn andere dabei waren.

»Es ist gesünder, John«, hatte er seinem Bruder erklärt und auf seinen Bauch geklopft.

»Was soll das denn heißen?«, hatte Rebus ihn angeblafft.

Michael hatte nur traurig den Kopf geschüttelt. »Zu viel Koffein.«

Das war auch so eine Sache. In den Küchenschränken standen lauter Gläser, in denen sich etwas befand, das aussah wie Kaffee, sich dann jedoch als »Aufguss« aus zerstoßener

Baumrinde und Zichorie entpuppte. In der Bäckerei erwarb Rebus einen Styroporbecher Kaffee und zwei Wurstbrötchen, die sich jedoch als Fehlkauf erwiesen, da sie fürchterlich bröselten und das makellos saubere Auto voll krümelten – trotz Rebus' Verrenkungen mit der Papiertüte.

»Tut mir Leid, dass ich so eine Schweinerei mache«, entschuldigte sich Rebus bei Siobhan, die ihr Fenster verdächtig weit heruntergekurbelt hatte. »Sie sind doch nicht etwa Vegetarierin?«

Sie lachte. »Ist Ihnen das noch nicht aufgefallen?«

»Offen gestanden, nein.«

Sie deutete mit dem Kopf auf ein Wurstbrötchen. »Haben Sie schon mal was von Separatorenfleisch gehört?«

»Hören Sie auf«, warnte Rebus sie. Er vertilgte die Brötchen ganz schnell, dann räusperte er sich.

»Irgendetwas, das ich über Sie und Brian wissen sollte?«

Ihr Gesichtsausdruck verriet ihm, dass das nicht gerade der beste Gesprächseinstieg war. »Nicht dass ich wüsste.«

»Es ist bloß so, dass er und Nell dabei waren … nun ja, es besteht immer noch eine gewisse Chance …«

»Ich bin kein Monster, Sir. Und ich weiß, wie die Dinge zwischen Brian und Nell stehen. Brian ist halt ein netter Typ. Wir kommen gut miteinander aus.« Sie wandte den Blick kurz von der Straße ab. »Mehr ist da nicht.« Rebus wollte etwas sagen. »Doch selbst wenn da mehr *wäre*«, fuhr sie fort, »sehe ich nicht ein, dass Sie das etwas anginge, bei allem Respekt, Sir. Es sei denn, unsere Arbeit wäre davon betroffen, und das würde ich nicht zulassen, ebenso wenig wie Brian.«

Rebus schwieg.

»Tut mir Leid, das hätte ich nicht sagen sollen.«

»Was Sie gesagt haben, war schon in Ordnung. Das Problem ist, *wie* Sie es gesagt haben. Ein Polizeibeamter ist immer im Dienst, und ich bin Ihr Boss – selbst bei so einem Ausflug. Vergessen Sie das nicht.«

Längere Zeit herrschte Schweigen, dann sagte Siobhan: »Marchmont ist eine nette Gegend.«

»Fast so nett wie die New Town.«

Sie warf ihm einen wütenden Blick zu und hielt das Lenkrad so fest umklammert wie ein Würger den Hals seines Opfers.

»Ich dachte«, sagte sie hinterhältig, »Sie wohnten jetzt in der Oxford Terrace, Sir.«

»Dann haben Sie falsch gedacht. So, und was halten Sie davon, wenn Sie jetzt diese verdammte Musik ausmachen? Wir haben schließlich viel zu besprechen.«

»Viel« bezog sich natürlich auf Morris Gerald Cafferty.

Siobhan Clarke hatte ihre Notizen nicht mitgebracht, da sie die entscheidenden Fakten auswendig vortragen konnte, zusammen mit einer Menge Details, die vielleicht nicht ganz so wichtig, aber sicherlich interessant waren. Sie hatte zweifellos ihre Hausaufgaben gemacht. Rebus musste daran denken, wie frustrierend dieser Job doch manchmal war. Da hatte sie sich für »Operation Geldsäcke« eingehend über Big Ger informiert, doch würde man Cafferty mit größter Wahrscheinlichkeit nicht erwischen. Und sie hatte viele Stunden mit dem Fall Kintoul verbracht, einer Sache, die womöglich ebenfalls im Sande verlief.

»Und noch was«, sagte sie. »Cafferty führt offensichtlich irgend so ein kleines Tagebuch, alles verschlüsselt. Wir haben es bisher nicht geschafft, den Code zu knacken, also muss es sich um etwas sehr Vertrauliches handeln.«

Rebus erinnerte sich. Immer, wenn sie Big Ger verhaftet hatten, war das Tagebuch zusammen mit allem anderen, was er bei sich trug, einkassiert worden. Dann hatten sie das Tagebuch Seite für Seite kopiert und versucht, den Text zu dechiffrieren. Es war ihnen nie gelungen.

»Gerüchten zufolge«, erklärte Siobhan gerade, »handelt es sich bei dem Tagebuch um eine Auflistung besonders schwieriger Schuldenfälle, Schulden, um die Cafferty sich persönlich kümmert.«

»Um einen Mann wie ihn ranken sich viele Gerüchte. Das trägt dazu bei, dass er übermenschlich erscheint. Im wahren Leben ist er nichts weiter als ein hirnloser Gangster.«

»Ein solcher Code erfordert aber Hirn.«

»Vielleicht.«

»In der Akte steckte auch ein ziemlich neuer Artikel aus der *Sun*. Darin geht's um die Leichen, die immer wieder an der Küste angespült werden.«

Rebus nickte. »An der Solway-Küste, nicht weit von Stranraer.«

»Sie glauben, dass Cafferty dahinter steckt?«

Rebus zuckte die Schultern. »Die Leichen sind nie identifiziert worden. Könnte alles Mögliche sein. Könnten Leute sein, die von der Larne-Fähre gestoßen wurden. Es könnte eine Verbindung zu Ulster bestehen. Zwischen Larne und Stranraer gibt es merkwürdige Strömungen.« Er hielt inne. »Könnte alles Mögliche sein.«

»Mit anderen Worten, könnte auch Cafferty sein.«

»Könnte.«

»Ein weiterer Weg, um eine Leiche loszuwerden.«

»Er wird sich ja wohl nicht ins eigene Nest scheißen wollen, oder?«

Sie dachte darüber nach. »In einem der Zeitungsartikel war von einem Lieferwagen die Rede, den man an der Küste gesehen hatte, viel zu früh am Morgen, um irgendwas auszuliefern.«

Rebus nickte. »Außerdem war an der Straße nichts, wo er was hätte ausliefern können. Manchmal lese ich auch Zeitung, Clarke. Die Polizei von Dumfries und Galloway patrouilliert dort jetzt mit Streifenwagen.«

Siobhan fuhr eine Weile schweigend, um ihre Gedanken zu sammeln. »Bisher hat er einfach nur Glück gehabt, oder, Sir?

Es mag ja durchaus sein, dass er durchtrieben ist, und solche Leute sind schwerer zu erwischen. Aber er muss ja auch Dinge delegieren, und egal, wie durchtrieben so einer ist, seine Handlanger sind oft so blöd oder faul, dass sie sogar ins eigene Nest scheißen würden.«

»Was für eine Ausdrucksweise, Clarke!« Sie lächelte. »Ist allerdings was dran.«

»Nach dem, was ich über Caffertys Komplizen gelesen habe, glaube ich nicht, dass viele von denen die Weisheit mit Löffeln gefressen haben. Die nennen sich Slink und Codge und Radiator.«

Rebus grinste. »Radiator McCallum, an den kann ich mich erinnern. Er stammte angeblich aus einer Familie von Highland-Kannibalen. Er hat Ahnenforschung betrieben, so stolz war er auf seine Vorfahren.«

»Er ist allerdings von der Bildfläche verschwunden.«

»Ja, vor drei oder vier Jahren.«

»Viereinhalb laut Akte. Ich frage mich, was wohl aus ihm geworden ist.«

Rebus zuckte die Schultern. »Er hat versucht, Big Ger übers Ohr zu hauen, hat es mit der Angst bekommen und ist abgehauen.«

»Oder hatte keine Chance abzuhauen.«

»Das ist natürlich auch möglich. Oder er hatte einfach die Schnauze voll oder ein besseres Angebot. Verbrecher müssen mobil sein. Wo auch immer es Arbeit gibt …«

»Cafferty hat offensichtlich schon eine Menge Personal verschlissen. Noch bevor McCallum nicht mehr gesehen wurde, sind bereits seine beiden Cousins verschwunden.«

Rebus runzelte die Stirn. »Ich wusste gar nicht, dass der Cousins hatte.«

»Unter dem Spitznamen Bru-Head Brothers bekannt. Hatte wohl mit ihrer Vorliebe für Irn-Bru-Limo zu tun.«

»Sehr witzig. Wie hießen sie denn wirklich?«

Siobdan dachte einen Augenblick nach. »Tam und Eck Robertson.«

Rebus nickte. »Eck Robertson, ja. Von dem anderen hab ich allerdings noch nie gehört. Moment mal ...«

Tam und Eck Robertson. Die R. Brothers. Das würde bedeuten, dass Mork ...

»Der verfluchte Morris Cafferty!« Rebus schlug auf das Armaturenbrett. Brian hatte den Namen abgekürzt und das c durch ein k ersetzt. Menschenskind ... Wenn Brian Holmes an irgendwas dran war, in das Cafferty und seine Bande verwickelt war – kein Wunder, dass er Angst hatte. Es musste irgendwas mit der Nacht zu tun haben, in der das Central Hotel abbrannte. Hatten die das Feuer gelegt, weil das Hotel seine Schutzgelder nicht bezahlte? Handelte es sich bei der Leiche vielleicht um irgendeinen Schuldner? Und kurz darauf verschwanden Radiator McCallum und seine Cousins von der Bildfläche. Verdammt noch mal.

»Falls Sie gleich einen Herzinfarkt kriegen«, bemerkte Siobhan, »mit Herzmassage kenn ich mich aus.«

Rebus hörte nicht zu. Er starrte auf die Straße; mit einer Hand hielt er den Kaffeebecher, mit der anderen hämmerte er auf sein Knie. Er rief sich Brians Notiz ins Gedächtnis. Er hatte nicht genau gewusst, ob Cafferty sich in jener Nacht dort aufhielt, nur dass die Brüder da waren. Und irgendwas von einem Pockerspiel stand darin. Er wollte versuchen, die Robertson-Brüder zu finden; das war seine letzte Eintragung gewesen. Danach hatte ihm jemand eins über den Schädel gegeben. Vielleicht passte ja allmählich alles zusammen.

»Ich bin mir allerdings nicht sicher, ob ich mit Katatonie umgehen kann.«

»Was?«

»Hat es irgendwas mit dem zu tun, was ich gesagt hab?«

»Ja.«

»Mit den Bru-Head Brothers?«

»Genau. Was wissen Sie sonst noch über die beiden?«

»In Niddrie geboren, kleine Diebe, seit sie den Kinderschuhen entwachsen sind ...«

»Sonst noch was?«

Siobhan war klar, dass sie einen Nerv getroffen hatte. »Reichlich. Beide hatten lange Vorstrafenregister. Eck liebte auffällige Klamotten, Tam trug immer Jeans und T-Shirt. Eines ist jedoch sonderbar: Tam war peinlichst auf Sauberkeit bedacht. Er hatte immer ein Stück Seife bei sich. Das fand ich bemerkenswert.«

»Wenn ich ein Spielertyp wär«, sagte Rebus, »würde ich wetten, dass die Seife nach Zitrone roch.«

»Woher wissen Sie das denn?«

»Instinkt. Nicht meiner, der von jemand anders.« Rebus runzelte die Stirn. »Wie kommt es, dass ich nie von Tam gehört habe?«

»Nachdem er die Schule verlassen hatte – oder eher *gebeten* wurde, sie zu verlassen, ist er nach Dundee gezogen. Er ist erst Jahre später nach Edinburgh zurückgekommen. Den Akten zufolge hat er etwa sechs Monate für die Bande gearbeitet, vielleicht auch weniger.« Sie zögerte. »Verraten Sie mir, worum es hier geht?«

»Um einen Hotelbrand.«

»Sie meinen diese Akten auf dem Fußboden hinter Ihrem Schreibtisch?«

»Genau die.«

»Ich konnte mir nicht verkneifen, einen Blick hineinzuwerfen.«

»Sie könnten etwas mit dem Überfall auf Brian zu tun haben.« Siobhan drehte ihm den Kopf zu. »Schauen Sie auf die Straße und konzentrieren Sie sich auf das Fahren. Ich erzähle Ihnen jetzt eine Geschichte. Die reicht vielleicht sogar bis Aberdeen.«

Und das tat sie auch.

»Herein mit dir, Jock. Meine Güte, ich hätte dich ja fast nicht erkannt.«

»Das letzte Mal, als du mich gesehen hast, hab ich noch kurze Hosen getragen, Tante Ena.«

Die alte Frau lachte. Sie benutzte ein Laufgestell, um durch den engen, muffigen Flur zurück in die kleine hintere Stube zu gelangen, die mit Möbeln voll gestopft war. Bestimmt gab es auch nach vorn hinaus noch einen Raum, ein richtiges Wohnzimmer, das nur zu ganz speziellen Anlässen benutzt wurde. Doch Rebus gehörte zur Familie, und Familienmitglieder wurden in der hinteren Stube begrüßt.

Tante Ena wirkte gebrechlich, hatte einen Buckel und trug einen Schal um die knochigen Schultern. Ihr silbernes Haar war straff nach hinten gekämmt und zu einem festen Knoten zusammengefasst. Die Augen sahen in ihrem pergamentartigen Gesicht wie eingesunkene Punkte aus. Rebus konnte sich überhaupt nicht an sie erinnern.

»Du musst drei Jahre alt gewesen sein, als wir das letzte Mal in Fife waren. Du konntest einem Esel das Hinterbein abschwatzen, hattest aber einen so starken Akzent, dass ich kaum ein Wort verstanden hab. Ständig wolltest du einen Witz erzählen oder ein Lied singen.«

»Ich hab mich verändert«, meinte Rebus.

»Was?« Sie hatte sich in einen Sessel neben dem Kamin sinken lassen und reckte den Hals. »Ich kann nicht mehr so gut hören, Jock.«

»Ich hab gesagt, ich werd nicht Jock genannt!«, rief Rebus. »Ich heiße John.«

»O aye, John. Natürlich.« Sie zog sich eine Reisedecke über die Beine. In dem Kamin befand sich ein elektrisches Feuer, so eins mit künstlichen Kohlen, künstlichen Flammen und – soweit Rebus feststellen konnte – mit künstlicher Hitze. Ein blassoranger Heizstab brannte, doch er strahlte keine Wärme ab.

»Danny hat dich also gefunden?«

»Du meinst Andy?«

»Ein guter Junge. Eine Schande, dass man ihn entlassen hat. Ist er mit dir zurückgekommen?«

»Nein, er hält sich noch in Edinburgh auf.« Ihr Kopf ruhte an der Rückenlehne des Sessels. Sie sah aus, als würde sie gleich einschlafen. Vermutlich hatte der Gang zur Haustür und zurück sie erschöpft.

»Seine Eltern sind nette Leute, immer so freundlich zu mir.«

»Du wolltest mich sprechen, Tante Ena?«

»Was?«

Er hockte sich vor sie hin und legte die Hände auf die Sessellehnen. »Du wolltest mich sehen.« Nun ja, sehen konnte sie ihn … aber dann wurden ihre Augen glasig, und sie begann mit weit offenem Mund zu schnarchen.

Rebus stand mit einem Seufzer auf. Die Uhr auf dem Kaminsims war stehen geblieben, doch er wusste, dass er noch mindestens zwei Stunden totschlagen musste. Das Gespräch mit Siobhan über das Central Hotel hatte ihn dermaßen erregt, dass er sich am liebsten gleich wieder an die Arbeit gemacht hätte. Stattdessen saß er hier in diesem Miniaturmuseum fest. Er schaute sich um und rümpfte die Nase über eine chromverzierte Kommode, die in einer dunklen Ecke stand. In einer Vitrine entdeckte er Fotos. Er trat näher heran und betrachtete sie. Er erkannte ein Bild von seinen Großeltern väterlicherseits, aber es gab keine Fotos von seinem Vater – wohl das Resultat der Fehde oder was immer es gewesen war.

Die Schotten vergaßen nie. Das war Last und Geschenk zugleich. Von der Stube gelangte man direkt in eine kleine Küche. Rebus warf einen Blick in den uralten Kühlschrank, fand ein Stück Rinderbrust und schnupperte daran. In einer großen Blechdose war Brot, und auf dem Ablaufbrett stand ein Schälchen mit Butter. Er brauchte etwa zehn Minuten, um die Sandwiches zu machen, und weitere fünf, um herauszufinden, in welcher der vielen Büchsen sich Tee befand.

Neben dem Spülbecken stand ein Radio. Er schaltete es ein, um einen Bericht über das Fußballspiel zu hören, doch die Batterien waren noch schwächer als sein Tee. Also ging er leise zurück ins Wohnzimmer, wo Tante Ena immer noch schlief, und setzte sich ihr gegenüber in den Sessel. Er hatte zwar nicht gerade eine Erbschaft erwartet, aber etwas mehr hatte er sich von dem Besuch schon versprochen. Ein besonders lauter Schnarcher ließ Tante Ena aufschrecken und wach werden.

»Hä? Bist du das, Jimmy?«

»Ich bin John, dein Neffe.«

»Du meine Güte, John, bin ich etwa eingenickt?«

»Nur ein paar Minütchen.«

»Das ist ja schrecklich, wo ich doch Besuch habe.«

»Ich bin kein Besuch, Tante Ena. Ich gehör zur Familie.«

»Aye, mein Junge, das tust du. Nun hör mir mal zu. Da ist noch etwas Rindfleisch im Kühlschrank. Soll ich uns ein paar …?«

»Sind schon fertig.«

»Hä?«

»Die Sandwiches. Ich hab sie schon hergerichtet.«

»Tatsächlich? Du warst immer ein kluges Kerlchen. Und wie wär's mit einem Tee?«

»Bleib sitzen, ich mach uns frischen.«

Er brühte eine Kanne Tee auf, brachte die Sandwiches auf einem Teller ins Wohnzimmer und stellte sie vor seine Tante auf einen Schemel. »Bitte sehr.« Er wollte ihr gerade ein Sandwich reichen, als sie ihn fest am Handgelenk packte. Sie hatte die Augen geschlossen, und obwohl sie ziemlich gebrechlich wirkte, war ihr Griff fest. Erst als sie zu sprechen begann, begriff Rebus, dass sie ein Tischgebet murmelte.

»Manche haben Fleisch und können es nicht essen, und manche haben keins und hätten gern welches. Doch wir haben Fleisch, und wir können es auch essen, dafür danken wir dem Herrn.«

Rebus musste sich ein Lächeln verkneifen. Doch in seinem tiefsten Innern war er auch gerührt.

Der Imbiss belebte die alte Frau, und plötzlich schien sie sich auch daran zu erinnern, weshalb sie ihn hatte sehen wollen.

»Dein Vater und mein Mann haben sich vor vielen, vielen Jahren zerstritten. Das ist jetzt vielleicht vierzig Jahre her oder noch länger. Seitdem haben sie sich keinen Brief mehr geschrieben, keine Weihnachtskarte. Ja, sie haben nicht mal mehr ein höfliches Wort gewechselt. Findest du das nicht töricht? Und weißt du, worum es sich bei dem Streit handelte? Es ging darum, dass wir deinen Vater und deine Mutter zur Hochzeit von unserer Ishbel eingeladen hatten, dich aber nicht. Wir hatten nämlich beschlossen, dass keine Kinder dabei sein sollten. Doch eine Freundin von mir, Peggy Callaghan, hat ihren Sohn trotzdem mitgebracht, und wir konnten ihn ja schlecht wegschicken. Als dein Vater das sah, hat er angefangen, sich mit Jimmy zu streiten. Die haben sich fürchterlich angebrüllt. Irgendwann ist dein Vater hinausgestürmt, und deiner Mutter blieb nichts anderes übrig, als ihm zu folgen. Sie war eine liebe Frau. Und das war alles.«

Sie lehnte sich im Sessel zurück. An ihrer Unterlippe klebten Brotkrümel.

»Das war alles?«

Sie nickte. »Das Ganze war kaum der Rede wert, was? Aus heutiger Sicht. Aber es reichte. Und die beiden waren viel zu stur, um sich wieder zu versöhnen.«

»Und du wolltest mich sehen, um mir das zu erzählen?«

»Ja. Aber ich wollte dir auch was geben.« Mit Hilfe des Laufgestells zog sie sich langsam aus ihrem Sessel hoch und beugte sich zum Kaminsims hinunter. Sie fand, was sie suchte, und reichte ihm ein Foto. Er schaute es an. In verblassten Schwarzweißtönen waren zwei grinsende Schuljungen zu sehen, nicht gerade nach der neuesten Mode gekleidet. Sie hatten sich lässig die Arme um die Schultern gelegt, und ihre Gesichter waren nah beieinander. Beste Freunde, aber noch mehr als das: Brüder.

»Das hat er behalten, wie du siehst. Er hat mir mal erzählt, er hätte alle Fotos von deinem Vater weggeworfen. Doch als wir seine Sachen durchgegangen sind, haben wir das ganz unten in einem Schuhkarton gefunden. Ich wollte, dass du das bekommst, Jock.«

»Nicht Jock, John«, sagte Rebus, dessen Augen ein wenig feucht waren.

»Ach ja, natürlich«, erwiderte Tante Ena. »Natürlich.«

Einige Stunden früher an diesem Nachmittag hatte Michael Rebus auf der Couch gelegen und geschlafen, nicht ahnend, dass er gerade *Double Indemnity,* einen seiner Lieblingsfilme, auf BBC 2 verpasste. Er war mittags auf einen Drink ins Pub gegangen, allein, wie sich herausstellte. Die Studenten waren wohl einkaufen gegangen oder in den Waschsalon oder übers Wochenende nach Hause gefahren, um Eltern und Freunde zu besuchen. Also hatte Michael nur zwei Bier mit Limonade getrunken und war in die Wohnung zurückgekehrt, wo er prompt vor dem Fernseher einschlief.

In den letzten Tagen musste er häufiger über John nachdenken. Ihm war klar, dass er seinem älteren Bruder zur Last fiel, hoffte jedoch, dass das bald ein Ende haben würde. Er hatte mit Chrissie telefoniert. Sie wohnte noch immer mit den Kindern in Kirkcaldy. Nach seiner Festnahme wollte sie nichts mehr mit ihm zu tun haben. Besonders empört war sie darüber gewesen, dass sein eigener Bruder gegen ihn ausgesagt hatte. Doch Michael machte John deswegen keine Vorwürfe. Er kannte Johns Prinzipien. Und außerdem hatte sich ein Teil der Aussage zu Michaels Gunsten ausgewirkt.

Nun redete Chrissie wieder mit ihm. Er hatte während der ganzen Zeit im Gefängnis nie aufgehört, ihr zu schreiben. Auch aus London schickte er ihr Briefe, ohne zu wissen, ob sie einen einzigen davon erhalten hatte. Doch sie waren angekommen, wie sie ihm sagte, als sie miteinander telefonierten. Und sie hatte keinen Freund, den Kindern ging's gut, und ob er sie irgendwann sehen wollte?

»Ja, ich möchte dich sehen«, hatte er zu ihr gesagt. Es klang ehrlich.

Er träumte gerade von ihr, als es an der Tür klingelte. Nun ja ... von ihr und von Gail, der Studentin, um ganz ehrlich zu sein. Benommen rappelte er sich auf. Das Klingeln war beharrlich.

Michael brauchte eine Sekunde, um den Riegel umzulegen, dann explodierte die Welt vor seinen Augen.

Nachdem sie eine weitere Niederlage der Hibs miterlebt hatte, war Siobhan Clarke auf der Heimfahrt recht schweigsam, was Rebus entgegenkam. Er musste über einiges grübeln, und ausnahmsweise hatte das einmal nichts mit der Arbeit zu tun. Er dachte ohnehin viel zu viel über seinen Job nach, opferte sich dafür in einer Weise auf, wie er das noch nie in seinem Leben für einen *Menschen* getan hatte. Nicht für seine Exfrau, nicht für seine Tochter, nicht für Patience, nicht für Michael.

Er war bereits desillusioniert und zynisch in den Polizeidienst eingetreten. Dann erlebte er, wie die guten Absichten von jungen Leuten wie Holmes und Clarke durch das System und die Haltung der Öffentlichkeit zerstört wurden. Es gab Zeiten, da wäre man den Menschen wahrscheinlich willkommener gewesen, wenn man ihnen das Pestzeichen an die Tür gemalt hätte.

»Einen Penny für Ihre Gedanken«, bemerkte Siobhan Clarke.

»Verplempern Sie Ihr Geld nicht.«

»Warum nicht? So viel, wie ich heute schon verplempert habe.«

Rebus lächelte. »Aye«, sagte er, »ich vergesse ständig, dass es immer noch Leute auf der Welt gibt, denen es schlechter geht als einem selbst … außer man ist ein Hibs-Fan.«

»Hahaha.«

Siobhan Clarke schaltete das Radio ein und suchte nach einem Sender, der keine Fußballergebnisse brachte.

9

Voller guter Vorsätze öffnete Rebus die Tür der Wohnung und spürte sofort, dass niemand zu Hause war. Nun ja, schließlich war Samstagabend. Aber sie hätten zumindest den Fernseher ausschalten können.

Er ging in die Abstellkammer und legte das alte Foto auf Michaels ungemachtes Bett. In dem Kabuff roch es leicht nach Parfüm, was Rebus an Patience erinnerte. Er vermisste sie mehr, als er zugeben mochte. Zu Beginn ihrer Beziehung hatten sie sich darauf geeinigt, dass sie beide zu alt waren für das, was man so landläufig »Liebe« nennt, und darin übereingestimmt, dass sie so richtig ausgehungert nach Sex waren. Dann, als Rebus bei ihr einzog, hatten sie wieder über das Thema Beziehung gesprochen und sich gegenseitig bestätigt, dass das Zusammenziehen keinerlei Verpflichtung beinhalte. Es sei nur derzeit praktischer. Doch als Rebus seine Wohnung untervermietete … hatte *das* schon eine Verpflichtung beinhaltet, nämlich die, auf dem Sofa zu schlafen, sollte Patience ihn rauswerfen.

Jetzt lag er auf dem Sofa und stellte fest, dass er fast den gesamten Gemeinschaftsbereich der Wohnung okkupiert hatte. Die Studenten saßen jetzt meist in der Küche und unterhielten sich leise bei geschlossener Tür. Rebus konnte es ihnen nicht verdenken. Hier im Zimmer herrschte ein einziges Chaos, und es war *sein* Chaos. Sein Koffer lag aufgeklappt neben dem Fenster auf dem Fußboden, Krawatten und Strümpfe hingen über den Rand. Die Sporttasche stand hinter dem Sofa. Seine beiden Anzüge hingen an der Bilderleiste neben der Tür zur Abstellkammer und verdeckten teilweise ein psychedelisches Poster, das Rebus scheußlich fand. Aufgrund des Frischluftmangels herrschte in dem Zimmer ein animalischer Geruch, der jedoch irgendwie passte; denn schließlich war das hier ja so etwas wie Rebus' Höhle.

Er nahm den Telefonhörer ab und rief Patience an. Ihre Stimme kam vom Band; die Nachricht war neu.

»Ich bringe Susan und Jenny zurück zu ihrer Mutter. Hinterlassen Sie Ihre Nachricht nach dem Piepton.«

Rebus' erster Gedanke war, wie leichtsinnig Patience sich doch verhielt. Die Ansage ließ jeden Anrufer – wirklich *jeden* – wissen, dass sie nicht zu Hause war. Es war bekannt, dass Einbrecher häufig zuerst anriefen. Manchmal suchten sie sich sogar mehr oder weniger willkürlich Nummern aus dem Telefonbuch heraus und probierten so lange, bis sie auf eine Adresse mit einem Anrufbeantworter stießen oder wo niemand ranging. Man musste also seine Ansage möglichst vage formulieren.

Wenn sie zu ihrer Schwester gefahren war, überlegte Rebus, würde sie frühestens am nächsten Abend zurück sein, vielleicht sogar bis Montag bleiben.

»Hi, Patience«, sagte er zu der Maschine. »Ich bin bereit, über alles zu reden, wann immer du willst. Ich … vermisse dich. Tschüs.«

Die Mädchen waren also fort. Vielleicht würde die Situation sich jetzt wieder normalisieren. Kein Pulverfass Susan mehr, keine sanfte Jenny. Sie waren zwar nicht der Grund für das Zerwürfnis zwischen Rebus und Patience, aber sie hatten die Dinge nicht gerade erleichtert. Nein, das hatten sie bestimmt nicht.

Er machte sich eine Tasse »Kaffeeersatz« und überlegte, ob er nicht in den Laden Ecke Marchmont Street gehen sollte. Aber die hatten nur Pulverkaffee, der außerdem noch teuer war, und vielleicht schmeckte dieses Zeug hier ja gar nicht so schlecht.

Es schmeckte grauenhaft und war absolut koffeinfrei. Deshalb schlief er vermutlich auch während einem der öden Filme ein, die an diesem Abend zur besten Sendezeit im Fernsehen liefen.

Und wurde vom Klingeln des Telefons geweckt. Irgendwer hatte den Fernseher ausgeschaltet, vermutlich derjenige, der auch eine Decke über ihn geworfen hatte. Das wurde allmählich zur Gewohnheit. Er war ganz steif, als er sich aufrichtete und nach dem Hörer griff. Seine Uhr zeigte ein Uhr fünfzehn.

»Hallo?«

»Ist dort Inspector Rebus?«

»Am Apparat.« Rebus fuhr sich mit der Hand durch die Haare.

»Inspector, hier ist PC Hart. Ich bin in South Queensferry.«

»Ja?«

»Hier ist jemand, der behauptet, er wäre Ihr Bruder.«

»Michael?«

»Den Namen hat er angegeben.«

»Was ist passiert? Ist er voll gedröhnt?«

»Nichts in der Richtung, Sir.«

»Was dann?«

»Nun ja, Sir, wir haben ihn gerade gefunden …«

Jetzt war Rebus hellwach. »Wo gefunden?«

»Er hing an der Forth-Eisenbahnbrücke.«

»Was?« Rebus spürte, wie er fast den Telefonhörer zerquetschte. »Er *hing*?«

»So hab ich das nicht gemeint, Sir. Tut mir Leid, wenn ich ...« Rebus' Griff lockerte sich.

»Nein, ich meinte, er hing an den Füßen, sah aus, als schwebte er in der Luft.«

»Zuerst haben wir geglaubt, es handle sich um einen makabren Scherz. Sie wissen schon, Bungeespringer und so.« PC Hart führte Rebus zu einer Hütte am Kai von South Queensferry. Der Firth of Forth lag dunkel und still da. Rebus konnte jedoch hoch über ihm die Umrisse der Eisenbahnbrücke erkennen. »Aber das passte nicht zu dem, was er uns erzählt hat. Außerdem war klar, dass er nicht freiwillig gesprungen ist.«

»Wieso war das klar?«

»Seine Hände waren gefesselt, Sir. Und man hatte ihm den Mund mit Klebeband zugeklebt.«

»O Gott.«

»Der Arzt sagt, er kann von Glück reden. Wenn die ihn über das Geländer geworfen hätten, hätte er sich die Beine auskugeln können. Der Arzt vermutet, dass sie ihn langsam heruntergelassen haben.«

»Wie sind die denn überhaupt auf die Brücke gekommen?«

»Das ist ziemlich einfach, wenn man schwindelfrei ist.«

Rebus, der nicht schwindelfrei war, hatte bereits das Angebot abgelehnt, oben auf der ockerfarbenen Eisenkonstruktion die Stelle zu besichtigen, an der man Michael gefunden hatte.

»Sieht aus, als hätten die so lange gewartet, bis sie sicher waren, dass keine Züge mehr kamen. Allerdings fuhr noch ein Schiff unter der Brücke durch, und der Kapitän glaubte was zu erkennen, also hat er seine Beobachtung per Funk durchgegeben. Ansonsten hätte er möglicherweise die ganze Nacht dort oben zugebracht.« Hart schüttelte den Kopf. »Bei der Kälte nicht gerade angenehm.«

Sie waren jetzt an der Hütte angekommen. Drinnen gab es gerade genug Platz für zwei Männer. Einer von ihnen war Michael, mit einer Decke um die Schultern, der andere ein Arzt, den man offensichtlich aus dem Bett geholt hatte. Weitere Männer standen draußen: Polizisten, der Besitzer eines Hotels am Hafen und der Kapitän, der Michael möglicherweise das Leben gerettet, aber auf jeden Fall verhindert hatte, dass er verrückt geworden wäre.

»John, Gott sei Dank.« Michael zitterte. Alle Farbe schien aus seinem Gesicht gewichen zu sein. Der Arzt hielt eine Tasse mit was Heißem in der Hand und versuchte, Michael zum Trinken zu bewegen.

»Trink das, Mickey«, sagte Rebus. Michael sah erbärmlich aus, und Rebus spürte, wie eine unendliche Traurigkeit ihn ergriff. Michael hatte etliche Jahre im Gefängnis gesessen, wo weiß Gott was mit ihm geschehen war. Und als er dann entlassen wurde, hatte er, bis er nach Edinburgh kam, nur Pech gehabt. Seine draufgängerische Art, die Nächte, die er mit den Studenten in irgendwelchen Kneipen verbrachte – Rebus erkannte plötzlich, was tatsächlich dahinter steckte. Es war bloße Fassade, ein Versuch, all die Ängste der letzten Jahre hinter sich zu lassen. Und nun war das hier passiert und hatte ihn zu einer erbarmungswürdigen, zitternden Kreatur gemacht.

»Ich bin gleich wieder da, Mickey.« Rebus winkte Hart an eine Seite der Hütte. »Was hat er Ihnen erzählt?« Er versuchte, seine Wut zu unterdrücken.

»Er hat gesagt, er wär in Ihrer Wohnung gewesen, Sir, allein.«

»Wann?«

»Heute Nachmittag, so gegen vier. Es klingelte an der Tür, also hat er geöffnet. Sofort drängten sich drei Männer in die Wohnung und warfen ihm einen Sack über den Kopf. Dann haben sie ihn auf den Boden gedrückt und gefesselt, den Sack abgenommen, ihm den Mund zugeklebt und den Sack wieder übergestülpt.«

»Er hat sie nicht gesehen?«

»Sie haben ihm das Gesicht auf den Boden gedrückt. Er hat sie nur ganz kurz gesehen, als er die Tür öffnete.«

»Und weiter.« Rebus bemühte sich, nicht zu der Eisenbahnbrücke hinaufzuschauen, und sich stattdessen auf die blinkende Ampel auf der etwas weiter entfernten Autobrücke zu konzentrieren.

»Sie haben ihn anscheinend in eine Art Teppich gewickelt, die Treppe hinuntergetragen und in einen Lieferwagen geschoben. Dort war es ziemlich eng, sagte Ihr Bruder. Er hatte den Eindruck, dass auf beiden Seiten von ihm Kisten standen.« Hart hielt inne. Ihm gefiel der konzentrierte Ausdruck auf dem Gesicht des Inspectors nicht.

»Und?«, blaffte Rebus.

»Er sagt, sie wären stundenlang rumgefahren, ohne irgendwas zu sagen. Dann hätten sie ihn aus dem Wagen geholt und in so was wie einen Keller oder Laderaum gebracht. Er hatte die ganze Zeit den Sack über dem Kopf, deshalb weiß er es nicht genau.« Hart zögerte. »Ich wollte nicht zu sehr in ihn dringen, Sir, in seinem derzeitigen Zustand.«

Rebus nickte.

»Schließlich haben sie ihn hierher gebracht, ihn mit einem Seil an das Brückengeländer gebunden und heruntergelassen. Sie hatten immer noch kein Wort gesprochen. Doch als sie ihn langsam abseilten, haben sie ihm wenigstens den Sack vom Kopf genommen.«

»O Gott.« Rebus kniff die Augen zusammen. Das rief die schaurigsten Erinnerungen an seine SAS-Ausbildung in ihm wach, wie sie versucht hatten, Informationen aus ihm heraus-zukriegen. Sie hatten ihn mit einem Sack über dem Kopf in einen Hubschrauber gepackt, waren losgeflogen und hatten dann gedroht, ihn rauszuwerfen ... und diese Drohung auch in die Tat umgesetzt. Allerdings nur drei Meter über dem Bo-den und nicht aus den Hunderten Meter Höhe, die er sich vorgestellt hatte. Grauenhaft das Ganze. Er ließ Hart einfach stehen, stieß den Arzt zur Seite und beugte sich hinab, um Michael zu umarmen. Als Michael zu heulen anfing, drück-te er ihn fest an sich und ließ ihn auch nicht los, als das Wei-nen nicht aufhören wollte.

Dann war es endlich vorbei. Ein heftiges, trockenes Hus-ten, und Michael schien sich gefasst zu haben. Sein Gesicht war tränennass. Rebus gab ihm ein Taschentuch.

»Der Krankenwagen wartet«, sagte der Arzt leise. Rebus nickte. Michael hatte offensichtlich einen Schock erlitten; man würde ihn über Nacht dabehalten.

Nun hab ich zwei Patienten zu besuchen, dachte Rebus. Außerdem vermutete er ähnliche Motive hinter den beiden Überfällen. Sehr ähnliche Motive, wenn man es genau be-dachte. Die Wut begann wieder in ihm hochzukochen, und seine Kopfhaut kribbelte wie verrückt. Doch als er Michael zum Krankenwagen geleitete, beruhigte er sich wieder.

»Möchtest du, dass ich mitkomme?«, fragte er.

»Auf gar keinen Fall«, erwiderte Michael. »Geh lieber nach Hause, ja?«

Auf dem Weg zum Krankenwagen gaben Michaels Beine plötzlich nach. Also trugen sie ihn, wie man einen verletzten Spieler vom Feld bringt, schlossen die Türen und fuhren mit ihm davon. Rebus bedankte sich bei dem Arzt, dem Kapitän und bei Hart.

»Furchtbare Sache«, bemerkte Hart. »Haben Sie eine Er-klärung dafür?«

»Mehrere«, antwortete Rebus.

Er ging nach Hause, um in der Dunkelheit des Wohnzimmers nachzudenken. Sein ganzes Leben schien plötzlich in Trümmern zu liegen. Irgendwer hatte ihm in dieser Nacht eine Botschaft geschickt. Entweder *über* Michael oder man hatte Michael schlicht mit ihm verwechselt. Schließlich sagten die Leute doch immer, sie sähen sich sehr ähnlich. Da die Männer zur Arden Street gekommen waren, arbeiteten sie entweder mit sehr alten Informationen oder sie wussten von seiner Trennung von Patience, was wiederum bedeuten würde, dass sie äußerst gut informiert waren. Doch Rebus vermutete das Erstere. An der Türklingel stand immer noch Rebus, wenn auch auf einem Papierstreifen vier weitere Namen aufgeführt waren. Das musste sie einen Moment lang irritiert haben. Doch sie hatten beschlossen, trotzdem anzugreifen. Warum? Hieß das, dass sie verzweifelt waren? Oder war ihnen jede Geisel recht, um die Botschaft rüberzubringen?

Botschaft empfangen.

Und beinah verstanden. Beinah. Sie meinten es ernst, todernst. Erst Brian, jetzt Michael. Er hatte keinen Zweifel, dass die beiden Vorfälle zusammenhingen. Offenbar wurde es Zeit zu handeln und nicht einfach nur abzuwarten, was sie sich als Nächstes ausdenken würden. Außerdem wusste er, was er tun wollte. Jenes Bild, das ihm eben durch den Kopf gegangen war, hatte es ihm bewusst gemacht: Sein Leben lag in Trümmern. Irgendwie verspürte er den Wunsch, eine Waffe zu besitzen. Das würde in der Tat das Gleichgewicht wiederherstellen. Er wusste auch, wo er eine herkriegen könnte. *Alles von 'ner Matratze bis zum Schießeisen.* Ihm wurde bewusst, dass er vor dem Fenster auf und ab ging. Er fühlte sich eingesperrt, konnte nicht schlafen und nichts gegen seinen unsichtbaren Feind unternehmen. Aber *irgendetwas* musste er doch tun … also beschloss er, ein bisschen mit dem Auto herumzukurven.

Er fuhr nach Perth. Dazu brauchte er so spät in der Nacht

über die Autobahn nicht lange. In der Stadt selbst verfuhr er sich ein- oder zweimal (es war niemand unterwegs, den er hätte fragen können, noch nicht mal ein Polizist), bevor er die Straße fand, die er suchte. Sie lag an einem Hang und war nur auf einer Seite bebaut. Hier wohnte Patiences Schwester. Er entdeckte Patiences Auto und fand nur zwei Fahrzeuge davon entfernt einen Parkplatz. Er schaltete Licht und Motor aus, griff auf den Rücksitz nach der Decke, die er mitgebracht hatte, und breitete sie, so gut er konnte, über sich aus. Eine Zeit lang saß er einfach nur da und fühlte sich so entspannt wie seit Ewigkeiten nicht mehr. Er hatte überlegt, eine Flasche Whisky mitzunehmen, doch er wusste, wie sich sein Kopf dann am nächsten Morgen anfühlen würde. Und da würde er einen absolut klaren Kopf brauchen. Er dachte an Patience, die im Gästezimmer ihrer Schwester schlief. Alles schien weit, weit weg von Edinburgh zu sein, weit weg vom Schatten der Forth-Eisenbahnbrücke. Langsam schlummerte John Rebus ein und schlief ausnahmsweise mal gut.

Als er aufwachte, war es halb sieben am Sonntagmorgen. Er warf die Decke zur Seite, ließ den Motor an und drehte die Heizung voll auf. Ihm war kalt, doch er fühlte sich ausgeruht. Die Straße war menschenleer bis auf einen Mann, der einen hässlichen weißen Pudel spazieren führte, und sich über Rebus' Anwesenheit zu wundern schien. Rebus lächelte ihn an, während er den ersten Gang einlegte und losfuhr.

10

Er fuhr direkt zum Krankenhaus, wo trotz der frühen Stunde bereits der erste Tee serviert wurde. Michael saß im Bett und hatte seine Tasse auf einem Tablett vor sich stehen. Er wirkte wie eine Statue, die auf die dunkelbraune Flüssigkeit starrte. Sein Gesicht war völlig ausdruckslos. Selbst als Rebus hereinkam, sich geräuschvoll einen Stuhl von einem Stapel an der Wand ans Bett zog und sich hinsetzte, rührte er sich nicht.

»Hi, Mickey.«

»Hallo.« Michael starrte weiter vor sich hin. Rebus hatte ihn bis jetzt noch nicht mal blinzeln sehen.

»Du gehst es wohl immer wieder durch, was?« Michael antwortete nicht. »Ich hab das selbst erlebt, Mickey. Etwas Furchtbares passiert, und du rekapitulierst es in Gedanken immer wieder. Doch irgendwann verblasst es, auch wenn du dir das jetzt nicht vorstellen kannst.«

»Ich versuche nur zu verstehen, *wer* das getan hat und *warum* sie es getan haben.«

»Sie wollten dir Angst einjagen, Mickey. Ich glaube, es war eine Botschaft an mich.«

»Hätten sie nicht stattdessen schreiben können? Sie haben mir wirklich Angst eingejagt. Ich hätte in eine Flasche scheißen können.«

Darüber musste Rebus lachen. Wenn Michael schon wieder Sinn für Humor hatte, dann würde es bald aufwärts gehen. »Ich hab dir was mitgebracht«, sagte er.

Es war das Foto aus Aberdeen. Rebus legte es auf das Tablett neben die Tasse Tee, die Michael noch nicht angerührt hatte.

»Wer ist das?«

»Dad und Onkel Jimmy.«

»Onkel Jimmy? Ich kann mich an keinen Onkel Jimmy erinnern.«

»Sie haben sich vor langer Zeit zerstritten und dann kein Wort mehr miteinander geredet.«

»Das ist schade.«

»Onkel Jimmy ist vor ein paar Wochen gestorben. Seine Witwe – Tante Ena – wollte, dass wir dieses Foto bekommen.«

»Warum?«

»Vielleicht weil wir eine Familie sind«, erwiderte Rebus.

Michael lächelte. »Davon war nicht immer was zu merken.« Er sah Rebus mit feuchten Augen an.

»Von nun an werden wir es nie mehr vergessen«, sagte Rebus und deutete mit dem Kopf auf die Tasse. »Kann ich den Tee haben, wenn du ihn eh nicht trinkst? Meine Zunge fühlt sich an wie ein Fußabstreifer vor einer Bar.«

»Bedien dich.«

Rebus trank den Tee in zwei Schlucken. »Oje«, jammerte er, »ich glaub, ich hab dir einen Gefallen getan.«

»Ich weiß, wie der Tee in öffentlichen Einrichtungen schmeckt.«

»Dann bist du ja gar nicht so blöd, wie du aussiehst.« Rebus hielt inne. »Du hast also nicht viel von ihnen gesehen?«

»Von wem?«

»Von den Männern, die dich entführt haben.«

»Ich hab irgendwelche Gestalten durch die Tür kommen sehen. Der Erste war ungefähr so groß wie ich, aber viel breiter. Die anderen – keine Ahnung. Ich hab noch nicht mal ihre Gesichter gesehen. Tut mir Leid.«

»Macht nichts. Kannst du mir *irgendwas* erzählen?«

»Nicht mehr, als ich letzte Nacht dem Constable gesagt hab. Wie hieß der doch gleich?«

»Hart.«

»Genau. Er dachte, ich wär ein Bungeespringer.« Michael kicherte leise. »Ich hab ihm erklärt, ich hinge nur aus Jux da rum.«

Rebus lächelte. »Aber zum Glück nicht an einem seidenen Faden, was?«

Michael wurde ernst. »Ich hatte einen Albtraum heute Nacht. Die mussten mir was geben, damit ich schlafen konnte. Ich weiß nicht, was es war, aber ich fühle mich immer noch high.«

»Lass dir ein Rezept geben, dann kannst du die Pillen an die Studenten verkaufen.«

»Die sind ganz in Ordnung, John.«

»Ich weiß.«

»Wär schade, wenn sie ausziehen.«

»Das weiß ich auch.«

»Erinnerst du dich an Gail?«

»Das Mädchen, das du mitgebracht hast?«

»Ich habe jeden Zentimeter von ihr kennen gelernt. Doch das ist jetzt Vergangenheit. Aber sie hat einen Freund in Auchterarder. Könnte es vielleicht sein, dass der eifersüchtig ist?«

»Ich glaube nicht, dass er hinter der Sache von letzter Nacht steckt.«

»Nein? Nur, ich bin noch nicht lange genug in Edinburgh, um mir Feinde gemacht zu haben.«

»Keine Sorge«, sagte Rebus. »Ich hab genug für uns beide.«

»Das ist sehr beruhigend. Übrigens ...«

»Ja?«

»Was hältst du davon, dir einen Spion in die Tür machen zu lassen? Stell dir bloß vor, eins von den Mädchen hätte aufgemacht.«

Ja, daran hatte Rebus auch schon gedacht. »Und eine Kette«, sagte er. »Ich besorge die Sachen noch heute Nachmittag.« Er zögerte. »Hart hat irgendwas über einen Lieferwagen gesagt.«

»Als sie mich reinschoben, war es, als würde ich so gerade reinpassen. Trotzdem hatte ich das Gefühl, dass der Wagen eigentlich ziemlich groß war.«

»Also war irgendwelcher Kram hinten drin?«

»Vermutlich. Verdammt hart. Ich hab an beiden Knien blaue Flecken.« Michael zuckte die Achseln. »Das war's so ziemlich.« Dann fiel ihm noch etwas ein. »Ach ja, es roch ziemlich übel da drin. Oder in dem Teppich, in den sie mich eingewickelt haben, hat mal ein Kadaver gelegen …«

Sie unterhielten sich noch etwa eine Viertelstunde, bis Michael die Augen schloss und einschlummerte. Er würde nicht lange schlafen, man fing nämlich bereits an, das Frühstück zu servieren. Rebus stand auf und stellte den Stuhl zurück, dann legte er das Foto auf Michaels Nachttisch. Er musste noch einen Besuch machen.

Doch bei Brian Holmes fand gerade die Visite statt, und die Schwester konnte nicht sagen, wie lange die Ärzte brauchen würden. Sie wusste nur, dass Brian letzte Nacht fast eine Minute lang wach gewesen war. Rebus wünschte, er wäre dort gewesen. Eine Minute hätte für die Frage gereicht, die er unbedingt stellen wollte. Brian hatte außerdem im Schlaf gesprochen, doch seine Worte waren bestenfalls ein Gemurmel gewesen, das niemand verstand. Also gab Rebus auf und machte sich auf den Weg, um einige Einkäufe zu erledigen. Wenn er gegen Mittag anriefe, wollte man ihm mitteilen, wann Michael nach Hause dürfte.

Bevor er in die Wohnung zurückkehrte, besorgte er in dem Laden an der Ecke noch für eine Woche Lebensmittel. Er beendete gerade sein Frühstück, als der erste Student in die Küche spaziert kam und drei Gläser Wasser trank.

»Das soll man machen, bevor man ins Bett geht«, riet Rebus.

»Danke, Sherlock.« Der junge Mann stöhnte. »Haben Sie vielleicht Paracetamol?« Rebus schüttelte den Kopf. »Ein Bier muss gestern Abend schlecht gewesen sein. Ich fand gleich, dass das erste Pint scheußlich schmeckte.«

»Aye, aber ich wette, das zweite schmeckte schon besser und das sechste hervorragend.«

Der Student lachte. »Was essen Sie denn da?«

»Toast und Marmelade.«

»Keinen Speck oder Würstchen?«

Rebus schüttelte den Kopf. »Ich hab beschlossen, mal eine Weile kein Fleisch zu essen.«

Der Student schien außergewöhnlich erfreut darüber.

»Im Kühlschrank ist Orangensaft«, fuhr Rebus fort. Der Student öffnete die Kühlschranktür und stieß einen überraschten Laut aus.

»Da ist ja genug Zeug drin, um einen ganzen Hörsaal zu ernähren!«

»Schätze«, sagte Rebus, »dass wir mindestens ein bis zwei Tage damit auskommen.«

Der Student nahm einen Brief vom Kühlschrank. »Der ist gestern für Sie gekommen.«

Der Brief war vom Finanzamt. Sie beabsichtigten, jemanden zu schicken, um die Wohnung zu überprüfen.

»Denkt dran«, erklärte Rebus dem Studenten, »wenn jemand fragt, ihr seid alle meine Neffen und Nichten.«

»Ja, Onkel.« Der Student wühlte weiter im Kühlschrank. »Wo sind Mickey und Sie denn letzte Nacht gewesen?«, wollte er wissen. »Ich hab mich um zwei leise reingeschlichen, und es war alles wie ausgestorben.«

»Ach, wir haben nur …« Rebus fand nicht die richtigen Worte. Also beendete der Student den Satz für ihn.

»Einen Zug durch die Gemeinde gemacht?«

»Genau«, bestätigte Rebus.

Er fuhr zu einem großen Baumarkt am Stadtrand und erstand eine Kette für die Tür, einen Spion und das Werkzeug, das er nach Meinung eines hilfsbereiten Verkäufers brauchen würde, um beides anzubringen (viel mehr Werkzeug, als Rebus tatsächlich brauchte, wie sich herausstellte). Da ein Supermarkt in der Nähe war, kaufte Rebus gleich noch mehr Lebensmittel ein, und als er damit fertig war, öffneten gerade die Pubs. Er warf einen Blick in mehrere Lokale, fand aber denjenigen nicht, den er suchte. Doch er konnte bei einigen gefälligen Barmännern eine Nachricht hinterlassen, die sie versprachen weiterzugeben.

Zurück in der Wohnung, rief er im Krankenhaus an, wo man ihm erklärte, Michael dürfe am Nachmittag nach Hause. Rebus sagte, er würde ihn um vier abholen. Dann machte er sich an die Arbeit. Er bohrte das notwendige Loch in die Tür, musste anschließend jedoch feststellen, dass es für die Studentin zu hoch war. Sie hätte sich auf die Zehenspitzen stellen müssen, um auch nur halbwegs heranzureichen. Also bohrte er ein weiteres Loch, spachtelte das erste mit Holzkitt zu und passte den Spion neu ein. Er saß zwar ein bisschen schief, würde aber seine Aufgabe erfüllen. Das Anbringen der Türkette erwies sich als einfacher, und am Ende hatte er zwei Werkzeuge und einen Bohrer gar nicht benutzt. Er fragte sich, ob der Baumarkt die Teile zurücknehmen würde.

Als Nächstes machte er in der Abstellkammer sauber und warf Michaels Sachen in die Waschmaschine. Dann aß er mit den Studenten Makkaroni mit Käsesoße zu Mittag. Er entschuldigte sich nicht gerade für sein Verhalten in der vergangenen Woche, bot ihnen jedoch an, dass sie das Wohnzimmer benutzen konnten, wann immer sie wollten. Außerdem erklärte er ihnen, dass er ihre Miete senken würde – eine Nachricht, die sie natürlich freudig aufnahmen. Über die Sache mit Michael sprach er nicht, weil er vermutete, dass Michael es vielleicht nicht wollte. Die Sicherheitsmaßnahmen an der Wohnungstür begründete er mit einem Hinweis auf mehrere Einbrüche, die sich in letzter Zeit in der Gegend ereignet hatten.

Er holte Michael im Krankenhaus ab, nachdem er zuvor dafür gesorgt hatte, dass die Studenten für den Rest des Nachmittags und am Abend sich nicht in der Wohnung aufhielten. Wenn Michael wieder in Tränen ausbrechen sollte, würde er kein Publikum wollen.

»Schau mal, unser neuer Spion«, sagte Rebus an der Wohnungstür.

»Das ging aber schnell.«

»Protestantische Arbeitsethik. Oder ist es kalvinistisches Schuldbewusstsein? Ich kann das nie auseinander halten.« Rebus öffnete die Tür. »Beachte bitte auch die Sicherheitskette innen.«

»Man merkt, dass das recht schnell gemacht wurde. Sieh mal, wo überall der Lack verkratzt ist.«

»Werd nicht pingelig, Brüderchen.«

Michael nahm im Wohnzimmer Platz, während Rebus zwei Becher Tee zubereitete. Im Treppenhaus hatten beide Brüder ein Gefühl der Bedrohung und jeder die Unruhe des anderen gespürt. Selbst jetzt hielt dieser Zustand bei Rebus noch an. Aber darüber würde er auf keinen Fall mit Michael reden.

»Genau so, wie du ihn magst«, sagte er, als er den Tee hereintrug. Er bemerkte, dass Michael schon wieder weinerlich zumute war, obwohl er es zu kaschieren versuchte.

»Danke, John.«

Bevor Rebus was sagen konnte, klingelte das Telefon. Es war Siobhan Clarke, die einige Details bezüglich der Überwachungsaktion am nächsten Morgen abklären wollte.

Rebus versicherte ihr, dass alles geregelt sei. Sie brauche nichts weiter zu tun, als dort aufzukreuzen und sich für einige Stunden den Hintern abzufrieren.

»Sie verstehen's wirklich, einen zu motivieren, Sir«, lautete ihr abschließender Kommentar.

»Also«, fragte Rebus Michael dann, »was möchtest du jetzt tun?«

Michael schüttelte gerade eine große runde Schlaftablette aus der braunen Flasche, die ihm das Krankenhaus mitgegeben hatte, legte sie sich mit zittriger Hand auf die Zunge und spülte sie mit Tee hinunter.

»Mir wär ein ruhiger Abend zu Hause ganz recht«, antwortete er.

»Dann machen wir uns einen ruhigen Abend zu Hause«, stimmte Rebus zu.

11

»Operation Geldsäcke« begann relativ ruhig am Montagmorgen um halb neun, dreißig Minuten bevor Davey Dougarys BMW auf den mit Schlaglöchern übersäten Parkplatz des Minicar-Unternehmens geholpert kam. Alister Flower und sein Team würden natürlich nicht vor elf oder sogar noch ein bisschen später mit der Arbeit beginnen. Doch darüber dachte man am besten gar nicht nach, besonders wenn man wie Siobhan Clarke schon gleich zu Anfang steif vor Kälte war und Horror vor dem nächsten Gang zur chemischen Toilette hatte, die mangels besserer Alternativen in einen Besenschrank eingebaut worden war.

Außerdem langweilte sie sich. DC Peter Petrie (von St. Leonard's) und Elsa-Beth Jardine von der Steuerfahndung schienen ihren Kater vom Wochenende zu pflegen und waren entsprechend still. Sie glaubte, dass sie und Jardine sich eine Menge zu erzählen hätten, da sie beide Frauen waren, die um Anerkennung in einem traditionell männlichen Beruf kämpften – doch die Anwesenheit von Petrie schloss ein solches Gespräch aus.

Peter Petrie war einer dieser durchaus intelligenten, aber nicht sonderlich sensiblen Beamten, die die Karriereleiter hinaufkletterten, indem sie alle Prüfungen bestanden (wenn auch nie mit sehr guten Noten) und niemandem in die Quere kamen. Petrie war ruhig und methodisch. Siobhan zweifelte nicht an seiner Kompetenz, ihm fehlte nur jegliche Inspiration. Und während er dort mit seiner Thermosflasche hockte, taxierte er sie vermutlich gerade und stufte sie als geschwätzige Klugscheißerin mit Universitätsabschluss ein. Nun ja, was auch immer er sein mochte, er war kein John Rebus.

Sie hatte ihrem Chef zwar vorgeworfen, dass er seine Mitarbeiter nicht gerade motiviere, doch das stimmte nicht. Er konnte einen regelrecht in einen Fall hineinziehen und einem seine Sicht aufzwingen, und das einfach nur durch die Sturheit, mit der er an die Ermittlungen heranging. Er war verschlossen – und das zog einen magisch an. Er war hartnäckig – und das machte einen neugierig. Doch vor allem wirkte er immer so, als wüsste er genau, was er tat. Außerdem sah er ganz gut aus. Sie hatte eine Menge über ihn von Brian Holmes erfahren, der nur zu gern über frühere Fälle redete und über das, was er von der Vergangenheit seines Chefs wusste.

Armer Brian. Sie hoffte, er würde wieder ganz gesund werden. Letzte Nacht hatte sie viel über ihn nachgedacht, aber noch mehr über Cafferty und seine Bande. Sie hoffte, sie würde Inspector John Rebus eine Hilfe sein. Über den Brand im Central Hotel hatte sie bereits ein paar eigene Ideen …

»Da kommt jemand«, sagte Petrie. Er hockte hinter dem Stativ und hantierte geschäftig an dem Fotoapparat herum. Dann schoss er ein halbes Dutzend Bilder. »Nicht identifiziertes männliches Wesen. Jeansjacke und helle Hose. Nähert sich zu Fuß dem Büro.«

Siobhan Clarke notierte Petries Beschreibung zusammen mit der Uhrzeit auf ihrem Block.

»Er betritt das Büro … jetzt.« Petrie wandte sich von der Kamera ab und grinste. »Deswegen bin ich zur Polizei gegangen: ein Leben voller Abenteuer.« Nachdem er das gesagt hatte, schenkte er sich aus seiner Thermosflasche eine weitere Tasse heißen Kakao ein.

»Ich kann dieses Klo nicht benutzen«, beschwerte sich Elsa-Beth Jardine. »Ich muss raus.«

»Nein, das geht nicht«, wandte Petrie ein. »Es würde viel zu viel Aufmerksamkeit erregen, wenn du jedes Mal rein und raus gehst, wenn du pissen musst.«

Jardine wandte sich an Siobhan. »Unser Kollege drückt sich ja echt gewählt aus.«

»O ja, er ist ein richtiger Mann von Welt. Doch das mit der Toilette stimmt leider.« Das Badezimmer war bei dem Einbruch im letzten Jahr überschwemmt worden und der Fußboden daher einsturzgefährdet. Deshalb der Besenschrank.

Jardine blätterte eine Seite in ihrer Zeitschrift um. »Burt Reynolds hat in seinem Haus sieben Badezimmer«, bemerkte sie.

»Eins für jeden Zwerg«, murmelt Petrie.

Rebus mochte zwar nach Siobhans Meinung immer so wirken, als wüsste er genau, was er tat, doch im Moment war ihm, als bewege er sich im Kreis. Er hatte einige Pubs aufgesucht, die früh öffneten (in der Nähe des Redaktionsgebäudes der Tageszeitung; unten bei den Docks in Leith), sowie diverse Vereine und Wettbüros, hatte dort seine Frage gestellt und überall eine Nachricht hinterlassen. Deek Torrance hielt sich entweder sehr bedeckt, oder er war nicht mehr in der Stadt. Wenn er sich noch in der Gegend aufhielt, war es unvorstellbar, dass er nicht irgendwann in eine Bar torkeln und lautstark seine Anwesenheit und seinen Durst verkünden würde. Und nur wenige Leute, die ihn einmal erlebt hatten, würden Deek Torrance vergessen.

Rebus hatte sich außerdem mit den Krankenhäusern in Edinburgh und Dundee in Verbindung gesetzt, um herauszufinden, ob einer der Robertson-Brüder mal nach einem Bruch am rechten Arm operiert wurde, jene alte Verletzung, die man bei der Obduktion der Leiche aus dem Central Hotel entdeckt hatte.

Doch nun wurde es Zeit, damit aufzuhören und sich um

die »Operation Geldsäcke« zu kümmern. Er hatte Michael am Morgen schlafend in der Wohnung zurückgelassen. Die Studenten waren kurz nach Mitternacht auf Zehenspitzen hereingeschlichen, »gut abgefüllt«, wie einer von ihnen meinte, nachdem sie die dreißig Pfund, das Bestechungsgeld von Rebus, in einer Kneipe vertrunken hatten. Sie lagen ebenfalls noch in tiefem Schlaf, als Rebus die Wohnung verließ. Er wagte sich kaum einzugestehen, dass es ihm gefiel, in seinem eigenen Wohnzimmer im Sessel zu schlafen.

Das ganze Wochenende kam ihm jetzt wie ein seltsamer böser Traum vor. Die Fahrt nach Aberdeen, Tante Ena, Michael ... dann die Fahrt nach Perth, die Sicherung der Wohnungstür und trotz allem noch viel zu viel Zeit zum Grübeln. Er fragte sich, wie Patiences Wochenende wohl verlaufen war. Sicher würde sie heute im Lauf des Tages zurückkommen. Er wollte noch einmal versuchen, sie telefonisch zu erreichen.

Er parkte in einer der vielen Seitenstraßen der Gorgie Road und schloss sein Auto ab. Das hier war nicht gerade eine der sichersten Gegenden der Stadt. Hoffentlich hatte Siobhan am Morgen auf dem Weg zur Arbeit keinen grünweißen Schal getragen ... Er ging die Gorgie Road entlang, wo Busse die Pfützen, die der morgendliche Regen hinterlassen hatte, auf die Bürgersteige verteilten, sorgsam darauf bedacht, nicht zu dem Minicar-Unternehmen auf der anderen Straßenseite hinüberzuschauen. Ohne zu zögern, stieß er die Tür auf, stieg die Treppe hinauf und klopfte an eine andere Tür.

Siobhan Clarke persönlich öffnete ihm. »Morgen, Sir.« Sie sah verfroren aus, obwohl sie sich warm angezogen hatte. »Kaffee?«

Das Angebot bezog sich auf ihre Thermosflasche. Rebus schüttelte den Kopf. Normalerweise war es während einer Überwachung möglich, sich Essen und Trinken bringen zu lassen, aber nicht bei *dieser* hier. Angeblich stand das Gebäude ja leer, weshalb es etwas merkwürdig aussehen würde, wenn plötzlich jemand mit Plastikbechern voll Tee und einer Pizza vor der Tür stünde. Das Haus hatte noch nicht mal einen Hintereingang.

»Wie läuft's denn so?«

»Lahm.« Das kam von Elsa-Beth Jardine, die wirkte, als fühlte sie sich äußerst unwohl. Auf ihrem Schoß lag eine aufgeschlagene Zeitschrift. »Gott sei Dank werde ich um ein Uhr abgelöst.«

»Du Glückskind«, bemerkte DC Petrie.

Wie gern sah Rebus doch ein zufriedenes Team! »Das hier ist ja auch nicht zum Vergnügen gedacht«, erklärte er ihnen, »das ist Arbeit. Doch sollten wir Dougary und Co. jemals erwischen, *dann* gibt's 'ne richtig große Party.« Sie hatten dem nichts hinzuzufügen. Rebus ging ans Fenster und blickte hinaus. Es war so schmutzig, dass man sie bestimmt nicht sehen konnte, schon gar nicht von der anderen Straßenseite. Doch ein kleines Viereck war ein wenig gesäubert worden, damit man auf den Fotos etwas erkennen konnte.

»Die Kamera funktioniert?«

»Bisher schon«, antwortete Petrie. »Ich traue diesen Dingern mit Motor eigentlich nicht. Wenn der nämlich den Geist aufgibt, steht man dumm da. Man kann den Film nicht per Hand weiterdrehen.«

»Haben Sie genügend Batterien?«

»Zwei Ersatzsets. Das sollte kein Problem sein.«

Rebus nickte. Er wusste, dass Petrie in dem Ruf stand, ein zuverlässiger Detective zu sein, der die Karriereleiter noch ein Stückchen weiter hinaufklettern wollte. »Was ist mit dem Telefon?«

»Ist angeschlossen, Sir«, erwiderte Siobhan Clarke.

Normalerweise verständigten sich Überwachungsteams per Funk mit der Zentrale, doch das ging bei der »Operation Geldsäcke« nicht. Das Problem war das Taxiunternehmen. Da sich die Minicars mit ihrer Zentrale ebenfalls per

Funk verständigten, wäre es möglich, dass eine Nachricht von »Operation Geldsäcke« an das Polizeipräsidium im Büro auf der anderen Straßenseite aufgeschnappt wurde. Erschwerend kam noch hinzu, dass die Geräte der Taxis den Funkverkehr der Operation stören könnten.

Um derartige Pannen zu vermeiden, war ganz früh am Sonntagmorgen ein Telefonanschluss gelegt worden. Das Telefon stand neben der Tür auf dem Fußboden. Bisher war es zweimal benutzt worden: einmal von Jardine, um sich beim Friseur anzumelden, und einmal von Petrie, um eine Pferdewette durchzugeben, nachdem er die Renntipps des Tages in seinem Boulevardblatt studiert hatte. Siobhan hatte vor, sich seiner am Nachmittag zu bedienen, um sich nach Brians Zustand zu erkundigen. Doch nun telefonierte Rebus gerade mit St. Leonard's.

»Irgendwelche Nachrichten für mich?« Er wartete. »Oh? Das ist ja interessant. Sonst noch was? *Was?* Warum zum Teufel haben Sie mir das denn nicht gleich gesagt?« Er knallte den Hörer auf. »Brian ist wach«, sagte er. »Er sitzt im Bett, isst Hühnersuppe und guckt Fernsehen.«

»Von beidem könnte er leicht einen Rückfall kriegen«, merkte Siobhan an. Sie fragte sich, was wohl die andere Nachricht gewesen sein mochte.

»Hallo, Brian.«

»Hallo, Sir.« Holmes hatte mit einem Walkman Musik gehört. Er schaltete ihn aus und schob sich den Kopfhörer in den Nacken. »Patsy Cline«, sagte er. »Die hör ich viel, seit Nell mich rausgeschmissen hat.«

»Wo kommt denn das Band her?«

»Das hat meine Tante freundlicherweise vorbeigebracht. Sie weiß, was ich mag. Es lag hier für mich, als ich aufwachte.«

Rebus kam ein Gedanke. Man spielte doch Komaopfern

Musik vor, oder? Vielleicht hatten sie Holmes Patsy Cline vorgespielt. Kein Wunder, dass es so lange gedauert hatte, bis er wach wurde.

»Ich hab allerdings echt Probleme, das zu verdauen«, fuhr Holmes fort. »Ich meine, ganze Tage meines Lebens, einfach weg. Ich fände es ja noch akzeptabel, wenn ich gut geschlafen und schön geträumt hätte. Nur, ich kann mich an nichts, an rein gar nichts von einem Traum erinnern.«

Rebus setzte sich auf den Stuhl, der bereits am Bett stand. »Schon Besuch gehabt?«

»Einen. Nell hat reingeschaut.«

»Das ist schön.«

»Sie hat die ganze Zeit nur geheult. Mein Gesicht ist doch nicht etwa schlimm zugerichtet und keiner sagt mir was?«

»Es ist genauso hässlich wie immer. Wie sieht's mit Ihrem Gedächtnis aus?«

Holmes lächelte. »Ganz gut, ich erinnere mich an alles. Aber ob's was bringt.«

Holmes sah wirklich ganz munter aus. Es schien so zu sein, wie die Ärzte sagten: Das Gehirn fährt alle Körperfunktionen runter, erkundet, was für ein Schaden angerichtet wurde, und repariert ihn. Dann wacht man auf. Polizist, heile dich selbst.

»Und?«

»Tja«, antwortete Holmes, »ich war den ganzen Abend im Heartbreak Café. Ich kann Ihnen sogar sagen, was ich gegessen habe.«

»Was auch immer es war, ich wette, zum Nachtisch gab's Blue Suede Choux.«

Holmes schüttelte den Kopf. »War nichts mehr übrig. Wie Eddie immer sagt, das ist der größte Renner seit dem King persönlich.«

»Und was ist passiert, nachdem Sie mit dem Essen fertig waren?«

»Das Übliche. Ich hab an der Bar gesessen, getrunken und geplaudert und mich gefragt, ob sich wohl eine der hinreißenden jungen Damen, die sich im Lokal aufhielten, auf den Barhocker neben mich setzen und mich fragen würde, ob ich öfter herkäme. Ich hab mich eine Weile mit Pat unterhalten. Er hatte an diesem Abend Dienst hinter der Theke.« Holmes hielt inne. »Ich sollte vielleicht erklären, Pat ist …«

»Eddies Geschäftspartner und vielleicht auch sein Bettgenosse.«

»Also bitte, keine Homophobie.«

»Einige meiner besten Freunde kennen Schwule«, sagte Rebus. »Sie haben Calder früher schon mal erwähnt. Ich kann Ihnen außerdem sagen, dass er keinen Führerschein hat.«

»Das stimmt, Eddie fährt.«

»Selbst wenn er sturzbetrunken ist.«

Holmes zuckte die Achseln. »Da hab ich mich nie drum gekümmert.«

»Das werden Sie aber tun müssen, wenn er irgendeine alte Frau ins Jenseits befördert.«

Holmes lächelte. »Dieses Auto, das er fährt, mag zwar wie ein heißer Ofen aussehen, ist aber in furchtbarem Zustand. Auch auf freier Strecke sind nicht mehr als vierzig aus dem Ding rauszuholen. Außerdem ist Eddie der langsamste Fahrer, den ich kenne. Ich hab sogar mal erlebt, wie er von einem Skateboard überholt wurde – und das trug derjenige auch noch unter dem Arm.«

»Dann saßen also nur Sie und Calder an der Bar?«

»Bis Eddie sich dazugesellte, nachdem er mit dem Kochen fertig war. Ich meine, es gab schon noch andere Leute im Lokal, aber mir ist niemand Verdächtiges aufgefallen.«

»Fahren Sie bitte fort.«

»Nun ja, irgendwann wollte ich nach Hause gehen. Es muss jemand hinter den Mülltonnen gelauert haben. Das Nächste, woran ich mich erinnere, ist, dass es unter meinem

Kilt zieht. Ich öffne die Augen und sehe zwei Krankenschwestern, die meinen Pimmel waschen.«

»Was?«

»Davon bin ich aufgewacht, ich schwör's.«

»Das ist ein medizinisches Wunder.«

»Der Zauberschwamm«, meinte Holmes.

»Also, wer hat Sie zusammengeschlagen, irgendeine Idee?«

»Da denke ich immer wieder drüber nach. Vielleicht waren die hinter Eddie oder Pat her.«

»Und warum?«

Holmes zuckte die Achseln.

»Keine Geheimnisse vor dem alten Onkel Rebus, Brian. Vergessen Sie nicht, ich kann Ihre Gedanken lesen.«

»Dann sagen *Sie's* mir doch.«

»Könnte es ein, dass die beiden ihre Gebühren nicht bezahlt haben?«

»Sie meinen Schutzgelder?«

»Versicherung, wie diese Leute das gern nennen.«

»Nun ja, vielleicht.«

»Das dynamische Duo vom Heartbreak Café scheint jedenfalls zu glauben, dass es sich um eine unheilige Allianz von Curryhausbesitzern handeln könnte, die sauer über den Rückgang ihrer Geschäfte sind.«

»Das kann ich mir nicht vorstellen.«

»Ich auch nicht, Brian. Vielleicht war niemand hinter Eddie und Pat her, sondern hinter *Ihnen*. Was könnten die denn für einen Grund haben?«

Holmes' rosige Wangen wurden ein wenig röter. »Sie haben das schwarze Buch gelesen?«

»Klar. Ich hab nach Anhaltspunkten gesucht, also bin ich an Ihre Sachen gegangen. Und da war's, unübersehbar und außerdem noch verschlüsselt. Oder zumindest in einer Art Kurzschrift verfasst, so dass niemand außer einem anderen Polizisten herausfinden könnte, worum es geht. Aber ich bin auch Polizist, Brian. In dem Buch ist ja von einigen Fällen die Rede, aber einer dominiert.«

»Das Central Hotel.«

»Treffer. Ja, das Central. Es wurde Poker gespielt. Tam und Eck Robertson waren dabei, aber keiner von beiden taucht in der Liste der Gäste auf, die sich an jenem Abend im Central aufhielten. Sie haben versucht, die beiden aufzuspüren. Bisher ohne Erfolg?« Holmes schüttelte den Kopf. »Aber irgendwer muss Ihnen das alles gesteckt haben. In den Akten steht nämlich nichts von einem Pokerspiel. Also«, Rebus beugte sich näher zu ihm, »gehe ich recht in der Annahme, dass die Person, die Ihnen das erzählt hat, dieser mysteriöse El ist?« Holmes nickte. »Dann brauchen Sie mir nur noch eines zu verraten, Brian. Wer, zum Teufel, ist El?«

In diesem Augenblick öffnete eine Schwester die Tür und kam mit Medikamenten und einem Essenstablett herein.

»Ich bin völlig ausgehungert«, erklärte er Rebus. »Das ist erst meine zweite Mahlzeit, seit ich aufgewacht bin.« Er entfernte die Alufolie vom Teller. Eine blassrosa Scheibe Fleisch, wässriges Kartoffelpüree und klein geschnittene grüne Bohnen kamen zum Vorschein.

»Hmm, lecker«, sagte Rebus. Doch Holmes schien es selbst zu schmecken. Er schaufelte sich Kartoffelpüree mit Soße in den Mund.

»Wo Sie schon den schwierigen Teil rausgekriegt haben«, sagte er, »hätte ich gedacht, dass Sie mit El keine Probleme haben.«

»Da muss ich Sie leider enttäuschen. Wer ist es?«

»Elvis«, sagte Brian Holmes. »Elvis persönlich hat es mir gesagt.« Er führte eine weitere Gabel mit Kartoffelpüree zum Mund und schluckte es hinunter.

12

Rebus studierte die Speisekarte, fand jedoch wenig, das ihn ansprach, bis auf die oft peinlichen Wortspiele. Das Heartbreak Café war den ganzen Tag geöffnet, doch er kam gerade rechtzeitig für das spezielle Mittagsmenü. Eine dreißig Zentimeter lange Wurst mit einem Brötchen hieß, wie zu erwarten, wenn auch wenig verlockend, »Hound Dog«. Rebus konnte nur hoffen, dass der Name nicht wörtlich zu nehmen war. Noch obskurer sah die Getränkekarte aus, auf der sich ein Wein »Mama Liked the Rosé« nannte. Rebus kam zu dem Schluss, dass er eigentlich gar keinen Hunger hatte. Stattdessen nahm er an der Bar ein »Teddy Beer« und gab dem jugendlichen Mann an der Theke die Speisekarte zurück.

»Ist Pat nicht da?«, fragte er beiläufig.

»Der ist einkaufen. Kommt später wieder.«

Rebus nickte. »Aber Eddie ist da?«

»In der Küche, yeah.« Der Barmann warf einen Blick zum Restaurantbereich. In seinem linken Ohr hatte er drei goldene Stecker. »Da wird er aber gleich fertig sein, wenn er nicht was Besonderes für heute Abend vorbereitet.«

»Gut«, sagte Rebus. Kurz darauf nahm er sein Bierglas und schlenderte zur großen Jukebox, die neben den Toiletten stand. Als er feststellte, dass es sich um ein reines Dekorationsstück handelte, betrachtete er einige der Presley-Memorabilien an den Wänden, einschließlich eines signierten Fotos vom Vegas-Elvis und einer Platte, die nach einer der seltenen Sun-Records-Pressungen aussah. Beide Stücke wurden von einem dicken Glasrahmen geschützt und von Spots angestrahlt, die sie aus der düsteren Umgebung hervorhoben. Wie durch Zufall stand Rebus plötzlich vor der Küchentür, stieß sie mit einer Schulter auf und ließ sie hinter sich zuschwingen.

Eddie Ringan kreierte gerade ein neues Gericht. Sein Gesicht glänzte vor Schweiß. Dünne Haarsträhnen klebten ihm an der Stirn, während er eine kleine Bratpfanne über einer Gasflamme hin und her schwenkte. Die Einrichtung sah beeindruckend aus. Sauberer, als Rebus erwartet hatte, und mit viel mehr Herden, Töpfen und Arbeitsflächen ausgestattet. Hier war eine Menge Geld investiert worden; das Café war nicht bloß eine Designerfassade. Amüsiert stellte Rebus fest, dass hier eine andere Musik lief als die permanente Presley-Berieselung in der Bar. Eddie Ringan hörte Miles Davis.

Der Koch hatte Rebus noch nicht bemerkt und der wiederum nicht den Hilfskoch, der gerade etwas aus einem der Kühlschränke im hinteren Teil der Küche holte.

Rebus beobachtete, wie Eddie in der Arbeit innehielt, eine Flasche Jim Beam am Hals packte, sie an die Lippen setzte und trank. Mit einem zufriedenen Seufzer stellte er sie wieder ab.

»Hey«, sagte der Hilfskoch, »hier darf keiner rein.« Eddie blickte von der Pfanne auf und stieß einen Freudenschrei aus.

»Genau der Mann, den ich brauche!«, rief er. »Nicht zu fassen! Kommen Sie mal her.«

Wenn das überhaupt möglich war, hörte er sich noch betrunkener an als bei ihrer ersten Begegnung. Allerdings hatte sich da die Anwesenheit von Pat Calder ein wenig mäßigend auf Ringan ausgewirkt und auch die ernüchternde Tatsache, dass Brian Holmes gerade überfallen worden war.

Rebus ging zum Herd. Es war so heiß, dass er ebenfalls zu schwitzen anfing.

»Das«, sagte Eddie Ringan und deutete mit dem Kopf auf die Pfanne, »ist meine jüngste Kreation. Roquefortstücke, *eingesperrt* in einer Kruste aus Paniermehl und Gewürzen. Entweder in der Pfanne gebraten oder frittiert, das versuche ich gerade herauszufinden.«

»Jailhouse Roquefort«, riet Rebus. Ringan ließ wieder einen Freudenschrei hören und verlor leicht das Gleichgewicht, während er mit einem Fuß nach hinten wegrutschte.

»*Ihre* Idee, Inspector Rabies.«

»Ich fühle mich geschmeichelt, aber mein Name ist Rebus.«

»Aye, Sie sollten sich auch geschmeichelt fühlen. Vielleicht erwähn ich Sie auf der Speisekarte, wie wär das?« Er betrachtete die goldbraunen Nuggets und drehte sie fachmännisch mit einer Gabel um. »Ich gab den Dingern sechs Minuten. Willie!«

»Ich bin hier.«

»Wie lange sind die jetzt drin?«

Der Hilfskoch sah auf seine Uhr. »Dreieinhalb. Ich hab die Butter nach unten neben die Eier gestellt.«

»Willie ist mein Assistent, Inspector.«

Die Gereiztheit in Willies Stimme und die Unwilligkeit in seinem Gesichtsausdruck ließen Rebus daran zweifeln, dass er Ringan noch lange assistieren würde. Obwohl er jünger war als dieser, hatte Willie etwa die gleiche Statur. Man hätte ihn nicht gerade als schlank bezeichnen können. Rebus nahm an, dass Köche dazu neigten, zu viel am Essen herumzuprobieren. »Haben Sie eine Minute Zeit für mich?«

»Zweieinhalb, wenn Sie möchten.«

»Ich würde mit Ihnen gern über das Central Hotel reden.« Ringan schien plötzlich taub geworden zu sein; seine ganze Aufmerksamkeit war auf den Inhalt der Bratpfanne gerichtet. »Sie waren dort in der Nacht, als es abbrannte.«

El war die Abkürzung für Elvis, und Elvis war der Codename für Eddie Ringan. Für den Fall, dass die falschen Leute das schwarze Buch in die Finger kriegten, hatte Holmes verhindern wollen, dass jemand in der Lage wäre, die Person zu identifizieren, die geredet hatte. Deshalb hatte er Ringans Identität doppelt verschlüsselt.

Er hatte außerdem Rebus das Versprechen abgerungen,

dass er dem Koch nicht sagen würde, dass Holmes ihr Geheimnis preisgegeben hatte. Denn es *musste* ein Geheimnis gewesen sein, eine kleine Geschichte, die in Bourbonlaune ausgeplaudert worden war. Doch Ringan hatte Holmes nicht genügend eingeweiht, er hatte ihm nur eine Kostprobe gegeben.

»Haben Sie mich verstanden, Eddie?«

»Noch eine Minute, Inspector.«

»Sie standen nur deshalb nicht auf der Personalliste, weil Sie dort schwarzgearbeitet haben. Sie haben ab und zu abends ausgeholfen, ohne dass das andere Lokal, in dem Sie beschäftigt waren, davon wusste. Sie haben einen falschen Namen angegeben, deshalb hat man nie herausgefunden, dass Sie sich an jenem Abend dort aufhielten, an dem Abend, an dem das Pokerspiel stattfand.«

»Gleich fertig.« Eddie Ringans Gesicht war jetzt noch verschwitzter, und sein Mund schien starr vor unterdrücktem Zorn.

»Ich bin auch gleich fertig, Eddie. Wann haben Sie mit dem Trinken angefangen? Nach dieser Nacht, stimmt's? Weil irgendwas in diesem Hotel passiert ist. Ich frag mich, was es gewesen sein könnte. Doch was auch immer es war, Sie haben es gesehen. Auch wenn Sie es mir nicht verraten, ich krieg es trotzdem raus. Und dann rücke ich Ihnen wieder auf die Pelle.« Um seine Worte zu unterstreichen, stieß Rebus dem Koch einen Finger in den Arm.

Ringan schnappte sich die Bratpfanne und schlug damit nach Rebus, so dass die Jailhouse-Roquefort-Stücke in hohem Bogen durch die Küche flogen.

»Fassen Sie mich nicht an, Sie Arschloch!«

Rebus gelang es, der Bratpfanne auszuweichen, doch Ringan hielt sie immer noch angriffsbereit vor sich.

»Verschwinden Sie endlich von hier! Wer hat Ihnen das überhaupt erzählt?«

»Niemand, Eddie! Das hab ich mir selbst zusammenge-reimt.«

Derweil war Willie mit einem Knie zu Boden gegangen. Ein heißer Käsewürfel hatte ihn voll ins Auge getroffen.

»Ich sterbe!«, schrie er. »Holt einen Krankenwagen und einen Anwalt! Das ist ein Arbeitsunfall.«

Eddie Ringan sah kurz zu dem Hilfskoch, dann wieder auf die Bratpfanne, dann zu Rebus und fing an zu lachen. Das Lachen wurde immer lauter, steigerte sich zur Hysterie. Doch zumindest stellte er die Pfanne ab. Er hob sogar einen der Käsewürfel auf und biss hinein.

»Schmeckt wie Scheiße«, sagte er. Er lachte immer noch und bespuckte Rebus mit winzigen Bröckchen Panade.

»Wollen Sie's mir nicht erzählen, Eddie?«, fragte Rebus mit ruhiger Stimme.

»Ich sag Ihnen nur eins: Verpissen Sie sich.«

Rebus rührte sich nicht von der Stelle, obwohl Eddie ihm bereits den Rücken zugekehrt hatte. »Sagen Sie mir, wo ich die Bru-Head Brothers finden kann.«

Das rief noch mehr Gelächter hervor.

»Geben Sie mir wenigstens einen Anhaltspunkt, Eddie. Dann belastet es nicht mehr Ihr Gewissen.«

»Ich hab mein Gewissen schon vor langer Zeit verloren, In-spector. Willie, komm, wir schmeißen eine neue Ladung an.«

Der junge Mann hielt eine Hand wie eine Klappe über sein unverletztes Auge. »Ich kann nichts sehen«, jammerte er. »Die Netzhaut ist bestimmt gerissen.«

»Und die Hornhaut geschmolzen. Nun mach schon, ich will das heute Abend auf die Speisekarte bringen.« Er wand-te sich zu Rebus und tat ganz erstaunt. »Immer noch hier? Ein eindeutiger Fall von zu vielen Köchen.«

Rebus sah ihn unverwandt an. »Nur einen Anhaltspunkt, Eddie.«

»Verpiss dich.«

Rebus ging langsam auf die Tür zu und stieß sie auf.

»Inspector!« Er drehte sich um. »In Cowdenbeath gibt es ein Pub namens The Midtown. Die Einheimischen nennen es The Midden. Essen würd ich dort allerdings nicht.«

Rebus nickte. »Danke für den Tipp.«

»Dafür sollten Sie mir eigentlich einen ›tip‹ geben!« Rebus hörte Ringan schallend lachen, während er die Küche verließ. Er stellte sein leeres Glas auf die Theke.

»Betreten der Küche verboten«, informierte ihn der Barmann.

»Da haben Gäste auch nichts verloren.«

Doch Rebus wusste, dass er schon bald eine Gegend aufsuchen würde, wo er schon lange nichts mehr verloren hatte – die Stätten seiner Jugend.

13

Er wollte nur kurz in St. Leonard's vorbeischauen, um ein paar Sachen von seinem Schreibtisch zu holen, doch der Dienst habende Sergeant hielt ihn an.

»Hier wartet ein Herr, der Sie sprechen möchte. Scheint ein bisschen nervös zu sein.«

Der fragliche »Herr« hatte bisher in einer Ecke gestanden, sich nun aber direkt vor Rebus aufgebaut. »Erkennen Sie mich nicht?«

Rebus betrachtete den Mann etwas genauer und spürte, wie ein tiefer Abscheu in ihm hochstieg. »Ich erkenne Sie durchaus.«

»Haben Sie meine Nachricht nicht bekommen?«

Das war die andere Nachricht gewesen, die man ihm ausgerichtet hatte, als er von der Gorgie Road aus anrief. Er nickte.

»Und, was werden Sie jetzt tun?«

»Was sollte ich denn Ihrer Meinung nach tun, Mr McPhail?«

»Sie müssen ihn aufhalten!«

»Wen aufhalten? Und wobei?«

»Sie haben doch gesagt, Sie hätten meine Nachricht bekommen.«

»Mir wurde nur gesagt, jemand namens Andrew McPhail hätte angerufen und wollte mich sprechen.«

»Ich verlange Polizeischutz, verdammt noch mal!«

»Jetzt beruhigen Sie sich erst einmal.« Rebus sah, dass der Dienst habende Sergeant bereit war, jederzeit dazwischenzugehen, wenn es nötig wäre.

»Was muss ich denn tun?«, fragte McPhail. »Wollen Sie, dass ich Sie schlage? Das würde mir wohl eine Nacht in der Zelle einbringen, oder? Da wär ich jedenfalls sicher.«

Rebus nickte. »Aber nur so lange, bis wir Ihren Zellengenossen von Ihren früheren Eskapaden erzählen.«

McPhail reagierte, als hätte man einen Kübel Eiswasser über ihn gekippt. Vielleicht erinnerte er sich an gewisse Zwischenfälle während seines Aufenthalts in dem kanadischen Gefängnis. Vielleicht hatte ihn aber auch eine eher diffuse Angst überkommen. Was auch immer es war, es funktionierte. McPhail sprach nun mit leiser, klagender Stimme. »Aber er wird mich umbringen.«

»Wer?«

»Hören Sie endlich auf, sich dumm zu stellen! Ich weiß, dass Sie ihn mir auf den Hals gehetzt haben. Das müssen Sie gewesen sein.«

»Helfen Sie mir auf die Sprünge«, bat Rebus ihn.

»Maclean«, sagte McPhail. »Alex Maclean.«

»Und wer ist Alex Maclean?«

McPhail sah ihn empört an und antwortete mit gedämpfter Stimme. »Der Stiefvater des kleinen Mädchens. Melanies Stiefvater.«

»Ah«, sagte Rebus und nickte. Er wusste sofort, was Jack Morton, Schweinehund, der er war, getan hatte. Kein Wunder, dass McPhail hier auftauchte. Und da Rebus bei Mrs MacKenzie gewesen war, glaubte er, dass Rebus hinter der ganzen Geschichte steckte.

»Hat er Sie bedroht?«

McPhail nickte.

»In welcher Weise?«

»Er kam ins Haus, als ich nicht da war, und hat Mrs MacKenzie gesagt, er würde wieder kommen und mich fertig machen. Die arme Frau ist völlig außer sich.«

»Sie könnten doch umziehen, ganz von Edinburgh weg.«

»War das etwa Ihre Absicht? Haben Sie mir deshalb Maclean auf den Hals gehetzt? Aber ich bleibe.«

»Sehr heroisch von Ihnen, Mr McPhail.«

»Hören Sie, ich weiß, was ich getan habe, aber das liegt hinter mir.«

Rebus nickte. »Und alles, was Sie vor sich haben, ist die Aussicht aus Ihrem Zimmer.«

»Mein Gott, ich wusste doch überhaupt nicht, dass Mrs MacKenzie gegenüber einer Grundschule wohnt!«

»Sie könnten trotzdem umziehen. Die Tatsache, dass Sie sich eine solche Bleibe ausgesucht haben, wird Maclean nur noch mehr reizen.«

McPhail starrte Rebus wütend an. »Sie sind widerlich«, sagte er. »Was auch immer ich angestellt habe, ich möchte wetten, Sie haben Schlimmeres getan. Lassen Sie mich in Ruhe, ich passe schon auf mich auf.« McPhail ging demonstrativ an Rebus vorbei zur Tür.

»Immer schön vorsichtig!«, rief Rebus ihm nach.

»Mein Gott«, sagte der Dienst habende Sergeant, »wer war denn das?«

»Das«, sagte Rebus, »war jemand, der gerade erfährt, was für ein Gefühl es ist, Opfer zu sein.«

Trotzdem hatte er ein schlechtes Gewissen. Wenn sich McPhail nun tatsächlich geändert hatte und Maclean ihm ernsthaft was antat? Panisch wie er war, könnte McPhail sogar zu dem Schluss kommen, dass seine einzige Chance, sich zu verteidigen, darin bestand, als Erster zuzuschlagen. Nun ja, Rebus hatte Wichtigeres zu tun.

Im Großraumbüro der Detectives sah er sich die einzigen Verbrecherfotos an, die es von Tam und Eck Robertson gab. Sie waren vor mehr als fünf Jahren aufgenommen worden. Er bat einen Constable, ihm einige Fotokopien davon zu machen, doch dann hatte er eine bessere Idee. Es war zwar gerade kein Polizeizeichner im Haus, doch das war für Rebus kein Problem. Er wusste, wo er immer einen Künstler antreffen würde.

Es war fünf Uhr, als er McShane's Bar am unteren Ende der Royal Mile betrat. McShane's war eine Zufluchtsstätte für bärtige Folksfans in dicken Wollpullovern. Im ersten Stock gab es immer Musik, entweder von einem professionellen Künstler oder irgendeinem Gast, der sich auf die Bühne stellte, um »Will Ye Go Lassie Go« oder »Both Sides O' The Tweed« zu schmettern.

Midgie McNair machte im McShane's gute Geschäfte, indem er schmeichelhafte Porträts von Gästen zeichnete, die für diese Ehre zahlten und häufig auch noch die Drinks spendierten.

Zu dieser frühen Stunde saß Midgie im Erdgeschoss und las an einem Tisch in der Ecke in einem Taschenbuch. Sein Zeichenblock lag neben ihm auf dem Tisch, dazu ein halbes Dutzend Bleistifte. Rebus stellte zwei Pints auf den Tisch, dann setzte er sich und zog die Fotos von den Bru-Head Brothers hervor.

»Nicht gerade Butch und Sundance, was?«, meinte Midgie McNair.

»Nicht so ganz«, sagte Rebus.

14

John Rebus hatte Cowdenbeath einst sehr gut gekannt, weil er dort zur Schule gegangen war. Es war eine dieser Bergarbeiterstädte in Fife, die Ende des neunzehnten bis Anfang des zwanzigsten Jahrhunderts aus kleinen Dörfern entstanden waren, zu einer Zeit, als die Nachfrage nach Kohle groß war, so groß, dass die Förderkosten fast keine Rolle spielten. Doch das Kohlerevier von Fife existierte nicht lange. Tief in der Erde gab es zwar immer noch reichlich Kohle, doch der Abbau dieser dünnen, welligen Schichten war schwierig und deshalb teuer. Rebus vermutete, dass an einigen Stellen noch ein wenig Tagebau betrieben wurde – irgendwann hatte sich das westliche Fife mal gerühmt, Europas größtes Loch in der Erde zu besitzen –, doch die tiefen Gruben waren alle zugeschüttet worden. In Rebus' Jugend hatte es für einen fünfzehnjährigen Jungen nur drei Berufsmöglichkeiten gegeben: das Bergwerk, die Werft von Rosyth oder die Armee. Rebus hatte sich für Letztere entschieden. Heutzutage war das vermutlich die einzige Möglichkeit überhaupt.

Ebenso wie die umliegenden Dörfer und Städte machte Cowdenbeath einen trostlosen und deprimierenden Eindruck. Geschlossene Läden und triste Klamotten aus Billigkaufhäusern. Doch er wusste, dass die Leute zäher waren, als ihre Situation vermuten ließ. Die Armut brachte einen beißenden Humor hervor und härtete die Menschen gegen alle Unwägbarkeiten des Lebens ab. Er wollte nicht zu sehr darüber nachdenken, doch irgendwie hatte er das Gefühl, als kehre er »nach Hause« zurück. Obwohl er seit zwanzig Jahren in Edinburgh wohnte, war er im Grunde ein Fifer. Manche Leute bezeichneten die Fifer als gerissen. Und Rebus war darauf gefasst, es mit einigen äußerst gerissenen Leuten aufzunehmen.

Montag war überall im Land der ruhigste Abend für die Pubs. Der Lohn oder das Arbeitslosengeld hatte sich übers Wochenende in Wohlgefallen aufgelöst. Montags blieb man zu Hause. Anders im Midden. Sein Name – Mülleimer – tat dem Pub Unrecht. Drinnen sah es nicht schlimmer aus als in vielen Kneipen in Edinburgh oder sonst wo. Ziemlich schlicht eingerichtet, mit einem roten Linoleumboden voller schwarzer Flecken von Hunderten Zigarettenkippen. Tische und Stühle waren rein funktional, und obwohl der Barraum nicht sehr groß war, hatte man Platz für einen Pooltisch und eine Dartscheibe gefunden. Als Rebus hereinkam, wurde gerade eine Partie Darts gespielt, und ein junger Mann umkreiste den Pooltisch und lochte einen Ball nach dem anderen ein, während er durch den Rauch schielte, der von der Zigarette in seinem Mund aufstieg. An einem Ecktisch saßen drei alte Männer, alle mit karierten Mützen auf dem Kopf, und spielten verbissen Domino. Die übrigen Tische waren von Grupen erprobter Trinker besetzt.

Also blieb Rebus nichts anderes übrig, als sich an die Theke zu stellen. Dort war gerade noch Platz für eine Person. Er nickte den Pint-Trinkern rechts und links von ihm zu, ein Gruß, der nicht erwidert wurde.

»Ein Pint Special, bitte«, sagte er zu dem Barmann mit den fettigen Haaren.

»Special, mein Sohn, sehr wohl.«

Rebus hatte den Eindruck, dass dieser etwa fünfzigjährige Barmann selbst die Dominospieler mit Sohn anredete. Das Bier wurde mit gehöriger Sorgfalt eingeschenkt, ganz wie es dem Ritual der Gegend entsprach.

»Special, mein Sohn, bitte sehr.«

Rebus bezahlte das Bier. Es war das preiswerteste Pint, das er seit Monaten getrunken hatte. Er begann mit dem Gedanken zu spielen, wie einfach es doch wäre, von Fife zur Arbeit zu pendeln …

»Ein Pint Spesh, Dod.«

»Spesh, mein Sohn, sehr wohl.«

Der Poolspieler stand jetzt direkt hinter Rebus, nicht unbedingt bedrohlich. Er stellte sein leeres Glas auf die Theke und wartete, dass es wieder gefüllt würde. Rebus wusste, dass der junge Mann neugierig war; vielleicht wollte er, dass Rebus etwas sagte. Doch Rebus schwieg. Stattdessen zog er je eine Fotokopie der beiden Zeichnungen aus seiner Jackentasche und breitete sie auf der Theke aus. In einem Zeitungsladen auf der Royal Mile hatte er von jeder Zeichnung zehn Kopien machen lassen. Die Originale lagen sicher im Handschuhfach seines Autos. Wie sicher allerdings das Auto selbst war, das in einer mäßig beleuchteten Straße parkte, war eine andere Frage.

Er konnte spüren, wie die Trinker rechts und links von ihm verstohlene Blicke auf die Zeichnungen warfen, und er hatte keinen Zweifel, dass auch der junge Mann hinsah. Trotzdem sagte niemand etwas.

»Spesh, mein Sohn, bitte sehr.« Der Poolspieler nahm das Glas und verschüttete etwas von dem Bier auf die beiden Blätter. Rebus wandte sich um.

»Tut mir Leid.«

Rebus hatte selten einen weniger aufrichtigen Tonfall gehört. »Das macht nichts«, antwortete er im gleichen Tonfall. »Ich hab noch etliche Kopien.«

»O aye?« Der junge Mann nahm sein Wechselgeld entgegen und ging zum Pooltisch zurück, wo er sich bückte, um erneut Münzen einzuwerfen. Die Bälle fielen mit dumpfem Klappern herunter, und er begann, sie in das Dreieck einzusortieren, den Blick starr auf Rebus gerichtet.

»Sind wohl so was wie ein Künstler?«

Rebus, der die Zeichnungen mit der Hand abgewischt hatte, wandte sich Dod, dem Barmann, zu. »Nein, bin ich nicht. Sind aber ganz gut, oder?« Er drehte die Zeichnungen langsam, so dass Dod sie besser sehen konnte.

»O aye, nicht schlecht. Ich bin allerdings kein Fachmann. Das Einzige, was die Leute hier in der Gegend so malen, ist ihre Unterschrift, um Rente oder Arbeitslosengeld zu kassieren.« Das wurde mit Gelächter quittiert.

»Oder Kreuze auf 'nen Wettschein«, fügte einer der Gäste hinzu.

»Oder den Teufel an die Wand«, schlug jemand anders vor, doch der Scherz hatte sich mittlerweile abgenutzt. Der Barmann deutete mit dem Kopf auf die Zeichnungen. »Soll das wer Bestimmtes sein?«

Rebus zuckte die Achseln.

»Könnten Brüder sein.«

Rebus wandte sich dem Trinker links von ihm zu, von dem die Bemerkung gekommen war. »Wieso glauben Sie das?«

Der Mann zuckte nur und richtete den Blick starr auf die hinter der Theke aufgereihten Flaschen. »Sie sehen sich ähnlich.«

Rebus betrachtete die beiden Zeichnungen. Midgie hatte die Brüder auftragsgemäß um fünf bis sechs Jahre altern lassen. »Da könnten Sie Recht haben.«

»Oder vielleicht Cousins«, meinte der Trinker zu seiner Rechten.

»Auf jeden Fall verwandt«, sinnierte Rebus.

»Das seh ich nicht«, sagte Dod, der Barmann.

»Gucken Sie mal ein bisschen genauer hin«, riet ihm Rebus und fuhr mit einem Finger über die Blätter. »Das gleiche Kinn, und die Augen sehen auch gleich aus. Vielleicht sind sie ja tatsächlich Brüder.«

»Wer sind die beiden denn?«, wollte der Trinker rechts von ihm wissen, ein Mann in mittleren Jahren mit kantigem, unrasiertem Kinn und lebhaften blauen Augen.

Doch Rebus zuckte wieder nur die Achseln. Einer der Dominospieler kam an die Theke, um eine Runde zu bestellen. Er klatschte in die Hände und machte dabei ein Gesicht, als hätte er gerade mehrere Spiele hintereinander gewonnen. »Wie geht's dir denn so, James?«, fragte er den Trinker rechts von Rebus.

»Nicht schlecht, Matt. Und dir?«

»Ach, wie immer.« Er lächelte Rebus an. »Dich hab ich hier ja noch nie gesehen, mein Sohn.«

Rebus schüttelte den Kopf. »Ich war lange fort.«

»O aye?« Ein Metalltablett mit drei Pints wurde hingestellt.

»Bitte sehr, Matt.«

»Danke, Dod.« Matt reichte eine Zehnpfundnote über die Theke. Während er auf sein Wechselgeld wartete, bemerkte er die Zeichnungen. »Butch und Sundance, was?« Er lachte. Rebus lächelte freundlich. »Oder eher Steptoe and Son, die beiden Lumpensammler aus dem Fernsehen.«

»Steptoe and Brother«, schlug Rebus vor.

»Brüder?« Matt betrachtete die Zeichnungen erneut. Dann fragte er: »Bist du von der Polizei, mein Sohn?«

»Seh ich aus wie ein Polizist?«

»Nicht so richtig.«

»Auf jeden Fall nicht dick genug«, bemerkte Dod. »Was, mein Sohn?«

»Es gibt auch dünne Polizisten«, entgegnete James. »Was ist zum Beispiel mit Stecky Jamieson?«

»Das stimmt«, bestätigte Dod. »Der Kerl könnte sich hinter 'nem Laternenpfahl verstecken.«

Matt hatte inzwischen das Tablett mit dem Bier von der Theke genommen. Die beiden anderen Dominospieler an seinem Tisch riefen bereits, sie würden verdursten. Matt deutete mit dem Kopf auf die Zeichnungen. »Die beiden Typen hab ich schon mal irgendwo gesehen«, sagte er, bevor er davonschlurfte.

Rebus trank sein Glas aus und bestellte ein neues. Der Mann links von ihm, der ebenfalls ausgetrunken hatte, setzte eine karierte Mütze auf seinen Kopf und verabschiedete sich.

»Cheerio, Dod.«

»Aye, cheerio.«

»Cheerio, James.«

Das ging minutenlang so weiter. Das lange Cheerio. Rebus faltete die Zeichnungen zusammen und steckte sie in die Tasche. Mit dem zweiten Pint ließ er sich Zeit. Um ihn herum wurde über Fußball geredet, über außereheliche Affären, den nichtexistenten Arbeitsmarkt. Doch angesichts der Unmengen von Affären, die es hier anscheinend gab, fragte sich Rebus, wie überhaupt noch jemand Zeit und Energie für einen Job aufbringen sollte.

»Wisst ihr, was aus diesem Teil von Fife geworden ist?«, fragte James. »Ein riesiger Baumarkt. Entweder man arbeitet in einem, oder man kauft dort ein. Viel mehr läuft hier nicht.«

»Wohl wahr«, antwortete Dod mit wenig Überzeugung in der Stimme.

Rebus trank sein zweites Pint aus und ging auf die Toilette. Dort stank es bestialisch, und die Graffiti waren langweilig. Niemand kam herein, um ein paar Worte unter vier Augen mit ihm zu wechseln – nicht dass er das erwartet hätte. Auf dem Weg hinaus blieb er bei den Dominospielern stehen.

»Matt?«, fragte er. »Entschuldigen Sie die Störung, aber Sie haben mir nicht gesagt, wo Sie glauben, Butch und Sundance gesehen zu haben.«

»Vielleicht auch nur einen von ihnen«, erwiderte Matt. Die Dominosteine waren gemischt worden, und er nahm sieben. »War allerdings nicht hier. Vielleicht in Lochgelly. Aus irgend'nem Grund mein ich, es war in Lochgelly.« Er legte die Dominosteine mit dem Gesicht nach unten auf den Tisch und wählte den aus, den er anlegen wollte. Der Mann neben ihm passte.

»Schlechtes Zeichen, Tam, so früh im Spiel.«

In der Tat ein schlechtes Zeichen. Rebus würde nach Lochgelly fahren müssen. Er kehrte an die Theke zurück und verabschiedete sich nun seinerseits mit einem kurzen Cheerio.

»Oder man könnte sich ein anderes Leben malen«, sagte jemand an der Bar, der immer noch nicht gemerkt hatte, dass der Scherz längst tot geritten war.

Die Fahrt von Cowdenbeath nach Lochgelly führte Rebus durch Lumphinnans. Sein Vater hatte immer Witze über Lumphinnans gemacht. Rebus wusste nicht mehr genau warum und konnte sich auch an keinen einzigen davon erinnern. Als er noch jung war, hing der Himmel hier voller Rauch, jedes Haus wurde mit einem Kohlefeuer im Wohnzimmer geheizt. Die Schornsteine schickten graue Rauchsäulen in die Abendluft. Das war jetzt vorbei. Nun hatten Zentralheizung und Gas die Kohle ersetzt.

Die toten Schlote stimmten Rebus traurig.

Es stimmte ihn ebenfalls traurig, dass er seinen Auftritt mit den Zeichnungen wiederholen musste. Er hatte gehofft, im Midden würde seine Suche beendet sein. Natürlich bestand immer noch die Möglichkeit, dass Eddie ihn absichtlich auf eine falsche Fährte gelockt hatte. Wenn das der Fall war, würde Rebus dafür sorgen, dass er bekam, was er verdiente.

Er zog durch drei weitere Pubs, in denen er sich jeweils an einem Halfpint festhielt, ohne dass es, abgesehen von den üblichen dummen Witzen, einschließlich dem mit der Unterschrift unter der Rentenquittung, irgendwelche relevanten Reaktionen gab. Doch in der vierten Kneipe, einem schäbigen Schuppen in der Nähe des Bahnhofs, erregte er die Aufmerksamkeit eines alten Mannes mit wachen Augen, der bereits überall im Pub Drinks geschnorrt hatte. Rebus stand gerade an der Ecke der L-förmigen Theke, wo er die Zeichnungen einer Gruppe von Malern und Tapezierern zeigte. Er wusste, dass es Anstreicher waren, weil sie ihn gefragt hatten, ob er irgendwas zu renovieren hätte. »Ohne Rechnung. Dann ist's billiger.«

Der alte Mann drängte sich in die Gruppe und sah in jedes einzelne Gesicht um ihn herum. »Alles klar, ihr fleißigen Dekorateure? Seht mal, ich bin im Krieg dekoriert worden.« Er kicherte über seinen Scherz.

»Das erzählst du uns ständig, Jock.«

»Jeden verdammten Abend.«

»Gnadenlos.«

»Tut mir Leid, Jungs«, entschuldigte sich Jock. Er wies mit einem kurzen dicken Finger auf eine der Zeichnungen. »Der kommt mir bekannt vor.«

»Dann muss es ein verdammter Jockey sein.« Der Anstreicher, der das gesagt hatte, zwinkerte Rebus zu. »Ich mach keine Witze, Mister. Jock erkennt den Arsch von 'nem Rennpferd schneller als das Gesicht von 'nem Menschen.«

»Ach«, sagte Jock mit einer wegwerfenden Handbewegung, »zum Teufel mit euch.« Und dann zu Rebus gewandt: »Schuldest du mir nicht noch 'nen Drink von letzter Woche …?«

Fünf Minuten später, nachdem Rebus schlecht gelaunt dieses letzte Pub verlassen hatte, tauchte dort ein junger Mann auf. Es hatte ihn einige Zeit gekostet, sämtliche Bars zwischen The Midden und hier abzuklappern und herauszufinden, ob ein Mann mit ein paar Zeichnungen aufgetaucht war. Außerdem ärgerte es ihn, dass er sein Pooltraining so früh hatte abbrechen müssen. Am Sonntag fand ein Turnier statt, und er war fest entschlossen, den Preis von einhundert Pfund zu gewinnen. Wenn er das nicht tat, gäbe es Probleme. Doch ihm war auch klar, dass er jemandem einen Gefallen tun würde, wenn er diesen Mann verfolgte, der behauptete, kein Polizist zu sein. Das wusste er, weil er vom Midden aus ein Telefongespräch geführt hatte.

»Du würdest mir damit einen Gefallen tun«, hatte die Person am anderen Ende der Leitung gesagt, nachdem der Poolspieler endlich zu ihm durchgestellt worden war. Zuvor hatte er bereits zwei Leuten seine Geschichte erzählen müssen.

Es war nützlich, wenn einem jemand einen Gefallen schuldete, also war er vom Midden aus losgefahren in der Gewissheit, dass sich der Mann mit den Zeichnungen auf dem Weg nach Lochgelly befand. Doch nun hatte er alle Pubs des Orts durch, und es gab keine weiteren bis Lochore. Und der Mann war bereits gegangen. Also tätigte der Poolspieler einen weiteren Anruf und erstattete Bericht. Er wusste, dass es nicht viel war, aber es hatte ihn trotzdem eine Menge Zeit gekostet.

»Dafür bin ich dir was schuldig, Sharky«, sagte die Stimme.

Sharky war in Hochstimmung, als er wieder in seinen rostigen Datsun stieg. Mit ein bisschen Glück könnte er noch einige Runden Pool spielen, bevor die Pubs schlossen.

Als John Rebus zurück nach Edinburgh fuhr, dachte er immer noch darüber nach, wer was verdiente. Außerdem dachte er an Andrew McPhail, an Michael und seine Tranquilizer, an Patience, die »Operation Geldsäcke« und viele andere Dinge.

Michael schlief fest, als Rebus in die Wohnung kam. Er unterhielt sich kurz mit den Studenten, die sich Sorgen machten, sein Bruder könnte irgendwelche Drogen genommen haben. Er versicherte ihnen, dass es sich um verordnete und nicht um verbotene Drogen handelte. Dann rief er Siobhan Clarke zu Hause an.

»Gibt's was Neues?«

»Nein, Sir – ich könnte ein dickes Buch über Langeweile schreiben. Dougary hatte den ganzen Tag über nur fünf Besucher. Zum Mittagessen hat er sich eine Pizza kommen lassen. Und um halb sechs ist er nach Hause gefahren.«

»Jemand Interessantes unter den Besuchern?«

»Ich zeig Ihnen die Fotos. Vermutlich Kunden. Aber sie kamen mit genauso vielen Körperteilen wieder raus, wie sie reingegangen sind. Leisten Sie uns morgen Gesellschaft?«

»Wahrscheinlich.«

»Vielleicht könnten wir uns dann über das Central unterhalten.«

»Apropos Central, waren Sie bei Brian?«

»Ich hab nach der Arbeit kurz vorbeigeschaut. Er sieht richtig fit aus.« Sie zögerte. »Sie hören sich müde an. Viel gearbeitet?«

»Ja.«

»Am Central?«

»Das weiß der Himmel. Vermutlich.« Rebus rieb sich den Nacken. Der Kater machte sich bereits bemerkbar.

»Sie mussten ein paar Drinks spendieren?«, riet Siobhan.

»Ja.«

»Und ein paar trinken?«

»Wieder richtig, Sherlock.«

Sie lachte, dann schnalzte sie missbilligend mit der Zunge. »Und danach sind Sie mit dem Auto nach Hause gefahren. Ich chauffier Sie gern, wenn das eine Hilfe wäre.« Es klang, als meinte sie es ernst.

»Danke, Clarke. Ich werd's mir merken.« Er zögerte. »Wissen Sie, was ich mir zu Weihnachten wünsche?«

»Bis dahin ist es aber noch lang.«

»Ich wünsche mir, dass jemand *beweist,* dass die Leiche einer der Bru-Head Brothers war.«

»Die Leiche hatte einen gebrochenen …«

»Ich weiß, ich hab mich erkundigt. Die Krankenhäuser haben absolut nichts rausgerückt.« Er zögerte wieder. »Aber das ist nicht Ihr Problem«, sagte er. »Bis morgen.«

»Gute Nacht, Sir.«

Eine Weile saß Rebus still da. Irgendetwas an dem Gespräch

mit Siobhan Clarke hatte in ihm den Wunsch geweckt, mit Patience zu reden. Er nahm erneut den Hörer ab und rief sie an.

»Hallo?«

Habt Dank, ihr Götter, kein Anrufbeantworter!

»Hallo, Patience.«

»John.«

»Ich möchte gern mit dir reden. Magst du auch?«

Erst Schweigen, dann: »Ja, ich glaub schon. Lass uns reden.«

John Rebus legte sich auf das Sofa, eine Hand hinter dem Kopf. Außer ihm benutzte in dieser Nacht niemand mehr das Telefon.

15

Am Dienstagmorgen war John Rebus guter Laune, und das allein aus dem Grund, dass er, wie es ihm vorkam, fast die halbe Nacht mit Patience telefoniert hatte. Sie würden sich auf einen Drink treffen; er musste nur noch warten, dass sie zurückrief und ihm Ort und Zeit nannte. Er war immer noch guter Laune, als er die Haustür öffnete und die Treppe zur Gorgie-Zentrale der »Operation Geldsäcke« hinaufstieg.

Er hörte Stimmen; daran war nichts Ungewöhnliches. Doch die Stimmen wurden immer lauter, je höher er kam. Er öffnete die Tür genau in dem Moment, als ein Mann sich auf DC Petrie stürzte und ihm einen Kopfstoß verpasste. Petrie fiel nach hinten gegen das Fenster und stieß dabei das Stativ um. Blut schoss ihm aus der Nase. Nur so halb bekam Rebus mit, dass neben Siobhan Clarke und Elsa-Beth Jardine zwei kleine Jungen das Geschehen beobachteten. Der Mann wollte Petrie gerade hochziehen, als es Rebus gelang, ihm mit einem Polizeigriff die Arme an den Körper zu pressen. Er zerrte Rebus nach rechts und links und versuchte, ihn abzuschütteln. Dabei brüllte er so laut, dass es ein Wunder war, dass niemand auf der Straße den Aufruhr mitbekam.

Rebus zog den Mann ein Stück nach hinten und drehte ihn um, so dass er das Gleichgewicht verlor und hinfiel, worauf Rebus sich auf ihn setzte. Petrie kam auf sie zu, doch der Mann schlug mit den Beinen um sich. Petrie fiel wieder gegen das Fenster und zertrümmerte mit dem Ellbogen die Scheibe. Rebus tat, was er tun musste, und schlug dem Mann mit der Faust gegen den Hals.

»Was zum Teufel geht hier vor?«, fragte er. Der Mann schnappte nach Luft, wehrte sich aber immer noch. »Hören Sie endlich auf!« Dann traf etwas Rebus am Hinterkopf. Es war die geballte Faust eines der Jungen, und sie traf ihn genau auf die verbrannte Stelle auf seiner Kopfhaut. Er kniff die Augen zusammen und kämpfte gegen den stechenden Schmerz und die Übelkeit in seinem Magen an.

»Lass meinen Dad in Ruhe!«

Siobhan Clarke schnappte sich den Jungen und zog ihn fort.

»Verhaften Sie den kleinen Dreckskerl«, befahl Rebus. Dann fügte er an den Vater des Jungen gewandt hinzu: »Das ist mein Ernst. Wenn Sie sich nicht beruhigen, werde ich *ihn* wegen Körperverletzung anzeigen. Wie finden Sie das?«

»Er ist zu jung«, keuchte der Mann.

»Wirklich?«, sagte Rebus. »Sind Sie sicher?«

Der Mann dachte darüber nach und beruhigte sich.

»Das ist schon besser.« Rebus stieg vom Brustkorb des Mannes herunter und stand auf. »Kann mir irgendjemand erklären, was hier eigentlich vorgeht?«

Das war rasch erklärt, nachdem man zuvor Petrie wegen seiner Nase zum Arzt und die Jungen nach Hause geschickt hatte. Der Mann hieß Bill Chilton und der mochte keine Hausbesetzer.

»Hausbesetzer?«

»Das hat mir der kleine Neilly erzählt.«

»Hausbesetzer?« Rebus wandte sich an Siobhan Clarke. Sie war unten gewesen, um nachzusehen, ob kein Passant von heruntergefallenen Glasscherben verletzt worden war, und vor allem, um das »Missgeschick« zu erklären.

»Die beiden Jungen«, sagte sie jetzt, »kamen plötzlich rein-geschossen. Sie meinten, sie würden manchmal hier spielen.«

Rebus unterbrach sie und sagte zu Chilton gewandt: »Warum ist Neil nicht in der Schule?«

»Er ist wegen einer Prügelei vorläufig vom Unterricht aus-geschlossen.«

Rebus nickte. »Der hat einen ganz schönen Schlag.« Sein Hinterkopf pochte. Er wandte sich wieder an Siobhan.

»Sie haben uns gefragt, was wir hier machen, und Ms Jardine« – Elsa-Beth Jardine senkte den Kopf – »hat ihnen geantwortet, wir wären Hausbesetzer.«

»Nur aus Spaß«, sah Jardine sich genötigt hinzuzufügen. Rebus heuchelte Überraschung, worauf sie wieder den Blick senkte und knallrot wurde.

»DC Petrie hat das Spielchen mitgemacht, die Jungen sind abgehauen, und wir haben herzhaft gelacht.«

»Gelacht?«, erwiderte Rebus. »Das war nicht zum Lachen, das war ein Verstoß gegen die Sicherheitsbestimmungen.« Er hörte sich genauso wütend an, wie er aussah, so dass selbst Siobhan den Blick abwandte. Nun nahm er Bill Chilton ins Visier.

»Nun ja«, fuhr Chilton fort, »Neil ist nach Hause gekommen und hat mir erzählt, hier wären Hausbesetzer. Damit hatten wir in den letzten ein bis zwei Jahren 'ne Menge Ärger. Leer stehende Wohnungen wurden aufgebrochen und für alles Mögliche benutzt ... Drogendealerei und so. Einige von uns tun was dagegen.«

»Wovon reden wir hier, Mr Chilton? Bürgerwehrprakti-ken? Spitzhackenschwingen im Morgengrauen?«

Chilton ließ sich nicht einschüchtern. »*Ihr* tut ja überhaupt nichts!«

»Also sind Sie hierher gekommen, um die Hausbesetzer zu vertreiben?«

»Bevor sie sich hier festsetzen, aye.«

»Und?«

Chilton schwieg.

»Und«, wiederholte Rebus, »dann haben Sie DC Petrie angebrüllt und ihm alles Mögliche an den Kopf geworfen, und er hat zurückgebrüllt, er wär Polizist und Sie sollten lieber abhauen. Bloß mittlerweile waren Sie so fuchsteufelswild, dass Sie nicht mehr aufhören konnten. Sind wohl ein bisschen jähzornig, Mr Chilton? Das hat vielleicht auf Neilly abgefärbt. Haben *Sie* sich in der Schule oft geprügelt?«

»Was zum Teufel hat das denn damit zu tun?« Chilton drohte schon wieder die Beherrschung zu verlieren. Rebus hob beschwichtigend eine Hand.

»Tätlicher Angriff auf einen Polizisten ist ein schweres Vergehen.«

»War 'ne Verwechslung«, sagte Chilton.

»Selbst nachdem er sich ausgewiesen hat?«

Chilton zuckte die Achseln. »Er hat mir nie einen Ausweis gezeigt.«

Rebus zog eine Augenbraue hoch. »Sie kennen sich aber sehr gut mit diesen Sachen aus. Vielleicht sind Sie ja schon mal in einer ähnlichen Situation gewesen?« Das stopfte Chilton endgültig den Mund. »Wenn ich nun zur Wache gehe und nachprüfe, was wir über Sie im Computer haben … was würde das hier dann sein, Ihr zweites Vergehen? Oder das dritte? Vielleicht müssten wir ja einen kleinen Ausflug ins Saughton-Gefängnis in Betracht ziehen?« Es war nicht zu übersehen, dass Chilton sich unbehaglich fühlte, was genau Rebus' Absicht entsprach.

»Natürlich könnten wir«, fuhr er fort, »immer noch über

die Sache hier hinwegsehen.« Chilton wirkte interessiert.

»*Wenn*«, sagte Rebus mit warnender Stimme, »Sie bereit sind, darüber die Klappe zu halten. *Und* Neil und seinen Freund davon überzeugen, dass sie nichts gesehen haben.«

Chilton deutete mit dem Kopf auf die Kamera. »Sie beobachteten jemanden, was? Eine Überwachung?«

»Es ist für Sie das Beste, wenn Sie das nicht wissen, Mr Chilton. Verstehen wir uns?«

Chilton dachte darüber nach, dann nickte er.

»Gut«, sagte Rebus, »und nun verpissen Sie sich.«

Chilton wusste, wann ihm ein Angebot gemacht wurde, das er nicht ausschlagen sollte, und verschwand. Rebus schüttelte den Kopf.

»Sir …«

»Halten Sie den Mund, und hören Sie zu«, befahl Rebus Siobhan Clarke. »Dadurch hätte die ganze Sache auffliegen können. Vielleicht ist sie das ja auch, aber das werden wir erst in ein bis zwei Tagen wissen. Sehen Sie zu, dass diese Kamera wieder aufgestellt wird und funktioniert. Rufen Sie in der Zentrale an, und lassen Sie jemanden kommen, der das Fenster mit Brettern vernagelt. Er soll nur ein Loch für die Kamera lassen. Wenn das nicht geht, brauchen wir eine neue Scheibe. Und noch was, und das gilt für Sie beide.« Er hob warnend einen Finger: »Niemand erfährt, was hier passiert ist, absolut *niemand*. Das ist ab sofort vergessen, verstanden?«

Sie verstanden. Was sie vielleicht nicht so ganz verstanden, war, warum Rebus nicht wollte, dass der Vorfall publik wurde. Nicht etwa, weil er ein vorzeitiges Ende von »Operation Geldsäcke« befürchtete – seiner Meinung nach war das ganze Projekt sowieso zum Scheitern verurteilt. Nein, seine Befürchtungen gingen in eine ganz andere Richtung. Er wollte nämlich nicht, dass Detective Inspector Alister Flower, der gerade glücklich und zufrieden mit seinem Überwachungsteam im Firth Pub saß, es herausfinden könnte. Das würde weiß Gott Ärger bedeuten, mehr Ärger, als Rebus sich vorstellen wollte.

Bedauerlich nur, dass er nicht dazu gekommen war, DC Petrie eine diesbezügliche Order zu geben, bevor er zurück nach St. Leonard's gefahren war, um sein Hemd zu wechseln. Das Blut auf seinem T-Shirt hätte man ja durchaus noch für Tomatensoße oder einen alten Teefleck halten können, doch an dem Grund für den weißen Mull, der mit Pflaster über seine Nase und das halbe Gesicht geklebt worden war, gab es nichts zu deuten. Auf Fragen hin gab Peter Petrie denn auch bereitwillig seine Geschichte zum Besten, schmückte sie sogar ein wenig aus, indem er beispielsweise die Größe des Angreifers und seine Kräfte übertrieb. Das Ganze wurde mit mitfühlendem Lächeln und Kopfschütteln bedacht, und mehr als ein Kollege äußerte den gleichen Kommentar.

»Warte nur, bis Flower davon erfährt.«

Bis zum Mittag hatte Flower aus mehreren Quellen von dem Riesen erfahren, der verheerenden Schaden beim Gorgie-Überwachungsteam angerichtet hatte.

»Du meine Güte«, sagte er, während er an einem Orangensaft mit einem Schuss Blue Label Wodka nippte. »Das ist ja furchtbar. Ob Chief Inspector Lauderdale schon davon weiß? Natürlich, Rebus würde doch niemals versuchen, so etwas vor ihm geheim zu halten.« Und dabei lächelte er den Detective Constable, der neben ihm saß, so freundlich an, dass der DC anfing, sich echte Sorgen über seinen Boss zu machen ...

Siobhan nahm den Hörer ab.

»Hallo?« Sie beobachtete John Rebus, der durch das kaputte Fenster starrte. Seit einer halben Stunde beobachtete er schon die Büros des Taxiunternehmens und schien so tief in Gedanken, dass sie und Jardine sich nur flüsternd zu verständigen wagten. »Für Sie, Sir.«

Rebus nahm den Hörer. Es war das Polizeipräsidium mit einer Nachricht für ihn.

»Schießen Sie los.«

»Von jemandem namens Pat Calder. Er sagt, ein Mr Ringan sei verschwunden.«

»Verschwunden?«

»Ja, und er wollte, dass Sie das wissen. Sollen wir in der Sache irgendwas unternehmen?«

»Nein, danke, ich kümmer mich selber drum. Danke, dass Sie mir Bescheid gesagt haben.« Rebus stellte das Telefon wieder auf die Erde.

»Wer ist verschwunden?«, fragte Siobhan.

»Eddie Ringan.«

»Der vom Heartbreak Café?«

Rebus nickte. »Ich hab gestern noch mit ihm gesprochen. Er hat mich mit einer Pfanne voll heißer Käsewürfel bedroht.« Siobhan sah ihn neugierig an, doch Rebus schüttelte den Kopf. »Sie bleiben hier, zumindest bis Petrie zurück ist.« Das Heartbreak Café war nur fünf Minuten entfernt. Rebus fragte sich, ob Calder dort sein würde. Schließlich lohnte es sich doch wohl kaum, ein Restaurant ohne Koch zu öffnen …

Doch als Rebus dort ankam, herrschte bereits reger Mittagsbetrieb. Calder, der den Oberkellner spielte, winkte Rebus zu, als er eintrat. Rebus kam an dem jungen Barmann vom Tag zuvor vorbei und zwinkerte ihm zu. Calder schien völlig außer sich zu sein.

»Was zum Teufel haben Sie gestern zu Eddie gesagt?«

»Was soll das denn heißen?«

»Na hören Sie mal, Sie hatten doch einen Riesenzoff mit ihm. Ich hab gleich gemerkt, dass was nicht stimmte. Er war gestern Abend furchtbar nervös, und seine ganze Kocherei ist in die Hose gegangen.« Calder fand das offenbar nicht witzig. »Sie müssen doch *irgendwas* gesagt haben.«

»Wer hat Ihnen davon erzählt?«

Calder wies mit dem Kopf Richtung Küche. »Willie.«

Rebus nickte. »Und heute hat Willie seine Chance, reich und berühmt zu werden.«

»Er kocht das Mittagessen, falls Sie das meinen.«

»Seit wann ist Eddie verschwunden?«

»Nachdem wir gestern Abend geschlossen hatten. Er wollte noch zu irgend so 'nem Klub, auf eine von diesen Feten, für die die Veranstalter einmal pro Woche ein Lagerhaus mieten.«

»Und Sie hatten keine Lust dazu?«

Calder rümpfte angewidert die Nase.

»Handelte es sich dabei vielleicht um einen Klub nur für Herren, Mr Calder?«

»Einen Schwulenklub, ja. Keine Geheimniskrämerei, Inspector. Alles ganz legal.«

»Davon bin ich überzeugt. Und Mr Ringan ist nicht nach Hause gekommen?«

»Nein.«

»Vielleicht hat er ja jemanden getroffen, mit dem er nach Hause …?«

»Dazu ist Eddie nicht der Typ.«

»Was ist er denn für ein Typ?«

»Einer von der *treuen* Sorte, das können Sie mir glauben. Er geht zwar oft einen trinken, aber er kommt wieder zurück.«

»Bisher.«

»Ja.«

Rebus dachte nach. »Noch ein bisschen früh, mit einer Vermisstensuche zu beginnen. Normalerweise warten wir mindestens achtundvierzig Stunden ab, wenn es keine weiteren Hinweise gibt.«

»Was für Hinweise?«

»Nun ja, eine Leiche zum Beispiel.«

Calder wandte den Kopf zur Seite. »Mein Gott«, sagte er. »Hören Sie, ich bin sicher, dass es keinen Grund zur Sorge gibt.«

»Das bin ich nicht«, entgegnete Pat Calder.

Nein, das war John Rebus auch nicht.

Calder setzte ein Lächeln auf, als ein Paar das Café betrat. Er nahm zwei Speisekarten und bat die beiden, ihm zu einem Tisch zu folgen. Sie waren Anfang zwanzig und modisch gekleidet. Der Mann sah aus, als wäre er einem Gangsterfilm aus den dreißiger Jahren entsprungen, die Frau, als hätte sie versehentlich den Rock ihrer kleinen Schwester erwischt.

Als Calder zurückkam, sprach er mit gedämpfter Stimme. »Irgendwer sollte ihr sagen, dass man Akne nicht mit einem Grundierungsstift abdecken kann. Wissen Sie, Eddie ist total verändert seit dem Abend, an dem Brian überfallen wurde.«

»Brian geht es übrigens wieder ganz gut.«

»Ja, Eddie hat gestern im Krankenhaus angerufen.«

»Hat er ihn nicht besucht?«

»Wir hassen Krankenhäuser, zu viele Freunde von uns sind in letzter Zeit dort gestorben.«

»Hat ihn denn die gute Nachricht über Brian nicht aufgemuntert?«

Calder kräuselte die Lippen. »Für kurze Zeit schon.« Er zog einen Block und einen Stift aus der Tasche. »Muss mal rüber und fragen, was die trinken möchten.«

Rebus nickte. »Ich werd mal kurz mit Willie und Ihrem Barmann reden, nur um zu hören, was sie meinen.«

»Okay. Mittagessen geht aufs Haus.« Rebus schüttelte den Kopf. »Wir werden Sie schon nicht vergiften, Inspector.«

»Darum geht's nicht«, erwiderte Rebus. »Es ist dieser ganze Presley-Kram an den Wänden. Da vergeht mir der Appetit.«

Willie, der Hilfskoch, sah aus, als würde er den Tag als Herrscher über das Küchenreich genießen. So ohne jede Hilfe war er zwar ganz schön im Stress, trotzdem signalisierte er deutlich, dass es seinetwegen so bleiben könnte.

»Erinnern Sie sich an mich, Willie?«

Willie blickte auf. »Jailhouse Roquefort?« Er war gerade dabei, ein Bund frische Petersilie zu hacken. Rebus beobachtete staunend, wie geschickt er mit dem Messer hantierte.

»Sie sind wegen Eddie hier? Er ist ein durchgedrehter Dreckskerl, aber ein phantastischer Koch.«

»Muss aber doch Spaß machen, mal selbst die Verantwortung zu haben?«

»Das würde es, wenn ich auch die Anerkennung dafür kriegte, aber die Typen da draußen meinen vermutlich, der große Eduardo hätte jedes Tagesgericht persönlich zubereitet. Wie Pat schon sagte, wenn die wüssten, dass er nicht hier ist, würden sie bei irgend'nem Inder einen Business Lunch zum halben Preis essen gehen.«

Rebus lächelte. »Trotzdem, mal selbst die Verantwortung zu haben ...«

Willie hörte auf zu hacken. »Was? Glauben Sie, ich hätte Eddie im Kohlenkasten versteckt? Damit ich hier mal einen Tag lang wie ein Verrückter rumwirbeln kann?« Er zeigte fuchtelnd mit dem Messer auf die Küchentür. »Pat könnte mir ja ein bisschen helfen, aber nein, er muss draußen die Gäste voll schleimen. Schleimscheißer, das ist der richtige Name für ihn. Wenn ich einen von den beiden umbringen würde, dann wär's der da hinter der Tür.«

»Sie scheinen die Sache aber sehr ernst zu nehmen, Willie. Eddie ist doch erst seit letzter Nacht verschwunden. Könnte doch irgendwo in der Gosse seinen Rausch ausschlafen.«

»Das glaubt Pat aber nicht.«

»Und was glauben *Sie*?«

Willie kostete aus einem dampfenden Topf. »Ich glaub, ich hab zu viel Sahne in die *potage* getan.«

»Ganz so wie Elvis es gemocht hätte«, bemerkte Rebus.

Der Barmann, dessen Name Toni (»mit i«) war, schenkte Rebus ein trübes Halfpint Cask Conditioned ein.

»Das sieht aus, als könnte man sich damit prima die Haare spülen.«

»Ich kann Ihnen einen guten Friseur empfehlen, wenn Sie einen brauchen.«

Rebus ignorierte die Bemerkung, dann beschloss er, das Bier ebenfalls zu ignorieren. Er wartete, bis Toni geschwätzig zwei Typen, die wie Studenten aussahen, am anderen Ende der Theke bedient hatte.

»Was machte Eddie für einen Eindruck, nachdem ich gestern gegangen war?«

»Wie heißt noch mal dieser Scorsese-Film?«

»*Taxi Driver?*«

Der Barmann schüttelte den Kopf. »*Wie ein wilder Stier.* So war Eddie.«

»Den ganzen Abend?«

»Ich hab nicht viel von ihm mitgekriegt. Wenn er aus der Küche kommt, zieh ich meinen Mantel an und geh nach Hause.«

»War jemand … *Ungewöhnliches* gestern Abend in der Bar?«

»Wir haben hier ein ziemlich gemischtes Publikum. In welcher Hinsicht ungewöhnlich?«

»Vergessen Sie's.«

Es sah so aus, als hätte Toni-mit-i das bereits getan.

16

Der Kreis schloss sich allmählich. Eddie hatte Holmes etwas über die Leiche im Central Hotel erzählt. Holmes hatte versucht, mehr herauszufinden, indem er den Bru-Head Brothers nachspürte. Dann hatte sich Rebus in die Sache eingemischt. Nun waren sie alle drei auf die eine oder andere Weise gewarnt worden. Jedenfalls *hoffte* er, dass Eddie nur gewarnt worden und nichts Drastischeres geschehen war. Jeder wusste, dass der Koch Probleme hatte, den Mund zu halten, wenn er trank, und anscheinend trank er immer. Ja, Rebus machte sich Sorgen. Man hatte versucht, ihn abzuschrecken, doch das ließ ihn nur noch entschlossener an die Sache herangehen. Würden sie nun eine weitere Nummer abziehen oder lieber auf eine sichere Methode zurückgreifen, jemanden zum Schweigen zu bringen?

Rebus' Gesicht war so düster wie der Himmel, als er nach St. Leonard's zurückkehrte, wo er sofort in Lauderdales Büro zitiert wurde. Lauderdale schenkte gerade Whisky in drei Gläser.

»Ah, da sind Sie ja.«

Das konnte Rebus nicht abstreiten. »Muss wohl den Whisky gerochen haben, Sir.« Er nahm das Glas entgegen und versuchte, Alister Flower nicht in das strahlende Gesicht zu sehen. Die drei Männer setzten sich.

»Cheers!«, sagte Lauderdale.

»Auf uns«, sagte Flower.

Rebus trank nur.

»Sie hatten da so ein kleines Problem, John?« Lauderdale stellte sein halb leeres Glas auf den Schreibtisch. Wenn er Rebus mit dem Vornamen anredete, wusste der, dass die Lage ernst war.

»Eigentlich nicht, Sir. Es gab heute Morgen einen kleinen Zwischenfall, aber das ist alles geregelt.«

Lauderdale nickte. Er wirkte immer noch freundlich. Flower hatte die Beine übereinander geschlagen und war ganz im Einklang mit sich und der Welt. Bei seinen nächsten Worten zählte Lauderdale die einzelnen Punkte, die er vorbrachte, an den Fingern mit.

»Zwei Schulkinder platzen bei Ihnen herein. Dann gerät

DC Petrie in eine Schlägerei mit einem völlig Fremden. Ein Fenster wird zertrümmert, Petries Nase ebenfalls. DC Clarke geht runter auf die Straße und versucht, die Glasscherben wegzufegen und neugierige Passanten zu verscheuchen.« Er blickte auf. »Könnte es sein, John, dass die ›Operation Geldsäcke‹ dadurch in Gefahr geraten ist?«

»Ausgeschlossen, Sir.« Rebus hielt einen Finger hoch. »Der Mann wird nicht reden, denn wenn er das tut, werden wir ihn wegen Körperverletzung anzeigen.« Ein zweiter Finger kam dazu. »Und die beiden Jungen werden nicht reden, weil der Vater sie eindringlich davor gewarnt hat.« Er hielt beide Finger in die Luft, dann ließ er die Hand sinken.

»Bei allem Respekt, Sir«, sagte Little Weed, »da gibt es eine Schlägerei und ein zerbrochenes Fenster in einem Gebäude, in dem angeblich niemand ist. Menschen sind neugierig, das entspricht ihrer Natur. Morgen werden einige Leute zu diesem Fenster hinaufschauen und sich wundern. Jede Bewegung hinter dem Fenster wird registriert werden.«

Lauderdale wandte sich an Rebus. »John?«

»Was Inspector Flower sagt, ist bis zu einem gewissen Punkt richtig, Sir. Doch die Leute vergessen schnell. Was sie morgen sehen werden, ist eine neue Scheibe, Ende der Geschichte. Vom Taxiunternehmen aus hat niemand was beobachtet. Selbst wenn sie das Glas gehört haben – so was kommt auf der Gorgie Road schließlich häufiger vor.«

»Trotzdem, John …«

»Trotzdem, Sir, es war ein Fehler. Das hab ich DC Clarke bereits klargemacht.« Er hätte ihnen auch sagen können, dass es die Schuld der Frau von der Steuerfahndung gewesen war, doch mit derartigen Ausreden würde man nur Schwäche zeigen. Rebus konnte das durchaus auf seine Kappe nehmen, wenn er dadurch schneller aus diesem Büro käme. Der Geruch von Whisky und Körperausdünstungen bereitete ihm leichte Übelkeit.

»Alister?«

»Nun ja, Sir, Sie kennen meine Meinung zu dem Thema.«

Lauderdale nickte. »John«, sagte er, »in der ›Operation Geldsäcke‹ steckt sehr viel Planung, und es steht eine Menge auf dem Spiel. Wenn Sie zulassen, dass zwei Kinder mitten in eine Observierung hineinplatzen, wird es vielleicht Zeit, dass Sie Ihre Prioritäten überdenken. Zum Beispiel diese Akten hinter Ihrem Schreibtisch. Das Zeug ist fünf Jahre alt. Schalten Sie Ihr Gehirn wieder auf Gegenwart um, verstanden?«

»Ja, Sir.«

»Wir wissen, dass Sie der Überfall auf DS Holmes mitgenommen hat. Meine Frage ist, fühlen Sie sich in der Lage, bei der Durchführung von ›Operation Geldsäcke‹ mitzuwirken?«

Ah, daher wehte der Wind. Little Weed wollte die ganze Aktion an sich reißen. Er wollte derjenige sein, der Dougary festnahm.

»Ich fühle mich dazu in der Lage, Sir.«

»Dann also keine Schlamperei mehr, verstanden?«

»Verstanden, Sir.«

Rebus hätte alles gesagt, um diese Besprechung abzukürzen; nun ja, beinah alles. Aber er dachte nicht im Traum daran, Flower *irgendwas* zu überlassen, und schon gar nicht in so einem Fall, selbst wenn *er* ihn für reine Zeitverschwendung hielt. Kehren Sie in die Gegenwart zurück, hatte Lauderdale gesagt. Doch als Rebus das Büro verließ, wusste er genau, wo sein Gehirn hinstrebte: zurück in die Vergangenheit.

Am späten Nachmittag kam er zu dem Schluss, dass er nur zwei Möglichkeiten hatte, mit dem Central Hotel weiterzukommen, nur noch zwei Leute, die ihm vielleicht helfen konnten. Einen davon rief er an. Mit ein bisschen Überzeugungskraft gelang es ihm, kurzfristig ein Gespräch zu vereinbaren.

»Es könnte allerdings Unterbrechungen geben«, warnte die Sekretärin. »Wir haben im Augenblick sehr viel zu tun.«

»Mit Unterbrechungen kann ich leben.«

Zwanzig Minuten später wurde er in einem alten, gut erhaltenen Backsteingebäude in ein kleines holzvertäfeltes Büro geführt. Aus den Fenstern konnte man auf hässlichere neue Bauten aus Wellblech und glänzendem Stahl sehen. Dampf strömte aus zahlreichen Rohren, doch drinnen war auf wundersame Weise von dem intensiven Brauereigeruch nichts zu merken.

Die Tür ging auf und ein Mann um die Dreißig trat in den Raum.

»Inspector Rebus?«

Sie gaben sich die Hand. »Danke, dass Sie bereit waren, mich so kurzfristig zu empfangen, Sir.«

»Ihr Anruf klang spannend. Für einen kleinen Nervenkitzel bin ich immer noch zu haben.«

Aus der Nähe konnte Rebus sehen, dass Aengus Gibson wohl doch noch keine Dreißig war. Der dezente Anzug, die Brille und das kurze glatte Haar ließen ihn älter wirken. Er ging zu seinem Schreibtisch, zog das Jackett aus und drapierte es sorgfältig über die Rückenlehne eines großen gepolsterten Stuhls. Dann nahm er Platz und krempelte seine Hemdsärmel hoch.

»Setzen Sie sich doch bitte, Inspector. Also, es geht um das Central Hotel, sagten Sie?«

Auf dem Schreibtisch lagen diverse Papiere, und Gibson tat so, als würde er darin lesen, während Rebus sprach, doch Rebus wusste, dass der Mann jedes Wort hörte.

»Wie Sie wissen, Mr Gibson, ist das Central vor fünf Jahren abgebrannt. Der Grund für das Feuer wurde nie so richtig geklärt, doch noch beunruhigender war der Fund einer

Leiche mit einem Einschussloch im Herzen. Die Leiche ist nie identifiziert worden.«

Rebus hielt inne. Gibson nahm seine Brille ab und legte sie auf die Papiere. »Ich kannte das Central ziemlich gut, Inspector. Ich bin überzeugt, dass mein Ruf mir vorauseilt.«

»Der vergangene und der gegenwärtige, Sir.«

Gibson tat so, als hätte er das nicht gehört. »Ich war in meiner Jugend ein bisschen wild, und Sie hätten sicher Mühe, einen wilderen Haufen Leute zu finden als den, der *damals* im Central Hotel verkehrte.«

»Sie müssen damals Anfang zwanzig gewesen sein, Sir, nicht mehr ganz so ›jugendlich‹.«

»Einige Leute brauchen halt etwas länger, erwachsen zu werden als andere.«

»Warum haben Sie sich mit Matthew Vanderhyde ausgerechnet dort verabredet?«

Gibson lehnte sich zurück. »Ah, jetzt verstehe ich, weshalb Sie hier sind. Nun ja, ich dachte, Onkel Matthew würde der zweifelhafte Ruf des Central gefallen. Er war nämlich selbst mal ziemlich wild.«

»Vielleicht wollten Sie ihn auch damit schockieren?«

»Matthew Vanderhyde kann niemand schockieren, Inspector.« Er lächelte. »Aber vielleicht haben Sie Recht. Ja, das hat sicher auch eine Rolle gespielt. Ich wusste, dass mein Vater ihn gebeten hatte, mit mir zu reden. Also hab ich mich mit ihm am schlimmsten Ort verabredet, der mir einfiel.«

»Ich hätte Ihnen vermutlich noch ein paar schlimmere Orte nennen können als das Central.«

»Die hätte ich natürlich auch gewusst. Aber das Central war halt … nun ja, *zentral*.«

»Und Sie beide haben miteinander geredet?«

»Er hat geredet. Ich sollte ihm zuhören. Aber in Gesellschaft eines Blinden, Inspector, braucht man nicht so zu tun als ob. Die interessiert blickenden Augen und so kann man sich sparen. Ich glaube, ich hab Zeitung gelesen, mich an dem Kreuzworträtsel versucht und Fernsehen geguckt. Es schien ihn nicht zu stören. Er tat halt meinem Vater einen Gefallen, weiter nichts.«

»Doch schon bald danach waren Ihre Tage als ›Black Aengus‹ vorbei.«

»Das ist richtig, ja. Onkel Matthews Worte hatten also doch eine Wirkung auf mich.«

»Und was war nach dem Treffen?«

»Wir überlegten, ob wir zusammen essen gehen sollten – allerdings nicht im Central, möchte ich hinzufügen. Die hatten die schmutzigste Küche, die man sich vorstellen kann. Doch ich glaube, ich war bereits mit einer jungen Dame verabredet. Nun ja, nicht ganz so jung. Verheiratet, meine ich mich zu erinnern. Manchmal vermisse ich diese Zeiten. Die Medien bezeichnen mich als geläuterte Persönlichkeit. Das ist ein simples Klischee, aber verdammt schwer zu leben.«

»Ihr Name tauchte nie in der offiziellen Liste der Gäste des Central in jener Nacht auf.«

»Ein Versehen.«

»Das Sie hätten korrigieren können, indem Sie sich gemeldet hätten.«

»Um damit den Zeitungen noch mehr Zündstoff zu geben.«

»Und wenn die nun herausgefunden hätten, dass Sie dort waren?«

»Das, Inspector, wäre kein Zündstoff gewesen«, Aengus Gibsons Blick war warm und klar, »sondern eine Brandbombe.«

»Können Sie mir noch irgendetwas über diese Nacht berichten, Sir?«

»Sie scheinen bereits alles zu wissen. Ich war mit Matthew Vanderhyde in der Bar. Wir haben das Hotel mehrere Stunden, bevor das Feuer ausbrach, verlassen.«

Rebus nickte. »Waren Sie jemals auf der ersten Etage des Hotels?«

»Was für eine sonderbare Frage. Das ist *fünf Jahre her.*«

»Eine lange Zeit, gewiss.«

»Und nun wird der Fall wieder aufgerollt?«

»Gewissermaßen ja, Sir. Wir können nicht zu viele Details preisgeben.«

»Das macht nichts. Ich werde meinen Vater bitten, den Chief Constable zu fragen. Die sind nämlich gut befreundet.«

Rebus schwieg. Es gab keinen Fall. Nichts von dem, was er seinen Vorgesetzten präsentieren konnte, würde diese dazu bringen, die Sache wieder aufzurollen. Er wusste, dass er hier ganz auf sich gestellt war. Ein forsches Klopfen ertönte an der Tür, und ein älterer Mann trat ins Büro. Sein Gesicht ähnelte sehr dem von Aengus Gibson, doch dieses Gesicht und auch der Körper waren sehr viel hagerer. Asketisch war das Wort, das einem bei seinem Anblick einfiel. Broderick Gibson würde höchst selten seine straff geknotete Krawatte lösen oder den obersten Knopf an seinem Hemd öffnen. Er trug einen Pullover mit V-Ausschnitt unter seiner Anzugjacke. Rebus hatte schon Kirchenmänner erlebt, die so aussahen. Ihr Gesichtsausdruck veranlasste die Leute dazu, mehr Geld bei der Kollekte zu geben.

»Tut mir Leid, dass ich so hereinplatze«, entschuldigte sich Broderick Gibson. »Aber das hier muss noch vor morgen früh durchgesehen werden.« Er legte einen Ordner auf den Schreibtisch.

»Vater, das ist Inspector Rebus. Inspector, Broderick Gibson, mein Vater.«

Und der Mann, der in den fünfziger Jahren in einem Gartenschuppen Gibson's Breweing gegründet hatte. Rebus schüttelte die feste Hand.

»Hoffentlich keine Probleme, Inspector?«

»Ganz und gar nicht, Sir«, antwortete Rebus.

Broderick Gibson wandte sich wieder an seinen Sohn. »Du hast doch diese Veranstaltung heute Abend für den Kinderschutzbund nicht vergessen?«

»Nein, Vater. Um acht Uhr?«

»Uhrzeiten kann ich mir einfach nicht merken.«

»Ich glaube, es ist um acht.«

»Sie haben Recht, Sir.«

»Oh?« Aengus Gibson wirkte überrascht. »Werden Sie auch dort sein?«

Rebus schüttelte den Kopf. »Ich hab was darüber in der Zeitung gelesen.« Er stand auf der gesellschaftlichen Leiter so weit unter diesen Leuten, dass er sich fragte, ob sie ihn überhaupt wahrnahmen. Während sie immer höher stiegen, hatten sie die Sprossen unter sich durchgesägt. Rebus konnte nur hinauf in die Wolken starren und ab und zu einen flüchtigen Blick auf diese Leute werfen. Doch sie *alle* wollten mit der Polizei auf gutem Fuß stehen. Das war vermutlich auch der Grund, weshalb Broderick Gibson darauf bestand, Rebus die Hand zu geben, bevor er den Raum verließ.

Nachdem sein Vater gegangen war, schien Aengus Gibson sich zu entspannen. »Entschuldigen Sie, ich hab Sie gar nicht gefragt, ob Sie einen Tee oder Kaffee möchten? Ich weiß ja, dass Sie im Dienst sind, deshalb biete ich Ihnen schon gar kein Bier an.«

»Ach, wissen Sie, Sir«, erwiderte Rebus mit einem kurzen Blick auf die Uhr an der Wand, »ich hab vor fünf Minuten meinen Dienst beendet.«

Aengus Gibson lachte und ging zu einem großen Schrank, hinter dessen Türen drei Zapfhähne und eine größere Menge funkelnder Pint- und Halfpint-Gläser zum Vorschein kamen. »Das Dunkle ist heute sehr gut«, sagte er.

»Dann probier ich das, aber nur ein halbes.«

»Okay, ein halbes Dunkles.«

Rebus schaffte dann auch noch ein zweites Halbes, diesmal ein helles Ale. Doch er hatte noch den Geschmack von dem Dunklen auf der Zunge, als er durch das schmiedeeiserne Tor der Brauerei hinausfuhr. Gibson's Dark. Die Gibsons, Vater wie Sohn, hatten fraglos auch eine dunkle Seite. Man musste nur etwas an der Oberfläche kratzen, um sie zu entdecken, aber sie existierte. Für die Außenwelt mochte es ja den Anschein haben, als hätte Aengus Gibson sich verändert, doch Rebus spürte, dass der junge Mann sich gerade so unter Kontrolle hatte. Er fragte sich sogar, ob Gibson nicht unter irgendwelchen Psychopharmaka stand. Er hatte einige Zeit in einem privaten »Sanatorium« verbracht, was ein Euphemismus für psychiatrische Behandlung war. Zumindest war das die Geschichte, die man sich erzählte. Vielleicht würde er noch ein paar Nachforschungen anstellen, nur um seine Neugier zu befriedigen. Besonders eine Sache hatte ihn stutzig gemacht, nämlich, dass Aengus Gibson nicht nur wusste, dass die Küche im Central Hotel schmutzig war, sondern sie auch *gesehen* hatte.

John Rebus fand das äußerst interessant.

Er kehrte nach St. Leonard's zurück und stellte erleichtert fest, dass von Lauderdale und Little Weed nichts zu sehen war. Da er vergessen hatte, Holmes zu besuchen, rief er im Krankenhaus an. Er wusste, wie das im Royal Infirmary funktionierte; die konnten einem einen Münzfernsprecher ans Bett rollen.

»Brian?«

»Hallo! Ich hatte gerade Besuch von Nell.« Er klang aufgekratzt. Rebus hoffte, dass die gute Laune nicht allein auf Nell zurückzuführen war.

»Wie geht's ihr?«

»Ganz gut. Irgendwelche Fortschritte?«

Rebus dachte über die vergangenen vierundzwanzig Stunden nach. Sehr viel Arbeit. »Nein«, antwortete er, »keine

Fortschritte.« Um keinen Rückfall zu provozieren, beschloss er, Holmes nicht zu erzählen, dass Eddie Ringan verschwunden war.

»Denken Sie daran aufzugeben?«

»Ich hab zwar 'ne Menge am Hals, Brian, aber ich gebe nicht auf.«

»Danke.«

Ich tu das nicht nur für Sie, ich tu es auch für meinen Bruder, wäre Rebus beinah rausgerutscht. Stattdessen wünschte er Holmes alles Gute und versprach, ihn bald zu besuchen.

»Dann sollten Sie sich aber beeilen. Ich werd nämlich morgen oder übermorgen entlassen.«

»Das freut mich.«

»Ich weiß nicht ... hier ist so eine Krankenschwester ...«

»Ach, Sie sind unverbesserlich!« Doch Rebus erinnerte sich auch an eine Krankenschwester, mit der er sich viel zu gut verstanden hatte, nämlich die, die seine verbrannte Kopfhaut behandelte. Damit hatten die Probleme mit Patience angefangen. »Seien Sie vorsichtig«, riet er und legte den Hörer auf.

Sein nächster Anruf galt der Lokalzeitung. Dort sprach er einige Minuten mit jemandem. Dann versuchte er, Siobhan Clarke in der Gorgie Road zu erreichen. Doch es ging niemand ans Telefon. Offenbar hatte Dougary die Arbeit schon beendet und das Überwachungsteam mit ihm. Auch für Inspector Rebus wurde es Zeit, für heute Schluss zu machen. Auf dem Weg nach draußen hörte er die prahlerische Stimme Alister Flowers auf sich zukommen. Rebus huschte in das nächstbeste Büro und wartete, bis Flower und seine Untergebenen verschwunden waren. Sie hatten nicht über ihn geredet, das war immerhin etwas. Er schämte sich nur ein wenig, dass er sich versteckte. Jeder gute Soldat weiß, wann er sich verstecken muss.

17

An diesem Abend war Michael auf und spielte den Fernseh-süchtigen. Er drückte auf der Fernbedienung herum, als wollte er einen neuen Rekord im Zappen aufstellen. Rebus fragte sich, wie viele von den Tabletten er eigentlich nahm, doch es schienen noch reichlich in der Flasche zu sein.

Zum Abendessen besorgte er Fish and Chips von einem Imbissstand in der Nähe. Es war nicht gerade die feine Küche, doch Rebus hatte kein Lust, irgendwo hinzufahren, wo es was Besseres gab. Er erinnerte Michael an die Frittenbude in ihrer Heimatstadt, wo der Koch ins Fett spuckte, um zu prüfen, ob es heiß genug war. Michael lächelte über die Geschichte, doch sein Blick blieb die ganze Zeit auf den Fernseher gerichtet. Er steckte sich einzelne Fritten in den Mund und kaute langsam, dann löste er die Panade von dem Fisch und aß sie, bevor er sich an das fettige weiße Fleisch machte.

»Gar nicht so schlecht, die Fritten«, bemerkte Rebus, während er Irn-Bru-Limonade einschenkte. Er wartete auf Patiences Anruf, damit sie ihm endlich Zeit und Ort für ihr Treffen nannte. Doch jedes Mal, wenn das Telefon klingelte, war es für die Studenten.

Als es zum fünften oder sechsten Mal läutete, nahm Rebus den Hörer und sagte: »Universität Edinburgh, Vermittlung?«

»Ich bin's«, sagte Siobhan Clarke.

»Ach, hallo.«

»Nun überschlagen Sie sich nicht gleich vor Begeisterung.«

»Was kann ich für Sie tun, Clarke?«

»Ich wollte mich wegen heute Morgen entschuldigen.«

»War ja nicht unbedingt Ihre Schuld.«

»Ich hätte den Jungs sagen sollen, wer wir sind. Ich bin in Gedanken immer wieder durchgegangen, was ich hätte tun sollen.«

»Nun ja, es wird nicht wieder vorkommen.«

»Nein, Sir.« Sie zögerte. »Ich hab gehört, Sie haben eines auf den Deckel gekriegt.«

»Sie meinen vom Chief Inspector?« Rebus lächelte. »Zum Glück hat er die verbrannte Stelle nicht erwischt. Was ist mit dem Fenster?«

»Das ist mit Brettern vernagelt. Morgen wird eine neue Scheibe eingesetzt.«

»Irgendwas Interessantes heute?«

»Das wissen Sie doch, Sir. Petrie ist am Nachmittag zurückgekommen.«

»Ach ja? Und wie geht's ihm?«

»Er hatte einen Verband im Gesicht wie der Elefantenmann.«

Rebus war klar, wenn einer über den Zwischenfall am Morgen geplaudert hatte – und offenbar hatte das jemand –, konnte es nur Petrie gewesen sein. Also zeigte er wenig Mitgefühl. »Wir sehen uns morgen.«

»Ja, Sir. Gute Nacht.«

»Worum ging's denn da?«, fragte Michael.

»Nichts Besonderes.«

»Hab ich mir gedacht, dass du das sagen würdest. Ist noch was Irn-Bru da?«

Rebus reichte ihm die Flasche.

Als Patience um zehn immer noch nicht angerufen hatte, gab er die Hoffnung auf und begann, sich auf das Fernsehen zu konzentrieren. Er wollte schon fast den Hörer nicht mehr abnehmen, als zehn Minuten später der nächste Anruf kam. Wahnsinniger Lärm war im Hintergrund zu hören, eine Party oder ein Pub. Ganz in der Nähe wurde ein schlechter Song schlecht gesungen.

»Stell das ein bisschen leiser, Mickey.« Michael drückte die Stummtaste und brachte einen Politiker in den Nachrichten zum Schweigen. »Hallo?«

»Sind Sie das, Mr Rebus?«

»Ja.«

»Hier ist Chick Muir.« Chick war einer von Rebus' Kontaktpersonen.

»Was gibt's, Chick?« Der Song hatte geendet, und Rebus konnte Klatschen, Gelächter und Pfiffe hören.

»Der Mann, den Sie suchen, sitzt etwa sieben Meter von mir entfernt und hält sich einen dreifachen Whisky unter die Nase.«

»Danke, Chick. Ich bin gleich da.«

»Moment mal. Wollen Sie denn nicht wissen, wo ich bin?«

»Sei doch nicht so dämlich, Chick. Natürlich weiß ich, wo du bist.«

Rebus legte den Hörer auf und sah zu Mickey, der offenbar eingeschlafen war. Er schaltete den Fernseher aus und holte seine Jacke.

Es war kein Problem zu erraten, dass Chick Muir aus der Bowery angerufen hatte, einer Kneipe mit Nachtlizenz am unteren Ende der Easter Road. Das Pub hatte bis vor einem Jahr Finnegan's geheißen, als ein neuer Besitzer die »geniale« Idee hatte, den Namen zu ändern, weil er, wie er erklärte, viele Ärsche auf den Stühlen sehen wollte.

Ärsche gab es reichlich, und einige von ihnen wären auch in dem New Yorker Pennerviertel Bowery nicht fehl am Platz gewesen. Zu den Gästen zählten außerdem ein paar Studenten und Dauersäufer, teilweise aufgrund der Lage des Pubs, aber hauptsächlich wegen der Nachtlizenz. Es hatte dort noch nie Ärger gegeben, jedenfalls keinen nennenswerten. Die eine Hälfte der Gäste in der Bowery fürchtete sich vor der anderen. Außerdem munkelte man, dass Big Ger rund um die Uhr für Schutz sorgte.

Chick Muir ging oft zum Trinken dorthin, schaffte es jedoch, nicht beim angeblich unmusikalischsten Karaoke von

Edinburgh mitzumachen. Eddie Ringan beispielsweise wäre auf der Stelle tot umgefallen, wenn er gehört hätte, auf welch schaurige Weise »Hound Dog« und »Wooden Heart« immer wieder verschandelt wurden. Huh-kuh-rye-a-yeng war in etwa der Laut, der Rebus entgegenschallte, als er die Tür des Pubs aufstieß und die Augen vor dem dicken Zigarettenqualm zusammenkniff.

Als »Crying in the Chapel« zu einem tränenreichen Ende kam, spürte Rebus, wie eine Hand seinen Arm drückte.

»Sie haben's also geschafft.«

»Hallo, Chick. Was trinkst du?«

»Ein doppelter Famous Grouse wär jetzt genau das Richtige, obwohl ich nicht glaube, dass die echten Grouse in ihren Grouse-Flaschen haben.« Chick Muir grinste und zeigte zwei Reihen glanzloser Goldzähne. Er war fast einen halben Meter kleiner als Rebus und sah in diesem Gedränge aus wie ein Kind, das sich im Wald verirrt hat. »Aber auch wenn's kein Grouse ist«, fuhr er fort, »sind's immerhin vier Zentiliter.«

Darin steckte eine gewisse Logik. Also kämpfte sich Rebus zur Bar durch und brüllte seine Bestellung. Es wurde allseits applaudiert, als ein Jünger des Gesangs auf die Bühne trat. Rebus ließ seinen Blick die Theke entlangwandern und bemerkte Deek Torrance, der weder betrunkener noch nüchterner aussah als bei ihrer letzten Begegnung. Als Rebus seine Getränke bezahlte (er musste nie warten, man kannte ihn hier), sah Torrance ihn, nickte und winkte ihm zu. Rebus deutete an, dass er erst die Drinks abliefern müsste, dann aber zurückkäme. Torrance nickte wieder.

Die Musik begann erneut zu spielen. O nein, bitte nicht, dachte Rebus. Nicht »Little Red Rooster«. Auf der Videoleinwand war ein junger Hahn zu sehen, der sich offenbar für das blonde Bauernmädchen interessierte, das herausgekommen war, um die Eier einzusammeln.

»Bitte sehr, Chick. Cheers.«

»Slainte.« Chick nahm einen Schluck, ließ ihn im Mund kreisen und schüttelte den Kopf. »Das ist bestimmt kein Grouse. Haben Sie ihn gesehen?«

»Ja, hab ich.«

»Und, ist es der Richtige?«

Rebus reichte ihm einen gefalteten Zehner, der sofort in Chicks Tasche verschwand. »Er ist es hundertprozentig.«

Deek Torrance quetschte sich bereits durch das Gedränge zu ihnen durch, blieb jedoch kurz vorher stehen und langte über einen anderen Gast, um Rebus auf die Schulter zu klopfen.

»John, ich geh nur mal gerade …« Er machte eine ruckartige Bewegung mit dem Kopf in Richtung Toiletten, die sich seitlich von der Bühne befanden. »Bin in einer Minute zurück.« Rebus nickte, und Torrance bewegte sich durch die wogende Masse wieder zurück. Chick Muir stürzte seinen Whisky hinunter. »Ich hau jetzt ab«, sagte er.

»Aye, bis demnächst, Chick.« Chick nickte, stellte sein Glas auf die Theke und steuerte auf den Ausgang zu. Rebus versuchte, die schaurige Darbietung von »Little Red Rooster« zu ignorieren, und als ihm das nicht gelang, folgte er Torrance auf die Toilette. Er sah, dass Deek noch kurz mit dem DJ auf der Bühne sprach, bevor er die Tür zur Herrentoilette aufstieß. Rebus warf dem Sänger im Vorbeigehen einen finsteren Blick zu, doch die Menge feuerte ihn zu immer weiteren Scheußlichkeiten an.

Deek stand am Gemeinschaftsurinal und lachte über einen Cartoon an der Wand. Er zeigte zwei Fußballspieler mit den Streifen der Hearts beim Analverkehr, darüber stand: »Zwei Herzen im Dreivierteltakt!« Das war typisch für die Easter Road. In einem Pub in der Gorgie Road würde man sicher einen ähnlichen Cartoon mit zwei Spielern der Hibs finden. Rebus vergewisserte sich, dass sich außer ihnen niemand auf der Toilette befand. In dem Moment wendete Deek den Kopf und entdeckte ihn.

»John! Ich hab schon gedacht, du wärst ein Spanner.«

Doch Rebus war nicht zu Späßen aufgelegt. »Du musst mir was besorgen, Deek.«

Torrance grunzte.

»Du hast mir doch erzählt, du kämst an alles ran.«

»Alles von 'ner Matratze bis zum Schießeisen«, zitierte Deek.

»Das Letztere«, meinte Rebus lakonisch. Deek Torrance sah aus, als wollte er einen Kommentar dazu abgeben. Doch dann zog er den Reißverschluss an seiner Hose hoch und ging zum Waschbecken.

»Du könntest Ärger kriegen.«

»Könnte ich.«

Torrance trocknete sich die Hände an dem schmutzigen Rollhandtuch ab. »Wann brauchst du's?«

»So schnell wie möglich.«

»Ein bestimmtes Modell?« Nun unterhielten sich beide leise und sachlich.

»Was immer du besorgen kannst. Wie viel?«

»Jede Preislage bis rauf zu zweihundert. Bist du dir ganz sicher, dass du das willst?«

»Bin ich.«

»Du könntest dir einen Waffenschein besorgen, dann wär's legal.«

»Könnte ich.«

»Wirst du aber vermutlich nicht.«

»Ist besser, wenn du das nicht weißt, Deek.«

Deek grunzte wieder. In dem Moment ging die Tür auf, und ein junger Mann, in dessen Mundwinkel eine Zigarette hing, kam herein. Ohne die beiden Männer zu beachten, steuerte er auf das Urinal zu.

»Gib mir eine Telefonnummer.« Der junge Mann blickte

neugierig über die Schulter. »Augen nach vorn, mein Junge!«, fuhr Torrance ihn an. »Blindenhunde sind heutzutage verdammt teuer.«

Rebus riss ein Blatt aus seinem Notizblock. »Zwei Nummern«, sagte er. »Zu Hause und bei der Arbeit.«

»Ich meld mich.«

Rebus öffnete die Tür. »Möchtest du was trinken?«

Torrance schüttelte den Kopf. »Ich bin weg.« Er zögerte. »Bist du dir wirklich sicher?«

John Rebus nickte.

Als Deek gegangen war, besorgte er sich noch einen Drink. Er zitterte, und sein Herz raste. Eine gut aussehende Frau hatte gerade »Band of Gold« gesungen, und das ganz passabel. Sie erhielt den bisher größten Applaus. Der DJ trat ans Mikrophon und wiederholte ihren Namen. Es gab noch mehr Beifall, als ihr Freund ihr von der Bühne half. Er trug etliche goldene Ringe an den Fingern. Nun sagte der DJ die nächste Nummer an.

»Er möchte für uns den wunderbaren alten Song ›King of the Road‹ singen. Ein kräftiger Applaus für John Rebus!«

Es gab etwas Applaus. Die Leute, die ihn kannten, setzten ihre Drinks ab und blickten zu der Stelle an der Bar, wo Rebus stand.

»Deek, du alter Schweinehund!«, fauchte er. Der DJ ließ seinen Blick suchend über die Menge gleiten.

»John, bist du noch hier?« Die Zuschauer schauten sich ebenfalls um. Irgendwer, wie Rebus später klar wurde, musste auf ihn gedeutet haben, denn der DJ verkündete plötzlich, dass John ein bisschen schüchtern sei, aber er wär derjenige mit der schwarzen wattierten Jacke an der Bar, der die Nase tief in sein Glas steckte. »Dann wollen wir ihn mit einem besonders kräftigen Applaus hier herauflocken.«

Es gab einen besonders kräftigen Applaus, als John Rebus sich der Menge zuwandte. Was für ein Glück, sagte er sich später, dass Deek ihm nicht an Ort und Stelle eine Waffe gegeben hatte. Eine einzige Kugel hätte gereicht.

Deek Torrance hasste sich dafür, doch er machte den Anruf trotzdem. Er rief aus einer Telefonzelle an, die neben einem Stück Ödland stand. Trotz der späten Stunde fuhren noch einige Kinder lärmend mit ihren Fahrrädern über den rissigen Asphalt. Sie hatten sich aus zwei Brettern und einem Milchkasten eine Rampe gebaut, von der aus sie mit den Stahlrössern in die Dunkelheit sprangen.

»Hier ist Deek Torrance«, sagte er, als sich am anderen Ende jemand meldete. Er musste warten, während sein Name weitergegeben wurde, und stützte währenddessen seine Stirn gegen die Wand der Telefonzelle. Das Plastik fühlte sich kühl an. Wir werden alle erwachsen, sagte er zu sich. Das macht zwar nicht viel Spaß, aber es ist so. Heutzutage gibt es keine Peter Pans mehr.

Nun war jemand in der Leitung.

»Hier ist Deek Torrance«, sagte er überflüssigerweise. »Ich hab eine interessante Nachricht ...«

18

Am Mittwochmorgen erschien Rebus erstaunlich früh bei der Arbeit. Da er nicht als ein Frühaufsteher bekannt war, veranlasste seine Anwesenheit im Detective-Büro seine pünktlicheren Kollegen, zweimal hinzusehen, nur um sicherzugehen, dass sie nicht noch träumten.

Sie gingen ihm jedoch aus dem Weg, denn mit einem Rebus am frühen Morgen war sicher nicht gut Kirschen essen. Er wollte im Büro sein, bevor der eigentliche Betrieb begann und nicht allzu viele Leute mitbekamen, was für Informationen er im Computer aufrief.

Nicht dass es dort viel über Aengus Grahame Fairmile Gibson gab. Meist ging es um Trunkenheit in der Öffentlichkeit, gewöhnlich verbunden mit irgendwelchem Unfug. Polizisten den Helm vom Kopf zu schlagen schien eines der Lieblingsspielchen des jungen Gibson und seiner Kumpane gewesen zu sein. Andere Missetaten beinhalteten langsames Entlangfahren am Bürgersteig in einer Gegend, die nicht wegen ihrer Prostituierten berüchtigt war, sowie der Versuch, durch ein Fenster in die Wohnung eines Freundes einzusteigen (den Schlüssel hatte er verloren), wobei er in der falschen Wohnung landete.

Doch das alles endete vor fünf Jahren. Seitdem hatte Gibson nicht mal mehr einen Strafzettel wegen falschem Parken oder zu schnellem Fahren erhalten. So viel zu seinen Polizeiakten. Rebus tippte ebenfalls Broderick Gibsons Namen ein, wie zu erwarten, gab es keinen Eintrag. Die »jugendlichen Fehltritte« des älteren Gibson würden in irgendeinem Nebengebäude in modrigen Akten lagern – falls es solche Fehltritte überhaupt gab. Rebus vermutete, dass jemand, der Scottish Sword and Shield angehört hatte, irgendwann mal wegen ungebührlichem Benehmen oder öffentlicher Ruhestörung verhaftet worden sein müsste. Mit einer möglichen Ausnahme: Matthew Vanderhyde.

Er machte einen Anruf, um sich zu vergewissern, dass die Verabredung, die er am Tag zuvor getroffen hatte, noch galt. Dann schaltete er den Computer aus und verließ das Gebäude genau in dem Moment, als ein verschlafener Chief Superintendent Watson hereinkam.

Er wartete im Servicebereich des Zeitungsgebäudes und blätterte die Ausgaben der letzten Woche durch. Einige frühe Zeitungskunden kamen mit ausgefüllten Bilderrätseln und Texten für Kleinanzeigen herein.

»Inspector Rebus.« Sie war hinter dem Hauptschalter hervorgetreten, von wo ein streng aussehender Sicherheitsmann sein wachsames Auge auf Rebus gerichtet hielt. Sie trug bereits ihren Regenmatel, also würde auch heute die Besichtigung des Gebäudes nicht stattfinden, die sie ihm schon seit Wochen versprach.

Sie war Anfang zwanzig und hieß Mairie Henderson. Rebus hatte sie kennen gelernt, als sie an einem Feature über den Fall Gregor Jack arbeitete. Rebus wollte die ganze hässliche Geschichte einfach vergessen, doch Mairie war sehr beharrlich gewesen … und sehr überzeugend. Damals hatte sie gerade das College abgeschlossen, wo sie mehrmals für Artikel in der Studentenzeitung und Berichte in diversen Tages- und Wochenzeitungen ausgezeichnet wurde. Sie war immer noch scharf auf Storys, und das gefiel Rebus.

»Kommen Sie«, sagte sie. »Ich bin am Verhungern und lad Sie zum Frühstück ein.«

Also gingen sie in ein kleines Café mit Bäckerei auf der South Bridge, wo schwierige Entscheidungen zu treffen waren. Konnte man so früh schon gefüllte Pasteten essen? Oder Fruchttörtchen? Doch dann entschieden sie sich wie alle anderen für etwas Deftigeres.

»Keine Haggis oder Klöße?« Mairie machte ein so bittendes Gesicht, dass die Frau an der Theke den Koch fragen ging. Dabei fiel Rebus ein, dass er irgendwann im Lauf des Tages Pat Calder anrufen sollte. Doch es gab keinen Schafsmagen und auch keine Klöße, nicht für Geld und gute Worte. Also gingen sie mit ihren Tabletts zur Kasse, wo Mairie darauf bestand zu zahlen.

»Schließlich bekomme ich von Ihnen die Geschichte des Jahrzehnts.«

»Das ist mir neu.«

»Eines Tages werden Sie sie mir liefern, glauben Sie mir.«

Sie quetschten sich in eine Nische und Mairie griff erst nach der braunen Soße, dann nach dem Ketchup. »Ich kann mich nie zwischen den beiden entscheiden. Schade, das mit den gebratenen Klößen, die mag ich am liebsten.«

Sie war etwa einsfünfundsechzig groß und hatte ungefähr so viel Fett am Körper wie ein Kaninchen, das beim Metzger im Schaufenster hing. Rebus sah sich das Gebrutzelte auf seinem Teller an und hatte plötzlich keinen Hunger mehr. Er nippte an dem dünnen Kaffee.

»Also, was steckt denn dahinter?«, wollte sie wissen, nachdem sie kräftig zugelangt hatte.

»Das sollen Sie mir erzählen.«

Sie bewegte ihr Messer verneinend hin und her. »Erst wenn Sie mir gesagt haben, warum Sie das wissen wollen.«

»So läuft das Spiel aber nicht.«

»Dann ändern wir eben die Regeln.« Sie schaufelte etwas Eiweiß auf ihre Gabel. Ihren Mantel hatte sie fest um sich geschlungen, obwohl es in dem Café fast schwül war. Außerdem besaß sie schöne Beine; Rebus bedauerte, dass er davon nichts sehen konnte. Er blies in den Kaffee, dann nippte er wieder daran. Notfalls musste sie den ganzen Tag warten, dass er etwas sagte.

»Erinnern Sie sich an den Brand im Central Hotel?«, begann er schließlich.

»Da ging ich noch zur Schule.«

»In den Trümmern lag eine Leiche.« Sie nickte ermunternd. »Nun ja, möglicherweise gibt es neue Beweise ... nein, keine neuen Beweise. Es sind da bloß so ein paar Dinge passiert, von denen ich glaube, dass sie etwas mit diesem Feuer und der Schießerei zu tun haben.«

»Dann ist das also keine offizielle Ermittlung?«

»Noch nicht.«

»Und es gibt keine Geschichte?«

Rebus schüttelte den Kopf. »Allenfalls etwas, das Ihnen eine dicke Verleumdungsklage einbringen würde.«

»Damit könnte ich leben, wenn die Geschichte gut ist.«

»Das ist sie aber nicht, noch nicht.«

Sie wischte mit einem gebutterten Toastdreieck ihren Teller sauber. »Um das klarzustellen: Sie untersuchen auf eigene Faust einen Brand, der fünf Jahre her ist?«

Einen Brand, der einen Mann zum Alkoholiker gemacht und einen anderen auf den Pfad der Selbstgerechtigkeit geführt hat, hätte er antworten können. Doch er nickte nur.

»Und was hat Gibson damit zu tun?«

»Ganz unter uns, er war an dem Abend dort. Trotzdem taucht sein Name nicht auf der Liste der Hotelgäste auf.«

»Hat sein Vater seine Beziehungen spielen lassen?«

»Möglicherweise.«

»Das ist bereits eine Geschichte.«

»Dafür hab ich aber keine Beweise.« Das war eine Lüge, schließlich gab es Vanderhyde. Doch das würde er ihr nicht sagen. Er wollte nicht, dass sie auf dumme Gedanken kam. Aber nach ihrem starren Blick zu urteilen, hatte sie die bereits.

»Gar nichts?«

»Gar nichts«, wiederholte er.

»Tja, ich weiß nicht, ob Ihnen das hier weiterhilft.« Sie öffnete ihren Mantel und zog aus dem Bund ihrer modisch geschnittenen Jeans die Akte hervor, die sie dort versteckt hielt. Er nahm sie entgegen und schaute sich dabei im Raum um. Niemand schien auf sie zu achten.

»Das ist ja wie in einem Spionagefilm«, meinte er. Sie zuckte die Achseln.

»Hab wohl zu viele davon gesehen.«

Rebus schlug die Akte auf. Sie war nicht beschriftet, enthielt jedoch Zeitungsausschnitte sowie Storys über Aengus Gibson, die nicht in der Zeitung erschienen waren.

»Die stammen alle aus den letzten fünf Jahren. Steht nicht viel drin, größtenteils Wohltätigkeitsarbeit, Spenden für gute Zwecke. Ein bisschen was über das aufstrebende Image der Brauerei plus ihre wachsenden Profite.«

Er blätterte das Material durch. Es war wertlos. »Ich hatte gehofft, etwas aus der Zeit kurz nach dem Brand über ihn herauszufinden.«

Mairie nickte. »Das erwähnten Sie am Telefon. Deshalb hab ich mit ein paar Leuten geredet, unter anderem mit unserem Chefredakteur. Er hat gesagt, Gibson wär in eine psychiatrische Klinik gegangen. Nervenzusammenbruch hieß es.«

»Wie praktisch«, bemerkte Rebus.

»Wie man's nimmt«, bemerkte sie kryptisch. »Er war fast drei Monate dort. Es gab nie eine Geschichte darüber. Sein Vater hat dafür gesorgt, dass nichts in die Zeitungen kam. Als Aengus wieder auftauchte, fing er an, in der Firma zu arbeiten, und begann gleichzeitig mit diesem ganzen karitativen Kram.«

»Machen Sie sich etwa darüber lustig?«

Sie lächelte. »Wie man's nimmt.« Dann deutete sie auf die Akte. »Ist wohl nicht viel, was?« Rebus schüttelte den Kopf. »Das dachte ich mir. Aber mehr war leider nicht da.«

»Was ist mit Ihrem Chefredakteur? Ob der wohl weiß, wann *genau* Gibson in diese Klinik gekommen ist?«

»Keine Ahnung. Kann ja nicht schaden, ihn zu fragen. Soll ich das tun?«

»Ja, bitte.«

»Okay. Noch eine Frage.«

»Ja?«

»Essen Sie das nicht?«

Rebus schob ihr den Teller hinüber und beobachtete, wie sie alles darauf verschlang.

Kaum war er wieder in St. Leonard's, kam auch schon ein Anruf vom Büro des Chief Superintendent Watson. Dieser wollte ihn sofort sprechen. Rebus sah nach, ob es irgendwelche Nachrichten für ihn gab, und rief Siobhan Clarke in der

Gorgie Road an, um sich zu erkundigen, ob das neue Fenster eingesetzt worden war.

»Es ist perfekt«, erklärte sie. »Es hat so einen weißlichen Film drauf, Glaspolitur oder was Ähnliches. Wir haben das Zeug einfach drauf gelassen. Man kann durchfotografieren, aber von draußen sieht es aus wie ein neues Fenster, das geputzt werden muss.«

»Prima«, sagte Rebus. Er wollte in jedem Fall auf dem Laufenden sein. Wenn Watson ihm wegen des gestrigen Vorfalls eins auf den Deckel geben wollte, würde das erheblich heftiger ausfallen als Lauderdales Gardinenpredigt.

Doch Rebus hatte die Situation völlig falsch eingeschätzt.

»Was, zum Teufel, denken Sie sich eigentlich?« Watson sah aus, als wäre er einen halben Marathon gelaufen und hätte dabei Chilischoten gegessen. Sein Atem ging keuchend, und seine Wangen hatten die Farbe dunkler Kirschen angenommen. Wenn er jetzt so in einem Krankenhaus erschienen wäre, hätte man ihn im Laufschritt auf einer Rolltrage in die Notaufnahme geschafft.

»Mir ist nicht ganz klar, was Sie meinen, Sir.«

Watson hämmerte mit der Faust auf den Schreibtisch. Ein Bleistift fiel zu Boden. »Ihnen ist also nicht ganz klar, was ich meine!«

Rebus bückte sich, um den Bleistift aufzuheben.

»Lassen Sie ihn liegen! Und setzen Sie sich.« Rebus nahm Platz. »Nein, bleiben Sie lieber stehen.« Rebus stand auf. »Und jetzt sagen Sie mir einfach, warum.« Rebus musste an einen Physiklehrer auf dem Gymnasium denken, einen jähzornigen Mann, der genau so mit dem jungen Rebus gesprochen hatte. »Sag mir einfach, warum.«

»Ja, Sir.«

»Nun sagen Sie schon.«

»Bei allem Respekt, Sir, warum was?«

Die Worte kamen zwischen zusammengebissenen Zähnen

hervor. »Warum Sie es für nötig befinden, Broderick Gibson zu belästigen.«

»Bei allem Respekt, Sir ...«

»Hören Sie mit dem ›bei allem Respekt‹-Scheiß auf! Beantworten Sie einfach meine Frage.«

»Ich belästige Broderick Gibson nicht, Sir.«

»Was tun Sie denn dann, ihm den Hof machen? Der Chief Constable hat mich heute Morgen angerufen. Er hatte eine verdammte Scheißwut!« Watson, der gläubiger Christ war, fluchte selten. Das war ein schlechtes Zeichen.

Nun war Rebus alles klar. Die Party zugunsten des Kinderschutzbunds. Ja, und dort hat sich Boderick Gibson seinen Freund, den Chief Constable, geschnappt. Einer deiner Lakaien ist mir auf die Pelle gerückt, was soll denn das? Und der Chief Constable, der von nichts wusste, hatte gestottert und gestammelt und gesagt, er würde der Sache auf den Grund gehen. Gib mir doch mal den Namen von dem Beamten ...

»Ich interessiere mich lediglich für seinen Sohn, Sir.«

»Aber Sie haben heute Morgen über beide Informationen im Computer abgerufen.«

Also hatte doch jemand sein Tun am frühen Morgen bemerkt. »Ja, das stimmt, aber eigentlich interessiert mich nur Aengus.«

»Sie haben immer noch nicht erklärt, warum.«

»Nein, Sir. Nun ja, es ist noch ein bisschen ... nebulös.«

Watson runzelte die Stirn. »*Nebulös?* Wann ist denn die Examensfeier?« Rebus begriff nicht. »Da Sie doch gerade einen Abschluss in Astronomie erworben haben!«, erklärte ihm Watson. Er schenkte sich Kaffee aus der Maschine auf dem Fußboden ein, bot jedoch Rebus, der gerade jetzt eine Tasse hätte gebrauchen können, keinen an.

»Es war das erste Wort, das mir in den Sinn kam, Sir«, sagte er.

»Mir fallen auch ein paar Worte dazu ein, Rebus, die Ihre Mutter bestimmt nicht gerne hören würde.«

Nein, dachte Rebus, und deine auch nicht.

Der Chief Super schlürfte seinen Kaffee. Er hatte nicht umsonst den Spitznamen »Farmer«. Einige seiner Angewohnheiten und Vorlieben konnte man nur als rustikal bezeichnen.

»Doch bevor ich sie Ihnen an den Kopf werfe«, fuhr er fort, »werde ich mich als großmütig erweisen und mir Ihre Erklärung anhören. Aber sehen Sie zu, dass sie mich überzeugt.«

»Ja, Sir«, sagte Rebus. Doch wie sollte er dies bewerkstelligen? Er musste es wohl oder übel versuchen.

Also versuchte er es, und ungefähr auf der Hälfte seiner Ausführungen erlaubte Watson ihm sogar, sich zu setzen. Nach fünfzehn Minuten breitete Rebus die Arme aus, so als wollte er sagen: Das ist alles, Leute.

Watson schenkte eine weitere Tasse Kaffee ein und stellte sie vor Rebus auf den Schreibtisch.

»Danke, Sir.« Rebus stürzte das Gebräu schwarz hinunter.

»John, ist Ihnen je der Gedanke gekommen, dass Sie paranoid sein könnten?«

»Ständig, Sir. Sie brauchten mir nur zwei Männer zu zeigen, die sich die Hand schütteln, und ich beweise Ihnen, dass eine Freimaurerverschwörung im Gange ist.«

Watson hätte beinah gelächelt, doch dann erinnerte er sich, dass dies keine spaßige Angelegenheit war. »Also, lassen Sie es mich mal so formulieren. Was wir bisher haben, ist ... nun ja, es ist ...«

»Nebulös, Sir?«

»Pisse im Wind«, korrigierte Watson. »Irgendwer ist vor fünf Jahren gestorben. War es jemand Wichtiges? Anscheinend nicht, sonst wüssten wir längst, wer es war. Also denken wir, dass es jemand war, den kaum einer gekannt und offenbar niemand vermisst hat. Keine trauernde Witwe oder bedauernswerten Kinder, keine Familie, die Fragen stellte.«

»Sie wollen es also auf sich beruhen lassen, Sir? Jemanden ungeschoren mit einem Mord davonkommen lassen?«

Watson wirkte genervt. »Ich sage nur, dass wir sowieso schon genug zu tun haben.«

»Brian Holmes hat nichts weiter getan, als ein paar Fragen gestellt. Irgendwer hat ihm dafür eine übergebraten. Kaum übernehme ich die Sache, wird mein Bruder aus meiner Wohnung entführt und zu Tode erschreckt.«

»Genau das meine ich, es ist für Sie zu einer *persönlichen* Angelegenheit geworden. Das dürfen Sie nicht zulassen. Widmen Sie sich endlich Ihren anderen Aufgaben. An erster Stelle der ›Operation Geldsäcke‹, aber da gibt es bestimmt noch andere.«

»Sie verlangen also von mir, die Sache fallen zu lassen, Sir? Darf ich fragen, ob Sie persönlich unter irgendwelchem Druck stehen?«

Dieser Druck wurde offenkundig, da Watsons Blutdruck schlagartig anstieg und sein Gesicht sich violett verfärbte. »Moment mal, eine solche Bemerkung kann ich nicht tolerieren.«

»Natürlich, Sir. Tut mir Leid, Sir.« Doch Rebus hatte seinen Standpunkt klargemacht. Ein guter Soldat weiß, wann er sich ducken muss. Rebus hatte seinen Schuss abgefeuert, nun duckte er sich.

»Das will ich aber auch meinen«, schimpfte Watson, der sich auf seinem Stuhl wand, als hätte jemand Topfkratzer in seine Hose genäht. »Also, ich meine Folgendes: Wenn Sie mir in den nächsten vierundzwanzig Stunden etwas Konkretes vorlegen können, zum Beispiel die Identität des Toten, dann werden wir den Fall wieder aufrollen. Andernfalls wünsche ich, dass in der Sache nichts mehr unternommen wird, bis tatsächlich neues Beweismaterial auftaucht.«

»In Ordnung, Sir«, erwiderte Rebus. Es hatte keinen Sinn, noch weiter zu streiten. Vielleicht würden vierundzwanzig Stunden ja reichen. Und vielleicht besaß Charlie Chan ein eigenes Tartanmuster. »Danke für den Kaffee, den konnte ich gebrauchen.«

Als Watson wieder mit seinem Scherz anfing, von wegen das Gebräu mache ihn putzmunter, verabschiedete sich Rebus rasch und verließ den Raum.

19

Er saß an seinem Schreibtisch und ging trübsinnig noch einmal alle ins Leere führenden Anhaltspunkte in dem Fall durch, als er etwas von »Handgreiflichkeiten« in einem Haus in Broughton mitbekam. Er hörte die Adresse, brauchte jedoch einige Sekunden, um sie zuzuordnen. Minuten später saß er im Auto und fuhr in den östlichen Teil der Stadt. Der Verkehr war nervenaufreibend wie immer. An allen größeren Kreuzungen herrschte Stau. Rebus gab den Ampeln die Schuld. Warum konnte man die nicht einfach abschaffen und die Fußgänger auf gut Glück die Straßen überqueren lassen? Nein, dann gäbe es nur noch mehr Staus wegen all der Krankenwagen, die man brauchte, um die Verletzten und Toten abzutransportieren.

Warum beeilte er sich überhaupt so? Schließlich glaubte er zu wissen, was er vorfinden würde. Aber er irrte sich. Ein Polizeiauto und ein Krankenwagen standen vor Mrs MacKenzies zweistöckigem Haus. Die Nachbarn hatten sich draußen versammelt und glotzten ungeniert. Selbst die Kinder auf der anderen Straßenseite zeigten sich interessiert. Es war wohl gerade Pause, denn einige von ihnen steckten den Kopf zwischen den Eisenstäben hindurch und starrten mit offenem Mund auf die bunt beschrifteten Fahrzeuge.

Rebus dachte über dieses Eisengitter nach. Es sollte dazu dienen, dass die Kinder drin blieben, sie schützen. Doch konnte es auch jemanden daran hindern hineinzugelangen?

Rebus zeigte dem Constable, der an der Tür Wache hielt, seinen Ausweis und betrat Mrs MacKenzies Haus. Sie weinte so herzzerreißend, dass Rebus schon einen Mord befürchtete. Eine Polizistin tröstete sie, während sie gleichzeitig versuchte, sich über ihr pfeifendes Handfunkgerät zu verständigen. Die Polizistin bemerkte Rebus.

»Könnten Sie ihr vielleicht einen Tee machen?«, bat sie.

»Tut mir Leid, junge Frau, ich bin nur von der Kriminalpolizei. Um eine Kanne Brooke Bond aufzugießen, braucht man schon jemand Hochrangigeren.« Rebus hatte die Hände in den Taschen, ganz der distanzierte Betrachter, der völlig zufällig in dieses Chaos hineingeraten war. Er ging zu dem Vogelkäfig hinüber und sah hinein. Im Sand auf dem Boden lag zwischen Federn, Spelzen und Kot ein mumifizierter Wellensittich.

»Der ist schon lange im Vogelhimmel«, murmelte er vor sich hin und verließ das Wohnzimmer. Dann sah er, dass in der Küche Sanitäter waren, und ging hinein. Auf dem Fußboden lag jemand mit dick verbundenem Gesicht und eingewickelten Händen. Er sah jedoch kein Blut. Beinah wäre er auf dem nassen Linoleumboden ausgerutscht, konnte sich aber gerade noch an der Kante eines uralten Gasherds, der sich warm anfühlte, festhalten. Ein Constable stand an der offenen Hintertür und blickte nach rechts und links. Rebus ging vorsichtig an den Sanitätern und ihrem Patienten vorbei und stellte sich zu dem Constable.

»Schöner Tag, was?«

»Wie bitte?«

»Ich dachte, Sie freuen sich über das Wetter.« Rebus zeigte erneut seinen Ausweis.

»Ganz und gar nicht. Ich schau nur, wo er hin ist.«

Rebus nickte. »Was soll das heißen?«

»Die Nachbarn sagen, er ist über drei Zäune geklettert, dann über einen Hof gelaufen – und weg war er.« Der Constable wies mit dem Finger in eine bestimmte Richtung. »Der Hof da drüben, gleich hinter der vollen Wäscheleine.«

»Hinter der Leine mit der Stütze?«

»Aye, dort muss es sein. Drei Zäune ... eins, zwei, drei. Es muss der Hof da drüben sein.«

»Gut gemacht, mein Junge, das hilft uns wirklich weiter.« Der Constable starrte ihn an. »Mein Inspector ist ziemlich pingelig mit den Notizen. Sie sind von St. Leonard's? Dann ist das ja eigentlich nicht Ihr Revier, Sir?«

»Mein Revier ist überall, und jeder ist mein Constable. Also, was war hier los?«

»Der Mann auf dem Boden wurde angegriffen, und der Täter ist geflüchtet.«

Rebus nickte. »Ich kann Ihnen auch schon sagen, wie es passiert ist und wer es war.« Der Constable wirkte skeptisch. »Der Täter war ein Mann Namens Alex Maclean, und höchstwahrscheinlich hat er Mr McPhail da unten mit der Faust bearbeitet oder ihm einen Kopfstoß versetzt.«

Der Constable blinzelte, dann schüttelte er den Kopf. »Der da *liegt,* ist Maclean.« Rebus blickte nach unten und bemerkte erst jetzt, dass der Mann gut vierzig Pfund schwerer war als McPhail. »Und er hat weder einen Schlag noch einen Kopfstoß verpasst bekommen, sondern einen Topf kochendes Wasser über die Birne gekriegt.«

Nur leicht beschämt, aber ohne jeden Kommentar, hörte sich Rebus die Version des Constable von den Ereignissen an. McPhail, der dem Haus die ganze Zeit fern geblieben war, hatte schließlich angerufen, um zu sagen, er käme kurz vorbei, um ein paar Kleidungsstücke und sonstige Dinge zu holen. Er hatte Mrs MacKenzie irgendeine Geschichte erzählt, dass er die Spätschicht in einem Supermarkt machte. Er war gekommen und unterhielt sich in der Küche mit seiner Vermieterin, die gerade Wasser aufgesetzt hatte, um Eier zu kochen. (Jeden Mittwoch gab es gekochte Eier zum Mittagessen, donnerstags pochierte – auf diesen Teil ihrer Aussage legte Mrs MacKenzie besonderen Nachdruck.) Doch Maclean hatte das Haus beobachtet und McPhail hineingehen sehen. Er stieß die unverschlossene Haustür auf und rannte in die Küche. »Ein Furcht erregender Anblick«, wie Mrs MacKenzie meinte. »Das werde ich niemals vergessen, selbst wenn ich hundert Jahre alt werde.«

Im gleichen Augenblick hatte McPhail den Topf vom Herd gerissen, kurz ausgeholt und Maclean die Ladung kochendes Wasser übergegossen. Dann öffnete er die Hintertür und floh. Über drei Zäune und einen Hof. Ende des Melodrams.

Rebus beobachtete, wie man Maclean in den Krankenwagen schob. Sie würden ihn ins Royal Infirmary bringen. Allmählich lag fast jeder, den Rebus in Edinburgh kannte, in diesem Krankenhaus. McPhail hatte diesmal noch Glück gehabt. Wenn er wusste, was für ihn gut war, würde er Rebus' Rat befolgen und die Stadt verlassen. Außerdem konnte er sich so dem Zugriff der Polizei entziehen, die ganz sicher nach ihm fahnden würde.

Rebus zweifelte jedoch daran, dass McPhail wusste, was für ihn gut war. Schließlich glaubte dieser Mann, dass kleine Mädchen gut für ihn wären. Solche Gedanken beschäftigten ihn, während er im regen Mittagsverkehr Richtung St. Leonard's kroch. Auf dem Weg nach Broughton war er so langsam vorangekommen, dass er dachte, es wäre besser, sich an die größeren Straßen zu halten; Leith Street, The Bridges und Nicolson Street. Irgendwas veranlasste ihn, auf dieser Straße zu bleiben, bis er zu der Metzgerei kam, in der Rory Kintoul blutend neben der Fleischtheke gelandet war.

Nur wenig überrascht nahm er die Holztafel zur Kenntnis,

die über dem gesamten Schaufenster des Ladens hing. Darauf war ein großes weißes Blatt Papier geheftet, auf dem mit dickem Filzstift geschrieben stand: »Der Verkauf geht weiter.« Interessant, dachte Rebus, während er sein Auto parkte. Ihm fiel auf, dass der Regen oder die Schuhe der Passanten die Blutspur auf dem Bürgersteig verwischt hatten.

Mr Bone, der Metzger, schnitt gerade Cornedbeef auf einer von Hand betriebenen Maschine. Zischend fuhr das Messer durch das Fleisch. Er wirkte kleiner und dünner als die meisten Metzger, denen Rebus begegnet war. Sein Gesicht bestand fast nur aus Wangenknochen und Sorgenfalten, die Haare waren schütter und grau. Sonst befand sich niemand im Laden. Rebus konnte allerdings hören, wie hinten jemand bei der Arbeit pfiff. Bone bemerkte, dass er einen Kunden hatte.

»Was darf's denn sein, Sir?«

Rebus bemerkte, dass die Glastheke direkt neben dem Schaufenster leer war. Zweifellos sollte sie erst auf Glassplitter untersucht werden, bevor neue Ware hineinkam. Er deutete mit dem Kopf auf die Holztafel. »Wann ist denn das passiert?«

»Ach, letzte Nacht.« Bone legte das aufgeschnittene Cornedbeef in einen verschont gebliebenen Bereich der Glastheke und steckte das Preisschild hinein. Dann wischte er die Hände an seiner weißen Schürze ab. »Kinder oder Betrunkene.«

»Was war es denn, ein Ziegelstein?«

»Keine Ahnung.«

»Wenn nichts im Laden gelegen hat, muss es wohl ein Vorschlaghammer gewesen sein. Ich kann mir nicht vorstellen, dass jemand mit der Stahlkappe eines Schuhs einen solchen Schaden anrichten kann.«

Nun musterte Bone ihn genauer und erkannte ihn wieder. »Sie waren doch hier, als Rory ...«

»Ganz genau, Mr Bone. Bei ihm haben die allerdings keinen Vorschlaghammer benutzt.«

»Ich weiß nicht, was Sie meinen.«

»Ein Pfund Rindswürstchen möcht ich übrigens.«

Bone zögerte, dann nahm er die Würstchenkette vom Haken und schnitt einige ab.

»Sie könnten natürlich Recht haben«, fuhr Rebus fort. »Es wäre möglich, dass es Kinder oder Betrunkene waren. Hat jemand was gesehen?«

»Keine Ahnung.«

»Haben Sie's denn nicht gemeldet?«

»War nicht nötig. Die Polizei hat mich heute Morgen um zwei angerufen, um mir Bescheid zu sagen.« Er klang verärgert.

»Alles im Service inbegriffen, Mr Bone.«

»Ist ein bisschen mehr als ein Pfund«, sagte Bone, den Blick auf die Anzeige der Waage gerichtet. Er wickelte die Würstchen erst in weißes Papier, dann in braunes und schrieb den Preis mit Bleistift auf die äußere Verpackung. Rebus reichte ihm eine Fünfpfundnote.

»Dafür kommt ja wohl die Versicherung auf«, meinte er.

»Das will ich doch hoffen, bei dem Geld, das die verlangen.«

Rebus nahm sein Wechselgeld entgegen und wartete, bis Bone aufsah. »Ich meinte allerdings, die *echten* Versicherungsleute, Mr Bone.« In diesem Moment betrat ein älteres Ehepaar den Laden.

»Was ist denn passiert, Mr Bone?«, fragte die Frau, während ihr Mann hinter ihr hergeschlurft kam.

»Bloß Kinder, Mrs Dowie«, sagte Bone mit der Stimme, die er Kunden gegenüber benutzte, nicht jedoch Rebus. Er starrte Rebus an, der ihm zuzwinkerte, sein Päckchen nahm und hinausging. Draußen blickte er auf das braune Päckchen. Es fühlte sich kühl an. Hatte er sich nicht eigentlich vorgenommen, weniger Fleisch zu essen? Nicht dass in Würstchen viel Fleisch wäre. Ein weiterer Passant blieb stehen, betrachtete das verrammelte Schaufenster und ging dann in den Laden. Jim Bone würde heute ein gutes Geschäft machen. Alle würden wissen wollen, was passiert war. Und Rebus *wusste* es, auch wenn es nicht leicht zu beweisen sein würde. Siobhan Clarke war es immer noch nicht gelungen, das Opfer der Messerattacke zum Reden zu bringen. Vielleicht sollte Rebus sie ein bisschen drängen, gerade jetzt, wo sie Rory Kintoul eine Menge über das zerbrochene Fenster seines Cousins erzählen könnte.

Hinter seinem Auto hatte jemand einen Geländewagen mit Vierradantrieb geparkt, in dem ein riesiger schwarzer Hund herumtobte. Fußgänger machten einen großen Bogen um das Auto, und das zu Recht. Der ganze Wagen schwankte nämlich jedes Mal bedenklich, wenn der Hund gegen die Heckscheibe sprang. Rebus bemerkte, dass der rücksichtsvolle Besitzer eines der Fenster einen Spalt weit geöffnet hatte. Vielleicht war das aber auch nur eine Falle für besonders dämliche Autodiebe.

Rebus blieb vor dem Fensterschlitz stehen und ließ die Würstchen aus dem Paket in den Wagen gleiten. Sie fielen auf den Sitz. Der Hund roch kurz daran und machte sich dann über das Festmahl her.

In der Straße herrschte wohltuende Ruhe, als Rebus sein Auto aufschloss.

»Alles im Service inbegriffen«, murmelte er vor sich hin.

Von der Wache aus rief er im Heartbreak Café an. Eine offenbar hastig auf Band gesprochene Nachricht informierte ihn, dass das Lokal »wegen Krankheit« geschlossen sei. In Brian Holmes' Schublade fand er einen Computerausdruck mit Namen und Telefonnummern. Einige waren am Ende der Liste mit blauem Kugelschreiber hinzugefügt worden, unter

anderem eine von Eddie Ringan, die mit »(priv.)« gekennzeichnet war.

Rebus kehrte zu seinem Schreibtisch zurück und wählte die
Nummer. Nach dem dritten Klingeln meldete sich Pat Calder.

»Mr Calder, hier ist DI Rebus.«

»Oh.« Jegliche Hoffnung war aus Calders Stimme ge-
schwunden.

»Sie haben also immer noch nichts von ihm gehört?«

»Nein.«

»Okay, dann machen wir die Sache jetzt offiziell. Er gilt als
vermisste Person. Ich werde jemanden bei Ihnen vorbeischi-
cken, um …«

»Warum kommen Sie nicht selbst?«

Rebus dachte drüber nach. »Es spricht eigentlich nichts
dagegen, Sir.«

»Kommen Sie, wann Sie wollen. Wir haben heute sowieso
zu.«

»Was ist denn mit eurem Wunderkoch Willie passiert?«

»Wir hatten gestern Abend sehr viel zu tun, mehr als
sonst.«

»Ist er zusammengebrochen?«

»Irgendwann kam er aus der Küche gestürmt und brüllte:
›Ich bin der Koch! Ich bin der Koch!‹ Dann nahm er einer
Frau die Vorspeise weg und begann sie selbst zu essen, direkt
mit dem Mund vom Teller. Ich vermute, er hatte irgendwelche Drogen genommen.«

»Klingt, als hätte er sich den späten Elvis als Vorbild genommen. Ich bin in einer halben Stunde da, wenn's Ihnen
recht ist.«

Die »Colonies« in Stockbridge waren einst als Behausung für
mittellose Arbeiter gebaut worden. Nun standen sie bei auf-
strebenden jungen Leuten hoch im Kurs. Sie waren als Apart-
menthäuser angelegt, in denen steile Steintreppen zu den

Wohnungen im ersten Stock führten. Rebus fand die Proportionen im Vergleich zu seiner Wohnung in Marchmont mickrig. Hier gab es keine hohen Decken und großen Räume mit schönen Fenstern, vor denen noch die Originalläden hingen.

Doch er konnte sich vorstellen, dass Bergarbeiter und ihre Familien sich vor hundert Jahren hier recht wohl gefühlt hatten. Sein Vater war selbst in einer Bergarbeitersiedlung in Fife geboren, und Rebus konnte sich vorstellen, dass es dort sehr ähnlich wie hier gewesen war ... zumindest äußerlich.

Drinnen hatte Pat Calder Unglaubliches vollbracht. (Rebus zweifelte keinen Augenblick daran, dass Ausstattung und Design sein Werk waren.) Hier gab es mit Messing beschlagene Schiffstruhen aus Holz, schwarze Gelenkleuchten, japanische Drucke in kunstvollen Rahmen, einen Esstisch mit einem Kerzenhalter, der an eine jüdische Menora erinnerte, und eine riesige Fernseh- und Hi-Fi-Anlage. Doch nirgends eine Spur von Elvis. Rebus, der auf einem schwarzen Ledersofa saß, deutete mit dem Kopf auf einen der sarggroßen Lautsprecher.

»Beschweren sich die Nachbarn denn nicht?«

»Doch, ständig«, gab Calder zu. »Eddies Sternstunde war, als der Typ vier Häuser weiter anrief, um uns zu sagen, er könne seinen Fernseher nicht hören.«

»Rücksichtsvoll, was?«

Calder lächelte. »Eddie war nie besonders *sozial*.«

»Kennen Sie sich schon lange?«

Calder, der mit einem Sitzkissen unter dem Hintern ausgestreckt auf dem Boden lag, stieß nervös den Rauch einer schwarzen Sobranie-Zigarette aus. »Zwei Jahre lang eher flüchtig. Zusammengezogen sind wir ungefähr zu der Zeit, als wir die Idee für das Heartbreak hatten.«

»Wie ist er denn so? Ich meine außerhalb des Restaurants?«

»Mal hinreißend, im nächsten Augenblick ein verwöhntes Balg.«

»Verwöhnen Sie ihn?«

»Ich schotte ihn von der Welt ab. Hab ich zumindest getan.«

»Wie war er denn, als Sie sich kennen lernten?«

»Er hat noch mehr getrunken als heute, wenn Sie sich das vorstellen können.«

»Wissen Sie, warum er damit angefangen hat?« Rebus hatte dem Angebot einer Zigarette widerstanden, doch der Rauch stieg ihm verlockend in die Nase. Vielleicht überlegte er es sich ja doch noch anders.

»Er sagte, er würde trinken, um zu vergessen. Jetzt fragen Sie mich bestimmt, was vergessen. Aber leider hat er mir das nie erzählt.«

»Noch nicht mal eine Andeutung?«

»Ich glaube, er hat Brian Holmes mehr erzählt als mir.«

O Gott, war hier etwa Eifersucht im Spiel? Rebus hatte eine plötzliche Vision, wie Calder Holmes eins auf die Birne gab … und vielleicht sogar fast Eddie alle machte.

Calder lachte. »Ich könnte ihm niemals wehtun, Inspector. Ich weiß, was Sie denken.«

»Es muss aber doch frustrierend sein? Ein solches Genie, wie Sie ihn nennen, macht sich mit Alkohol völlig kaputt. Auf so jemanden aufzupassen ist sehr anstrengend.«

»Sie haben Recht, es *kann* frustrierend sein.«

»Besonders wenn derjenige die ganze Zeit unter Strom steht.«

Calder runzelte die Stirn und blinzelte Rebus durch den Rauch an, der aus seinen Nasenlöchern strömte. »Warum sagen Sie ›unter Strom‹?«

»Ist doch nur ein anderer Ausdruck für betrunken.«

»Ich weiß. Dafür gibt's aber auch 'ne Menge anderer Wörter. Bloß bei Strom muss ich an Gas denken, und Eddie hatte immer diese Albträume. Dass man vergast wird oder andere Leute vergast. Sie wissen schon, wie im Konzentrationslager.«

»Hat er Ihnen von diesen Träumen erzählt?«

»Nein, aber er hat häufig im Schlaf geschrien. Eine Menge Schwule sind in die Gaskammern gewandert, Inspector.«

»Glauben Sie, dass ihn das beschäftigt hat?«

Calder drückte die Zigarette in einer Bettpfanne aus Porzellan aus, die neben dem Kamin stand. Dann erhob er sich. »Kommen Sie, ich möchte Ihnen was zeigen.«

Rebus hatte bereits die Küche und das Badezimmer gesehen, also musste hinter der Tür, zu der Calder ihn nun führte, das Schlafzimmer der Wohnung liegen. Er wusste nicht so recht, was er erwartete.

»Ich weiß, was Sie die ganze Zeit gedacht haben«, sagte Calder und stieß die Tür weit auf. »Das hier ist alles Eddies Werk.«

Und was für ein Werk. In dem Raum stand ein riesiges Doppelbett, auf dem etliche offenbar echte Zebrafelle lagen. Und an den Wänden hingen mehrere große Gemälde vom Glitzer-Elvis in Aktion. Rebus blickte nach oben. An der Decke war ein Spiegel angebracht. Egal, welche Position man auf diesem Bett einnahm, man würde immer einen Elvis in Aktion beobachten können, die Hand mit dem Mikrophon hoch erhoben.

»Jedem das Seine«, bemerkte er.

Er leistete Clarke und Petrie zwei Stunden Gesellschaft, nur um seinen guten Willen zu beweisen. Ohne große Überraschung stellte er fest, dass Jardine durch einen jungen Mann namens Madden ersetzt worden war, der über einen Vorrat an Witzen verfügte, die man seit den Tagen des Röhrenradios nicht mehr gehört hatte.

»Madden mit Namen«, stellte sich der Steuerfahndungsbeamte vor, »und verrückt von Natur.«

Wohl eher Witze aus den Zeiten des Dampfradios. Rebus begann sich zu fragen, ob es wirklich so eine gute Idee gewesen war, Jardines Boss anzurufen und ihn zwanzig Minuten lang mit exotischen Ausdrücken zu beschimpfen.

»Ich mache hier die Witze«, sagte er mit warnendem Unterton.

Rebus hatte schon aufregendere Nachmittage in seinem Leben verbracht. Zum Beispiel wenn ihn sein Vater mitnahm zu einem Heimspiel der Reservemannschaft von Cowdenbeath gegen Dundee. Es gelang ihm nur einmal, die Monotonie zu durchbrechen, als er nämlich hinausging, um in einer Bäckerei in der Nähe Teilchen zu kaufen, obwohl derartige Aktivitäten eigentlich *verboten* waren. Er nahm sich das mit Pudding, pulte den Zuckerguss ab und legte ihn beiseite. Madden fragte, ob er ihn haben könne. Rebus nickte.

Siobhan Clarke sah aus, als hätte ihr jemand einen Jauchekübel über den Kopf gekippt. Sie versuchte, es sich nicht anmerken zu lassen, und lächelte, wenn sie spürte, dass er in ihre Richtung sah. Aber irgendwas stimmte nicht mit ihr. Rebus wollte lieber nicht fragen, was los war. Er hatte das Gefühl, dass es etwas mit Brian zu tun hatte … vielleicht mit Brian und Nell. Stattdessen erzählte er ihr von der Schaufensterscheibe von Bone.

»Nehmen Sie sich irgendwann die Zeit«, sagte er, »und stöbern Sie Kintoul auf, wenn nicht zu Hause, dann im Krankenhaus. Er arbeitet doch dort im Labor?«

»Ja.« Mit ihr stimmte wirklich was nicht.

Wie es seiner Stellung gebührte, empfahl Rebus sich schließlich und ging. In St. Leonard's lag eine Nachricht auf seinem Schreibtisch, er solle Mairie Henderson in der Redaktion anrufen.

»Mairie?«

»Inspector, das ging aber schnell.«

»Sie sind so ungefähr der einzige Anhaltspunkt, den ich habe.«

»Was für ein schönes Gefühl, gebraucht zu werden.« Sie

hatte einen Akzent, der sich sarkastisch anhören konnte, wenn sie wollte. »Aber freuen Sie sich nicht zu früh.«

»Ihr Chefredakteur kann sich also nicht daran erinnern?«

»Nur dass es irgendwann im August war, das heißt, etwa drei Monate nachdem das Central abgebrannt ist.«

»Könnte alles Mögliche bedeuten.«

»Ich hab mein Bestes getan.«

»Ja, danke, Mairie.«

»Moment mal, legen Sie noch nicht auf!« Das hatte Rebus auch nicht vor. »Etwas sagte er noch. Anscheinend ein Detail, das ihm im Gedächtnis geblieben ist.« Sie hielt inne.

»Lassen Sie sich ruhig Zeit, Mairie.«

»Genau das tue ich, Inspector.« Sie hielt wieder inne.

»Haben Sie gerade an einer Zigarette gezogen?«

»Und wenn?«

»Wann haben Sie denn mit dem Rauchen angefangen?«

»Ist besser als am Bleistift kauen.«

»Damit hemmen Sie Ihr Wachstum.«

»Sie hören sich an wie mein Vater.«

Das brachte ihn schlagartig auf den Boden der Tatsachen zurück. Da hatte er doch tatsächlich geglaubt, sie würden … was? Locker miteinander plaudern? Miteinander *flirten*? Du träumst wohl, John Rebus. Nun hatte sie ihn an den nicht unbeträchtlichen Altersunterschied zwischen ihnen erinnert.

»Sind Sie noch da, Inspector?«

»Entschuldigung, mir ist gerade mein Hörgerät rausgefallen. Was hat der Chefredakteur gesagt?«

»Erinnern Sie sich an diese Geschichte, wie Aengus Gibson in die falsche Wohnung eingestiegen ist?«

»Ja.«

»Nun, die Frau, in deren Wohnung er einbrach, hieß Mo Johnson.«

Rebus lächelte. Doch das Lächeln verging ihm. »Der Name kommt mir irgendwie bekannt vor.«

»Das ist ein Fußballspieler.«

»Ich *weiß*, dass das ein Fußballspieler ist. Doch eine weibliche Mo Johnson, *da* dämmert mir was.« Aber nur ganz schwach, viel zu schwach.

»Sagen Sie mir Bescheid, wenn Sie was rauskriegen.«

»Mach ich, Mairie. Und Mairie?«

»Was?«

»Gehen Sie abends nicht zu lange aus.« Rebus legte schnell den Hörer auf.

Mo Johnson. Vermutlich eine Abkürzung von Maureen. Wo war er auf diesen Namen gestoßen? Er wusste, wie er das rauskriegen konnte. Doch wenn Watson davon erfuhr, würde es noch mehr Ärger geben. Ach, zum Teufel mit Watson. Der war doch nicht viel mehr als ein Sklave der Kaffeebohnen. Rebus ging an den Computer und tippte ein paar Daten ein, um sich die Akte von Aengus Gibson auf den Bildschirm zu holen. Der Vorfall wurde zwar erwähnt, doch es war nie zur Anklage gekommen. Die Frau wurde nicht mal namentlich erwähnt, und es war keine Adresse angegeben. Doch da Gibson in die Sache verwickelt war, hatte sich die Kriminalpolizei dafür interessiert. Schließlich konnte man sich nicht einfach darauf verlassen, dass die niederen Chargen alles ordentlich vertuschten. Und sieh mal an, der ermittelnde Beamte war DS Jack Morton. Rebus schloss die Akte und griff wieder zum Telefon. Der Hörer war noch warm.

»Da haben Sie aber Glück, er ist vor fünf Minuten aus dem Pub zurückgekommen.«

»Hau ab, du Quatschkopf«, hörte Rebus Morton sagen, als dieser sich den Hörer schnappte. »Hallo?« Zwei Minuten später hatte Rebus dank dem, was noch von Jack Mortons Gedächtnis übrig war, eine Adresse von Mo Johnson.

Ein Tag der Gegensätze. Vom Bäcker zum Metzger, von The Colonies zur Gorgie Road. Und nun ins Dean Village. Rebus war, seit man die Leiche aus dem Water of Leith gefischt hatte, nicht mehr in dieser Gegend gewesen. Er hatte vergessen, wie schön es hier war. Angelehnt an einen steilen Hang nahe der Dean Bridge, strahlte das Village etwas Ländlich-Friedliches aus. Trotzdem waren es von dort nur fünf Minuten zu Fuß zum West End und zur Princes Street.

Natürlich war man dabei, dieses Viertel zu versauen. Immobilienhaie hatten sich alle möglichen unbebauten Grundstücke und verfallenen Häuser gekrallt und die Besitzer durch üble Machenschaften zum Verkauf gezwungen. Die Preise, die für die so entstandenen »Apartments« verlangt wurden, waren so astronomisch, dass Rebus davon der Kopf schwindelte. Nicht, dass Mo Johnson in einem der neuen Häuser wohnte. Nein, ihre Wohnung lag in einem älteren Gebäude am Fuß des Hügels mit Blick auf den Water of Leith und die Dean Bridge. Doch sie residierte dort nicht mehr, und die Leute, die jetzt dort lebten, zierten sich, Rebus hereinzulassen. Sie glaubten auch nicht, dass sie die neue Adresse von Ms Johnson hätten. Zwischen ihnen und Ms Johnson hatte noch jemand anderer hier gewohnt. Vielleicht hätten sie ja noch die neue Adresse von *demjenigen,* auch wenn das gut zwei Jahre her war.

Ob sie denn vielleicht wüssten, wann Ms Johnson ausgezogen war?

Vor vier Jahren, oder eher fünf.

Damit war Rebus wieder beim Brand des Central Hotel angelangt. Alles, was er in diesem Fall unternahm, schien schnurstracks zu jenem Zeitpunkt vor fünf Jahren zurückzuführen, als etwas geschehen war, das das Leben vieler Menschen veränderte und mindestens eine Person das Leben kostete. Er stieg ins Auto und fragte sich, was er als Nächstes tun sollte. Eigentlich war es ihm klar, doch er hatte es die ganze Zeit hinausgeschoben. Wenn ihm schon das Herumschnüffeln bei den Gibsons Minuspunkte einbrachte, dann wagte er gar nicht daran zu denken, was für Folgen es haben könnte, wenn er mit der einzigen anderen Person sprach, die ihm seiner Meinung nach helfen konnte.

Helfen? Das war wohl ein Witz. Trotzdem wollte Rebus ein Treffen mit diesem Mann. Meine Güte, Flower hätte seinen großen Tag, wenn er das erführe. Er würde sich Zeit mieten, Essen und Trinken kommen lassen und jeden zur größten Party in der Stadt einladen. Von Lauderdale bis zum Chief Constable, sie alle würden einen draufmachen, bis keiner mehr stehen konnte.

Ja, je mehr Rebus darüber nachdachte, desto sicherer war er sich, dass es der richtige Weg war. Der richtige? Er hatte so wenige Alternativen, dass es der *einzige* war. Und um das Ganze positiv zu betrachten – wenn er erwischt wurde, würde die große Feier Little Weed zumindest in den Bankrott treiben ...

20

Er rief vorher an, da Morris Cafferty niemand war, bei dem man einfach vorbeischaute.

»Brauche ich meinen Anwalt?«, knurrte Cafferty, klang dabei jedoch leicht amüsiert. »Ich werd die Frage gleich für Sie beantworten, Strawman, ich brauche keinen verdammten Anwalt. Weil ich nämlich was viel Besseres hier habe als einen Anwalt, noch besser als einen verdammten gekauften Richter. Ich hab hier einen Hund, der beißt Ihnen die Gurgel durch, wenn ich ihm sage, er soll Ihre Visage lecken. Seien Sie um sechs hier.« Die Verbindung wurde unterbrochen, und Rebus blieb mit trockenem Mund zurück und musste sich immer wieder versichern, dass dieser dreckige Emporkömmling ihm keine Angst einjagte.

Wovor er sich jedoch noch mehr fürchtete, war die Vorstellung, dass irgendwer irgendwo bei der Lothian und Borders Police Caffertys Telefongespräche mithörte. Rebus kam sich vor, als befände er sich in einem langen schmalen Flur, wo ständig Türen hinter ihm zuschlugen. Er sah im Geist eine Gaskammer vor sich und begann zu zittern. Rasch verdrängte er dieses Bild aus seinem Kopf.

Bis sechs Uhr war es nicht mehr lange. Und in den Wartezimmern von Zahnärzten gab es zumindest Zeitschriften, mit denen man sich die Zeit vertreiben konnte.

Morris Gerald Cafferty wohnte in einer hochherrschaftlichen Villa im teuren Vorort Duddingston, das deshalb ein »Vorort« war, weil es durch den Hügel Arthur's Seat und den Höhenzug Salisbury Craigs von der Edinburgher Innenstadt getrennt wurde. Cafferty genoss es, in Duddingston zu wohnen, weil das seine Nachbarn ärgerte, die größtenteils aus Anwälten, Ärzten und Bankern bestanden. Außerdem weil es nicht weit entfernt lag von Craigmillar, seinem Geburtsort und seiner geistigen Heimat. Craigmillar gehörte zu den raueren Vierteln der Stadt. Cafferty war in der Siedlung aufgewachsen und hatte sich dort und im benachbarten Niddrie zum ersten Mal unrühmlich hervorgetan. Er war nämlich mit einer Gruppe von Jugendlichen aus Craigmillar nach Niddrie gezogen, um dort eine rivalisierende Bande aufzumischen. Jemand wurde erstochen … mit einer aus einem Eisengeländer herausgerissenen Stange. Die Polizei fand heraus, dass der junge Cafferty bereits in der Schule Ärger gehabt hatte, weil er »aus Versehen« einem Mitschüler einen Kugelschreiber ins Auge gerammt hatte.

Das war der Anfang einer langen Karriere.

Das schmiedeeiserne Einfahrtstor öffnete sich automatisch, als Rebus sich näherte. Er fuhr die gepflegte Privatstraße entlang, die auf beiden Seiten von altem Baumbestand gesäumt wurde. Von der Hauptstraße aus sah man nur vage Umrisse des Hauses. Doch Rebus war schon mehrfach dort gewesen, um Fragen zu stellen oder eine Verhaftung vorzunehmen. Er wusste, dass sich hinter dem Hauptgebäude noch ein kleineres Haus befand, beide durch einen überdachten Gehweg miteinander verbunden. Dieses kleinere Haus war zu jener Zeit, als hier vielleicht eine großbürgerliche Kaufmannsfamilie gewohnt hatte, die Dienstbotenunterkunft gewesen. Der Kiesweg gabelte sich nun. Eine Abzweigung führte zur Vorderseite des Haupthauses, die andere zur Rückseite. Ein Mann dirigierte Rebus nach hinten zum Personaleingang. Der Mann war sehr kräftig und hatte einen Haarschnitt, als würde er einen Motorradhelm tragen, kurzer Pony und an den Seiten glatt über den Ohren. Wo kriegte Cafferty diese Neandertaler bloß her?

Der Mann folgte ihm hinters Haus. Rebus wusste, wo er zu parken hatte. Es gab drei Stellplätze, zwei waren leer und auf einem stand ein Volvo-Kombiwagen. Rebus glaubte, den Volvo zu kennen, obwohl er nicht Cafferty gehörte. Caffertys Autokollektion war in einer großen Garage untergebracht. Er besaß einen Bentley und einen kirschroten 63er Thunderbird, mit denen er aber nie fuhr. Für den täglichen Bedarf benutzte er den Jaguar, einen XJS-HE. Und fürs Wochenende gab's noch den zuverlässigen Rolls-Royce, den Cafferty seit mindestens fünfzehn Jahren besaß.

Der Mann öffnete die Tür von Rebus' Auto und wies auf das kleine Haus. Rebus stieg aus.

»Vidal Sassoon hatte wohl keinen Termin mehr frei«, sagte er.

»Hä?« Der Mann drehte Rebus die rechte Kopfseite zu.

»Egal.« Er wollte schon weitergehen, doch dann zögerte er. »Könnte es sein, dass Sie sich mal mit einem Mann namens Dougary geprügelt haben?«

»Geht Sie nichts an.«

Rebus zuckte die Achseln. Der kräftige Mann warf die Autotür zu und blieb stehen, um Rebus zu beobachten. Er hatte keine Chance, die Steuerplakette oder sonst was an dem Volvo zu überprüfen. Blieb ihm also nichts weiter übrig, als sich das Autokennzeichen zu merken.

Rebus öffnete die Tür des kleinen Hauses. Eine Wolke aus Hitze und Dampf schlug ihm entgegen. Man hatte das ganze Gebäude entkernt, damit man einen Swimmingpool und eine Turnhalle einbauen konnte. Das Schwimmbecken war nierenförmig, von ihm ging noch ein kleines rundes Becken ab – ein Whirlpool vermutlich. Rebus hatte nierenförmige Becken schon immer gehasst, weil man darin keine Bahnen schwimmen konnte. Nicht dass er ein großer Schwimmer gewesen wäre.

»Strawman! Wird aber auch Zeit!«

Zunächst konnte er Cafferty überhaupt nicht sehen, obwohl er keine Mühe hatte zu erkennen, wer sich über ihn beugte. Cafferty lag auf einem Massagetisch, sein Gesicht ruhte auf einem Stapel Handtücher. Sein Rücken wurde gerade vom Organ Grinder höchstpersönlich geknetet, der zufällig einen Volvo-Kombi besaß. Der Organ Grinder tat klugerweise so, als würde er Rebus nicht kennen; und als Cafferty nicht hinsah, gab Rebus ihm durch ein kaum merkliches Nicken zu verstehen, dass dieses kleine Versteckspiel ganz in seinem Sinne war.

Cafferty hatte sich mittlerweile auf den Rücken gerollt und stieg nun vorsichtig vom Tisch. Versuchsweise bewegte er Rücken und Schultern. »Das ist phantastisch«, sagte er. Dann entfernte er das Handtuch von seinen Hüften und tapste barfuß auf Rebus zu.

»Sehen Sie, Strawman, keine versteckten Waffen.« Sein Lachen klang, als würde sich ein Lehrling mit einer großen Feile abmühen.

Rebus sah sich um. »Wo ist denn der ...?«

Doch plötzlich war er da, wuchtete seinen riesigen Körper aus dem Swimmingpool. Rebus hatte nicht mal bemerkt, dass er dort nach einem Knochen getaucht war – und zwar keinem aus Plastik. Das schwarze Ungeheuer legte den Knochen Cafferty vor die Füße, schnupperte an Rebus' Beinen und schüttelte sich dann genau vor ihm.

»Guter Junge, Kaiser«, sagte Cafferty. Der Parkwächter war mittlerweile ebenfalls in den heißen und stickigen Raum gekommen. Rebus nickte niemand Bestimmtem zu.

»Ich hoffe, Sie haben dafür eine Baugenehmigung.«

»Alles ganz korrekt, Strawman. Kommen Sie, Sie sollten sich jetzt besser umziehen.«

»Umziehen, wozu?«

Erneutes Lachen. »Keine Sorge, Sie sollen nicht zum Dinner bleiben. Ich geh jetzt joggen und Sie auch – wenn Sie mit mir reden wollen.«

Joggen, o Gott! Cafferty drehte sich um und ging auf eine Tür zu, hinter der sich offenbar eine Umkleidekabine befand. Er schlug dem Organ Grinder im Vorbeigehen auf die Schulter.

»Einfach phantastisch. Nächste Woche um die gleiche Zeit?«

Er war muskulös und behaart und hatte einen Brustkorb, auf den ein Bauer im Grenzland stolz gewesen wäre. Natürlich hatte er hier und da auch ein bisschen Fett angesetzt, aber nicht so viel, wie Rebus erwartet hätte. Es konnte kein Zweifel daran bestehen: Big Ger hielt sich gut in Form. Hintern und Oberschenkel wirkten zwar etwas schlaff, doch sein Bauch machte einen straffen Eindruck. Rebus versuchte, sich daran zu erinnern, wann er Cafferty das letzte Mal gesehen hatte. Vermutlich vor Gericht …

Gern hätte Rebus ein paar Worte mit dem Organ Grinder gewechselt, doch in Gegenwart dieses Parkwächters und Gorillas, der lauernd herumstand, war das wohl kaum ratsam. Man konnte ja nie wissen, wie viel ein einohriger Mann mitbekam.

»Hier, dieses Zeug sollte wohl passen.«

Das »Zeug« bestand aus Sweatshirt, Joggingshorts, Socken und Turnschuhen ... und einem Stirnband. Rebus würde den Teufel tun und ein Stirnband tragen. Doch als Cafferty aus der Kabine trat, hatte *er* eins um; dazu trug er ein weißes Joggingshirt und blütenweiße Shorts. Während Rebus in der Kabine verschwand, um sich umzuziehen, begann er bereits mit Lockerungsübungen.

Was, zum Teufel, mache ich hier überhaupt?, fragte er sich. Er hatte sich alles Mögliche vorgestellt, aber nicht das. Im Leben mochte ja manches schmerzvoll sein, doch das hier, daran hatte er keinen Zweifel, würde eine Tortur werden.

»Wohin?«, fragte er, als sie aus der überheizten Turnhalle hinaus in die kühle Abenddämmerung liefen. Er hatte das Stirnband nicht an. Außerdem trug er das Sweatshirt links herum. Auf der Vorderseite stand nämlich: »Tritt mich, wenn ich stehen bleibe.« Das fand Cafferty wohl witzig.

»Manchmal laufe ich zum Duddingston Loch und manchmal auf den Arthur's Seat. Sie dürfen wählen.« Big Ger trabte auf der Stelle.

»Zum Loch.«

»Okay«, sagte Big Ger, und sie rannten los.

In den ersten Minuten beschäftigte Rebus allein die Sorge, ob sein Körper so etwas überhaupt aushalten würde, deshalb bemerkte er zunächst den Wagen nicht, der ihnen folgte. Es war der Jaguar, den der Parkwächter auf einer Geschwindigkeit zwischen null und fünfzehn Stundenkilometer hielt.

»Erinnern Sie sich noch, wie Sie das letzte Mal gegen mich ausgesagt haben?«, fragte Big Ger. Als Gesprächseröffnung gar nicht so schlecht. Rebus nickte. Sie liefen nebeneinander her, die Bürgersteige waren fast menschenleer. Er fragte sich, ob irgendwelche Undercoverbeamten Fotos davon machten. »Das war drüben in Glasgow.«

»Ich erinnere mich.«

»Nicht schuldig natürlich.« Big Ger grinste. Es sah so aus, als hätte er sich auch die Zähne sanieren lassen. Rebus hatte sie graugrün in Erinnerung. Nun waren sie strahlend weiß überkront. Und sein Haar … war es dichter als früher? Vielleicht so eine Haarimplantation? »Jedenfalls hab ich gehört, dass Sie danach wieder nach London gefahren sind und einen Heidenspaß hatten?«

»Das kann man wohl sagen.«

Sie liefen eine Minute lang schweigend. Das Tempo war gar nicht so hoch, aber Rebus hatte überhaupt keine Kondition. Seine Lungen machten sich bereits durch ein heftiges Brennen bemerkbar.

»Sie werden langsam kahl am Hinterkopf«, bemerkte Cafferty. »Mit einer Haarimplantation kriegt man das wieder hin.«

Nun war es an Rebus zu grinsen. »Sie wissen verdammt genau, dass ich mich da übel verbrannt hab.«

»Aye, und ich weiß auch, wer daran schuld war.«

Zumindest sah Rebus seine Vermutung mit der Haarimplantation bestätigt.

»Ich wollte übrigens mit Ihnen über ein anderes Feuer reden.«

»Oh, aye?«

»Das im Central.«

»Das Central Hotel?« Rebus stellte zufrieden fest, dass Big Ger mittlerweile die Worte auch nicht mehr so locker über die Lippen kamen. »Das ist ja prähistorisch.«

»Für mich nicht.«

»Aber was hab ich damit zu tun?«

»Zwei von Ihren Männern waren an jenem Abend dort und haben Poker gespielt.«

Cafferty schüttelte den Kopf. »Das kann nicht sein. Ich lasse keine Spieler für mich arbeiten. Das verstößt gegen die Bibel.«

»Alles, was Sie tun, vom Aufwachen bis zum Einschlafen, verstößt gegen *irgendjemandes* Bibel, Cafferty.«

»Bitte, Strawman, nennen Sie mich *Mr* Cafferty.«

»Ich nenn Sie, wie ich will.«

»Und ich nenn Sie Strawman.«

Der Name tat Rebus in den Ohren weh ... jedes Mal. Es war bei einem Prozess in Glasgow gewesen. Der Ankläger hatte versehentlich auf den falschen Notizzettel geguckt und Rebus mit dem einzigen anderen Zeugen, einem Pubwirt namens Stroman, durcheinander gebracht.

»Also dann, Inspector Stroman ...« In diesem Moment hatte Cafferty auf der Anklagebank angefangen zu lachen, und zwar so laut, dass er beinah wegen Missachtung des Gerichts verurteilt worden wäre. Seine Augen hatten Rebus förmlich durchbohrt, während er das Wort, so wie er es gehört hatte, ein letztes Mal mit den Lippen formulierte: Strawman, *Strohmann*.

»Wie gesagt«, fuhr Rebus fort, »zwei von Ihren gedungenen Schafsköpfen. Eck und Tam Robertson.«

Sie waren gerade am Sheep's Heid Pub vorbeigekommen, in das Rebus liebend gern einen Abstecher gemacht hätte. Cafferty wusste das.

»Wenn wir zurück sind, gibt's Kräutertee. Passen Sie auf da!« Seine Warnung bewahrte Rebus davor, in einen Hundehaufen zu treten.

»Danke«, sagte Rebus unwirsch.

»Ich hab nur an die Schuhe gedacht«, antwortete Cafferty. »Wissen Sie, was ›The Flowers of Edinburgh‹ sind?«

»Eine Rockband?«

»Nein, Scheiße. Früher haben die Leute ihre ganze Scheiße aus den Fenstern auf die Straße gekippt. Es lag so viel davon rum, dass die Einheimischen es die Blumen von Edinburgh nannten. Das hab ich in einem Buch gelesen.«

Rebus musste an Alister Flower denken und lächelte. »Da

kann man ja froh sein, dass man heutzutage in einer anständigen Gesellschaft lebt.«

»Das stimmt«, erwiderte Cafferty ohne jede Spur von Ironie. »Eck und Tam Robertson, ja? Die Bru-Head Brothers. Ich will Sie nicht belügen, die haben mal für mich gearbeitet. Tam nur ein paar Wochen, Eck länger.«

»Ich will ja gar nicht wissen, was sie gemacht haben.«

Cafferty zuckte die Achseln. »Sie waren ganz gewöhnliche Angestellte.«

»Das deckt eine Menge Sünden ab.«

»Hören Sie, ich hab Sie nicht darum gebeten zu kommen. Aber wo Sie nun einmal da sind, beantworte ich Ihre Fragen, okay?«

»Das weiß ich auch zu schätzen, wirklich. Sie sagen, Sie wussten nicht, dass die beiden an jenem Abend im Central waren?«

»Nein.«

»Wissen Sie, was danach aus ihnen geworden ist?«

»Sie haben aufgehört, für mich zu arbeiten. Nicht gleichzeitig. Tam ist als Erster gegangen, glaub ich. Erst Tam, dann Eck. Tam war ein Dummkopf, ein richtiger Loser. Ich mag keine Loser. Ich hab ihn nur beschäftigt, weil Eck mich darum gebeten hat. Eck war ein guter Arbeiter.« Er schien für einen Augenblick in Gedanken versunken. »Sind Sie auf der Suche nach denen?«

»Genau.«

»Tut mir Leid, da kann ich Ihnen nicht helfen.« Rebus fragte sich, ob Caffertys Wangen nur halb so rot waren, wie seine sich anfühlten. Er spürte heftiges Seitenstechen und fragte sich, wie er den Rückweg schaffen sollte. »Sie glauben, die hätten was mit der Leiche zu tun?«

Rebus nickte.

»Wieso sind Sie sich da so sicher?«

»Ich bin mir nicht sicher. Aber *wenn* die beiden was damit

zu tun hatten, dann würd ich wetten, dass Sie auch nicht allzu weit entfernt waren.«

»Ich?« Cafferty lachte wieder, doch sein Lachen klang gezwungen. »Wenn ich mich recht entsinne, hab ich damals gerade mit ein paar Freunden Urlaub auf Malta gemacht.«

»Sie scheinen immer mit Freunden zusammen zu sein, wenn was passiert.«

»Ich bin halt ein geselliger Mensch. Ich kann doch nichts dafür, wenn die Leute mich mögen. Wissen Sie, was ich noch über Schottland gelesen hab? Der Papst hat es den ›Arsch von Europa‹ genannt.« Cafferty wurde langsamer und blieb stehen. Sie hatten fast die höchste Stelle am Duddingston Loch erreicht. »Kaum zu glauben, was? Der Arsch von Europa, finde ich überhaupt nicht.«

»Ach, ich weiß nicht«, sagte Rebus, der sich vornübergebeugt und die Hände auf die Knie gelegt hatte. »Wenn das der Arsch ist …«, er blickte auf, »dann wüsste ich, wo ich das Klistier reinstecken muss.«

Caffertys Gelächter hallte durch die Gegend. Er atmete tief ein und aus, um seinen Kreislauf zu normalisieren. Als er dann sprach, tat er es mit gedämpfter Stimme, obwohl niemand in der Nähe war, der sie hätte hören können. »Doch wir sind ein grausames Volk, Strawman. Wir alle, Sie und ich. Und wir haben makabre Gelüste.« Sein Gesicht war ganz nah an Rebus', beide standen vornübergebeugt da. Rebus hielt den Blick starr auf das Gras unter ihm gerichtet. »Als der Grabräuber Burke hingerichtet wurde, hat man aus seiner Haut Souvenirs hergestellt. Ich besitze eins davon und zeig's Ihnen gleich zu Hause.« Die Stimme hätte in Rebus' Kopf sein können. »Wir sind leidenschaftliche Beobachter, das ist unbestritten. Ich wette sogar, dass Sie Gefallen am Schmerz finden, Strawman. Ihnen tut alles weh, trotzdem sind Sie mit mir gelaufen und haben nicht aufgegeben. Warum? Weil Sie den Schmerz *genießen*. Das macht Sie zu einem Kalvinisten.«

»Das macht *Sie* zu einer Bedrohung für die Menschheit.«

»Mich? Einen einfachen Geschäftsmann, dem es gelungen ist, dieses Übel namens Rezession zu überleben.«

»Nein, Sie sind mehr als das«, sagte Rebus und richtete sich auf. »Sie sind das Übel.«

Cafferty sah aus, als ob er am liebsten zugeschlagen hätte, doch stattdessen klopfte er Rebus auf den Rücken. »Kommen Sie, wir müssen zurück.«

Rebus wollte gerade um eine weitere Minute Rast bitten, als er feststellte, dass Cafferty auf den Jaguar zuging. »Was?«, sagte Cafferty. »Haben Sie etwa geglaubt, ich würd *beide Strecken* laufen? Nun kommen Sie schon, Ihr Kräutertee wartet.«

Und es gab tatsächlich Kräutertee. Er wurde am Pool serviert, nachdem Rebus sich geduscht und seine eigenen Sachen wieder angezogen hatte. Ihm war klar, dass jemand während seiner Abwesenheit seine Brieftasche und seinen Terminkalender durchgegangen war, doch er wusste, dass derjenige nicht viel gefunden haben konnte. Ausweis und Kreditkarten hatte er in den Bund der Jogginghose gesteckt, und das wenige Geld, das sich noch in seiner Brieftasche befand, reichte höchstens für eine Abendzeitung und eine Rolle Pfefferminz.

»Tut mir Leid, dass ich Ihnen nicht mehr helfen konnte«, sagte Cafferty.

»Das hätten Sie, wenn Sie sich bemüht hätten«, entgegnete Rebus. Er versuchte, das Zittern in seinen Beinen zu unterdrücken. Die hatten nicht mehr so viel Bewegung bekommen, seit er das letzte Mal umgezogen war.

Cafferty zuckte nur die Achseln. Er trug nun eine weite, bunt gemusterte Badehose und war bereits eine Runde geschwommen. Während er sich abtrocknete, lugte so viel von seinem Hinterteil hervor, dass er wie ein Bauarbeiter aussah.

Derweil lag der Höllenhund am Pool und leckte sich die Lefzen. Von dem Knochen, an dem er gekaut hatte, war kein

Fitzelchen mehr übrig. Plötzlich wusste Rebus, woher er den Hund kannte.

»Haben Sie einen Jeep mit Vierradantrieb?« Cafferty nickte. »Der stand neulich gegenüber der Metzgerei Bone auf der South Clerk Street. Der Köter war hinten drin.«

»Das ist der Wagen von meiner Frau.«

»Nimmt sie den Hund oft mit in die Stadt?«

»Sie holt dort die Knochen für Kaiser. Außerdem ist er billiger als eine Alarmanlage.« Cafferty lächelte dem Hund liebevoll zu. »Ich hab noch nie erlebt, dass ihn jemand ausgetrickst hat.«

»Vielleicht würd's mit Würstchen funktionieren.« Den Witz verstand Cafferty nicht. Rebus kam zu dem Schluss, dass er so nichts erreichte. Es wurde Zeit, einen letzten Versuchsballon zu starten. Er trank das Gebräu aus. Es schmeckte wie Spearmintkaugummi. »Einer meiner Kollegen hat versucht, die Robertson-Brüder aufzuspüren. Irgendwer hat ihn krankenhausreif geschlagen.«

»Tatsächlich?« Cafferty wirkte aufrichtig überrascht. »Was ist denn passiert?«

»Er wurde hinter einem Restaurant namens Heartbreak Café überfallen.«

»Du meine Güte. Hat er sie denn gefunden, ich meine Tam und Eck?«

»Wenn das der Fall gewesen wäre, hätte ich nicht herkommen müssen.«

»Ich dachte, es wär vielleicht nur ein Vorwand für einen Plausch über die guten alten Zeiten gewesen.«

»Was für gute alte Zeiten?«

»Wohl wahr, Sie sind so schlecht drauf wie eh und je. Bei mir ist das was anderes. Meine wilden Zeiten sind vorbei.« Als Beweis dafür nahm er einen Schluck von seinem Tee. »Ich bin ein anderer geworden.«

Rebus hätte beinah laut aufgelacht. »Sie haben diesen

Spruch so oft vor Gericht aufgesagt, dass Sie allmählich selbst dran glauben.«

»Das stimmt nicht.«

»Dann würden Sie also nicht versuchen, mich einzuschüchtern?«

Cafferty schüttelte den Kopf. Er hockte neben dem Hund und kraulte ihm kräftig den Kopf. »O nein, Strawman, die Zeiten sind längst vorbei, wo ich mir einen Satz lange Zimmermannsnägel nehmen und Sie in irgendeinem verlassenen Haus an die Fußbodendielen nageln würde. Oder Ihre Mandeln mit einem Starthilfekabel kitzeln, das mit einem Generator verbunden ist.« Das Thema schien ihn anzuregen, und er wirkte nun beinah so angriffslustig wie sein Hund.

Rebus blieb gelassen. Er hatte sogar der Aufzählung noch etwas hinzuzufügen. »Oder mich von der Forth-Eisenbahnbrücke baumeln lassen?« Es herrschte Schweigen. Nur das Sprudeln des Whirlpools und das Schnaufen des Hundes waren zu hören. Dann ging die Tür auf, ein Frauenkopf erschien und lächelte breit zu ihnen herüber.

»Morris, in zehn Minuten gibt's Abendessen.«

»Danke, Mo.«

Die Tür schloss sich wieder, und Cafferty stand auf. Der Hund ebenfalls. »Tja, Strawman, es war wunderbar, mit Ihnen zu plaudern, aber ich sollte mich wohl lieber vor dem Essen duschen. Mo beklagt sich nämlich immer, dass ich nach Chlor stinke. Ich sag ihr zwar immer wieder, wir brauchten kein Chlor in den Pool zu tun, wenn die Gäste nicht reinpissen würden, aber sie gibt Kaiser die Schuld dafür!«

»Sie ist Ihre ... äh ...?«

»Meine Frau. Seit vier Jahren und drei Monaten.«

Rebus nickte. Er wusste natürlich, dass Cafferty verheiratet war. Er hatte nur den Namen der glücklichen Braut vergessen.

»Wenn überhaupt jemandem, dann hab ich es ihr zu verdanken, dass ich ein anderer geworden bin«, erklärte Cafferty gerade. »Sie bringt mich dazu, all diese Bücher zu lesen.«

Auch die Nazis lasen Bücher. »Nur noch eins, Cafferty.«

»*Mr* Cafferty. Tun Sie mir doch den Gefallen.«

Rebus schluckte. »Mr Cafferty. Wie lautet der Mädchenname Ihrer Frau?«

»Morag«, antwortete Cafferty, offensichtlich verblüfft über die Frage. »Morag Johnson.« Dann tapste er Richtung Dusche, zog dabei die Badehose aus und präsentierte Rebus seinen nackten Hintern.

Morag Johnson. Ja natürlich. Rebus hätte wetten mögen, dass sich nicht viele Leute Big Ger gegenüber den »Mo Johnson«-Gag erlaubten. Doch in der Form war ihm der Name zum ersten Mal untergekommen. Die Frau, in deren Wohnung Aengus Gibson eingedrungen war, hatte also kurze Zeit später Big Ger Cafferty geheiratet. So kurz danach, dass sie sich zu dem Zeitpunkt, als der Einbruch stattfand, bereits gekannt haben *mussten*.

Endlich hatte Rebus seine Verbindung zwischen Aengus Gibson, den Bru-Head Brothers und Big Ger.

Jetzt musste er nur noch herausfinden, was zum Teufel das zu bedeuten hatte.

Er stand auf, was ein bedrohliches Knurren bei dem Höllenhund hervorrief. Vorsichtig bewegte er sich auf die Tür zu, immer in dem Wissen, dass Big Ger nur aus der Dusche zu rufen brauchte, und Kaiser würde schneller an ihm kleben als Pisse an einem Laternenpfahl. Im Hinausgehen vergegenwärtigte er sich noch einmal die Szenarien einer qualvollen Exekution, die Big Ger so liebevoll für ihn ausgemalt hatte.

John Rebus dankte Gott ein weiteres Mal dafür, dass er die Waffe noch nicht besaß.

Doch etwas war bemerkenswert gewesen. Wie Big Ger sich überrascht gezeigt hatte, als er ihm von Holmes erzählte. Als hätte er *wirklich* nichts davon gewusst. Und wie erpicht er darauf gewesen war zu erfahren, ob es Holmes gelungen war, Tam und Eck Robertson aufzuspüren.

Rebus fuhr mit mehr Fragen als Antworten zurück. Doch eine Frage war für ihn zweifelsfrei beantwortet: Hinter der Entführung von Michael hatte Cafferty gesteckt. Dessen war er sich jetzt ganz sicher.

21

»Das kann doch nicht wahr sein«, sagte Siobhan Clarke.

»Ist es aber«, erwiderte Peter Petrie. Er hatte keine Filme mehr. Noch reichlich Batterien, aber keinen einzigen Film. Das passierte gleich als Erstes am Donnerstagmorgen und war so ziemlich das Letzte, was Clarke in diesem Moment gebrauchen konnte. »Also besorgst du am besten sofort welche.«

»Wieso ich?«

»Weil *ich* Schmerzen hab.« Das stimmte wohl auch. Er hatte wegen seiner Nase zwar Schmerztabletten genommen, war jedoch schon am Tag zuvor ständig am Jammern gewesen. So sehr, dass die Nervensäge Madden jeglichen Sinn für Spaß und schlechte Witze verlor und Petrie erklärte, er solle »verdammt noch mal die Schnauze halten«. Nun redeten die beiden nicht mehr miteinander. Siobhan fragte sich, ob es eine gute Idee war, sie allein zu lassen.

»Es ist ein Spezialfilm«, sagte Petrie. Er wühlte in seiner Kameratasche herum und zog eine leere Filmpackung hervor, riss die Lasche ab und gab sie ihr. »Hier steht alles drauf.«

»Das«, sagte sie, während sie das Stückchen Pappe nahm, »ist eine absolute Scheiße.«

»Versuch's mal bei Pyle's«, meinte Madden.

Sie starrte ihn wütend an. »Du machst wohl Witze?«

»Das ist ein Fotoladen auf der Morrison Street.«

»Das weiß ich, ist aber meilenweit weg!«

»Fahr doch mit dem Auto«, schlug Petrie vor.

Siobhan schnappte sich ihre Tasche. »Lass mich in Ruhe, ich find schon was hier in der Nähe.«

Doch nachdem sie zehn Minuten vergebens die Läden abgeklappert hatte, war ihr klar, dass in der Gorgie Road kein großer Bedarf an speziellen Hochgeschwindigkeitsfilmen bestand. Schließlich brauchte man so etwas auch nicht, um die Hearts in Aktion zu fotografieren. Sie tröstete sich mit diesem Gedanken und machte sich resigniert auf den Weg in die Morrison Road. Vielleicht würde sie ja zurück einen Bus kriegen.

Als sie in die Nähe des Heartbreak Cafés kam, überquerte sie die Straße, um es sich genauer anzusehen. Am Tag zuvor schien es nicht geöffnet zu sein, und am Fenster klebte ein Blatt Papier. Nun las sie, dass das Lokal »wegen Krankheit geschlossen« sei. Merkwürdig war allerdings, dass die Tür einen Spalt aufstand. Außerdem lag ein seltsamer Geruch in der Luft, etwa Gas? Sie stieß die Tür auf und blickte hinein.

»Hallo?«

Ja, eindeutig Gas, und es war niemand da. Eine Frau blieb auf der Straße stehen.

»Scheußlicher Gasgestank, was?«

Siobhan nickte und betrat das Café.

Da keine Lampen brannten und kaum natürliches Licht hereinfiel, war es im Lokal ziemlich düster. Von der Einrichtung waren nur dunkle Umrisse zu erkennen. Doch sie hatte auf keinen Fall vor, einen Lichtschalter zu betätigen. Durch die Küchentür drang ein wenig Helligkeit, und sie ging darauf zu. Ja, in der Küche gab es Fenster, aber hier war der Gestank noch viel stärker. Sie hörte das unverwechselbare Fauchen von ausströmendem Gas. Ein Taschentuch fest an die Nase gepresst, steuerte sie auf den Notausgang zu und drückte auf den Riegel, der ihn öffnen sollte. Doch das Ding klemmte oder … Sie gab der Tür einen kräftigen Stoß, worauf diese sich ächzend um einige Zentimeter öffnete. Von außen hatte man Mülltonnen dagegen geschoben. Langsam kam frische Luft herein.

Nun galt es herauszufinden, welcher Herd eingeschaltet worden war. Erst als sie sich umdrehte, bemerkte sie die Beine und den Rumpf auf dem Boden; der dazugehörige Kopf steckte in einem großen Backofen. Sie ging hinüber und drehte das Gas aus, dann sah sie nach unten. Die Gestalt lag auf der Seite und war mit einer schwarzweiß karierten Hose und einer weißen Kochjacke bekleidet. Sie konnte den Mann nicht am Gesicht erkennen, doch der kunstvoll gestickte Name auf seiner linken Brust machte die Identifizierung leicht.

Es war Eddie Ringan.

Der Raum war immer noch voller Gas, also ging Siobhan zurück zum Notausgang und stieß noch einmal kräftig gegen die Tür. Diesmal ging sie fast ganz auf, die Mülltonnen fielen scheppernd zu Boden. In diesem Moment öffnete ein neugieriger Passant die Tür zwischen Restaurant und Küche. Seine Hand bewegte sich zum Lichtschalter.

»Nicht anfass –!«

Es gab eine riesige Explosion und einen Feuerball. Die Druckwelle schleuderte Siobhan Clarke Richtung Parkplatz, wo ihr Aufprall von dem Müll aus den Tonnen gemildert wurde, die sie nur wenige Sekunden zuvor umgekippt hatte. Im Gegensatz zu dem unglücklichen Passanten, der von einem blauen Feuerball zurück ins Restaurant katapultiert wurde, erlitt sie noch nicht mal geringfügige Verletzungen. Doch Eddie Ringan sah aus, als wäre er richtig kross gebacken worden, und das in einem Ofen, der noch nicht mal heiß gewesen war.

Als Rebus, dem von den Strapazen des Vorabends alles wehtat, am Ort des Geschehens ankam, herrschte dort ein geordnetes Chaos. Pat Calder war gerade noch rechtzeitig gekommen, um zu sehen, wie sein Lover in einem blauen Plastiksack abtransportiert wurde. Den Sack hatte man für notwendig erachtet, damit nicht noch mehr von Eddies verkohltem Gesicht abbröckelte und auf den Fußboden fiel. Das Einpacken war unter Anleitung eines Polizeiarztes geschehen, doch Rebus wusste, wo Eddie Ringan letztlich landen würde: unter dem Skalpell von Dr. Curt.

»Alles in Ordnung, Clarke?«

Rebus gab sich so lässig, wie es einem Inspector gebührt, die Hände in den Taschen und ein abgeklärter Ausdruck im Gesicht.

»Bis auf mein Steißbein, Sir.« Sie rieb sich den Knochen, als sei er eine Art Glücksbringer.

»Was ist genau passiert?«

Also berichtete sie ihm die Details, angefangen damit, dass sie keine Filme mehr hatten (ja, warum nicht Petrie mit reinreißen), bis hin zu dem Passanten, der sie beinah umgebracht hätte. Der war auch vom Arzt untersucht worden. Er hatte bei der unsanften Landung einige Prellungen erlitten sowie Wimpern und Augenbrauen verbrannt. Rebus' Kopfhaut fing schon allein bei der Vorstellung an zu kribbeln. Inzwischen roch es in der Küche nicht mehr nach Gas, sondern nach gebratenem Fleisch, und das beinah verlockend, wenn man nicht daran dachte, woher der Geruch stammte.

Calder saß an der Bar und beobachtete, wie die Leute an ihm vorbei durch das Traumreich trampelten, das er sich mit Eddie Ringan aufgebaut hatte. Rebus nahm neben ihm Platz, froh, seine Beine ein wenig entlasten zu können.

»Diese Albträume«, sagte Calder, »sieht aus, als hätte er dafür gesorgt, dass sie wahr wurden.«

»Sieht so aus. Haben Sie eine Ahnung, weshalb er sich hätte umbringen wollen?«

Calder schüttelte den Kopf. Er behielt mit Mühe die Fassung. »Ich vermute, es ist ihm alles zu viel geworden.«

»Was alles?«

Calder schüttelte weiter den Kopf. »Vielleicht werden wir das nie erfahren.«

»Das glauben Sie doch wohl selber nicht«, sagte Rebus, bemüht, es nicht wie eine Drohung klingen zu lassen. Offenbar war ihm das nicht gelungen, denn Calder fuhr ihn unvermittelt an.

»Können Sie denn niemals Ruhe geben?« Seine hellen Augen schimmerten feucht.

»Keine Ruhe für die Bösen, Mr Calder«, sagte Rebus. Er rutschte von seinem Barhocker und ging in die Küche. Siobhan stand vor einem Regal mit Kochbüchern.

»Die meisten Köche«, erklärte sie, »würden eher sterben, als so was offen herumstehen zu lassen.«

»Er war kein gewöhnlicher Koch.«

»Sehen Sie sich das hier an.« Es handelte sich um ein Schulheft mit waagerechten roten Linien und einem Rand von drei Zentimetern. Die Ränder waren voller Kritzeleien und kleinen Zeichnungen, hauptsächlich von Essen und von Männern mit langen Stirnlocken. Innerhalb der Ränder waren mit großen, ordentlichen Buchstaben Rezepte aufgeschrieben. »Seine eigenen Kreationen.« Sie blätterte das Heft bis zur letzten Seite durch. »Oh, gucken Sie mal, hier ist Jailhouse Roquefort.« Sie las vor. »›Mit Dank an Inspector John Rebus für die Idee.‹ Tss, tss.« Sie wollte das Heft schon zurückstellen, da nahm Rebus es ihr ab. Er schlug die Innenseite des hinteren Umschlagblatts auf, wo ihm besonders viele Krakeleien aufgefallen waren. Inmitten der Zeichnungen (einige davon ziemlich unanständige schwule Phantasien) stand etwas geschrieben. Doch es war mit einem dunkleren Stift durchgestrichen.

»Können Sie das lesen?«

Sie gingen mit dem Heft durch die Hintertür auf den Parkplatz, wo erst kürzlich jemand Brian Holmes eins über den Schädel gegeben hatte. Siobhan begann zu entziffern. »Das erste Wort sieht aus wie ›Ich‹.«

»Und das hier könnte ›dreh‹ heißen«, meinte Rebus. »Oder vielleicht ›droh‹.« Doch der Rest blieb ihnen verborgen. Rebus steckte das Rezeptheft ein.

»Denken Sie an eine neue Karriere, Sir?«, fragte Siobhan.

Rebus versuchte, eine schlagfertige Antwort zu finden. »Klappe, Clarke«, sagte er schließlich.

Rebus gab das Schreibheft im Polizeipräsidium Fettes ab. Dort hatte man Leute, deren Aufgabe darin bestand, verunstaltete oder ruinierte Schrift wieder lesbar zu machen. Sie waren unter dem Spitznamen »Federfuchser« bekannt, Eierköpfe, die gern richtig kniffelige Kreuzworträtsel lösten.

»Das dauert nicht lange«, erklärte einer von ihnen. »Wir geben's nur in den Computer ein.«

»Großartig«, sagte Rebus. »Ich bin in einer Viertelstunde zurück.«

»Sagen wir zwanzig Minuten.«

Zwanzig Minuten waren Rebus auch recht. Wo er schon mal hier war und warten musste, könnte er genauso gut DI Gill Templer seine Aufwartung machen.

»Hallo, Gill.« In ihrem Büro roch es nach teurem Parfüm. Er hatte vergessen, was sie für eins benutzte. Chanel, oder? Sie setzte ihre Brille ab und sah ihn blinzelnd an.

»John, lange nicht gesehen. Setz dich.«

Rebus schüttelte den Kopf. »Ich kann nicht lange bleiben, muss gleich wieder ins Labor. Ich wollt nur seh'n, wie's dir geht.«

Sie unterstrich ihre Antwort mit einem Nicken. »Mir geht's gut. Und dir?«

»Ach, nicht schlecht. Du weißt ja, wie's so ist.«

»Und wie geht's der Ärztin?«

»Auch gut.« Er trat von einem Fuß auf den anderen. Er hatte nicht erwartet, dass sein Besuch so verkrampft ablaufen würde.

»Es stimmt also nicht, dass sie dich rausgeschmissen hat?«

»Woher, zum Teufel, weißt du das denn?«

Gil verzog ihren geschminkten Mund zu einem Lächeln. Sie hatte schmale Lippen, die wunderbar Ironie ausdrücken konnten. »Na hör mal, John, wir sind hier in *Edinburgh*. Wenn du Geheimnisse haben willst, musst du in eine richtige Stadt ziehen.«

»Wer hat dir das überhaupt erzählt? Und wer weiß noch davon?«

»Nun ja, wenn es schon hier in Fettes bekannt ist, wissen sie's in St. Leonard's sicher auch.«

Verdammt. Das bedeutete, dass Watson es wusste und Lauderdale und Flower. Und keiner von ihnen hatte was gesagt.

»Es ist nur vorübergehend«, murmelte er und trat weiter von einem Fuß auf den anderen. »Patience hat ihre Nichten zu Besuch, deshalb bin ich wieder in meine Wohnung gezogen. Außerdem ist Michael gerade da.«

Nun wirkte Gill Templer überrascht. »Seit wann?«

»Seit zehn Tagen oder so.«

»Hat er vor zu bleiben?«

Rebus zuckte die Achseln. »Das hängt wohl von mehreren Dingen ab. Gill, ich möchte nicht, dass sich das rumspricht ...«

»Natürlich nicht! Ich kann schweigen wie ein Grab.« Sie lächelte wieder. »*Ich* bin ja nicht aus Edinburgh.«

»Ich auch nicht«, erwiderte Rebus. »Ich werd hier bloß ständig verscheißert.« Er sah auf seine Uhr.

»Sind meine fünf Minuten um?«

»Tut mir Leid.«

»Braucht es nicht. Ich hab genug zu tun.«

Er wandte sich zum Gehen.

»John? Komm mich doch wieder mal besuchen.«

Rebus nickte. »Mae West, richtig?«

»Richtig.«

»Wiedersehen, Gill.«

Irgendwo auf dem Flur fiel Rebus plötzlich ein, dass Mae West auch eine Bezeichnung für eine Schwimmweste war. Er dachte darüber nach, doch dann schüttelte er den Kopf. »Mein Leben ist so schon kompliziert genug.«

Er ging ins Labor zurück.

»Sie sind ein bisschen früh«, erklärte man ihm.

»Sie meinen wohl eher eifrig.«

»Apropos Wortklauberei, kommen Sie doch einfach mit und werfen Sie selbst mal einen Blick drauf.« Er führte ihn zu einem Computerbildschirm. Das Gekritzel war von einem optischen Klarschriftleser gelesen und in den Computer eingespeist worden und war nun auf dem großen Farbmonitor zu sehen. Viele der dunkleren Striche waren »wegradiert« worden, in der Hoffnung, dass die Botschaft darunter lesbar blieb. Der Federfuchser griff nach einem Blatt Papier. »Das ist mir bisher dazu eingefallen.« Während er das Geschriebene vorlas, versuchte Rebus, es auf dem Bildschirm nachzuvollziehen.

»›Ich hab doch nur den Garòon gedreht‹, ›Ich hab doch nur mit Garaus gedroht‹ …« Rebus sah den Federfuchser fragend an, was dieser mit einem Grinsen quittierte. »Oder vielleicht das hier«, sagte er, »›Ich hab doch nur das Gas aufgedreht‹.«

»Was?«

»›Ich hab doch nur das Gas aufgedreht‹.«

Rebus starrte die Worte auf dem Bildschirm an. Ja, er konnte es erkennen … nun ja, zumindest das meiste. Der Federfuchser redete weiter.

»Es war hilfreich, dass Sie mir erzählt haben, er hätte sich vergast. Daran erinnerte ich mich, als ich mich an die Arbeit machte, deshalb hab ich ›Gas‹ sofort entdeckt. Vielleicht so was wie ein Abschiedsbrief?«

Rebus wirkte skeptisch. »Was, durchgestrichen und inmitten von Gekrakel auf der Innenseite des Umschlags eines

Schulheftes, das zwischen anderen Büchern in einem Regal steckte? Beschränken Sie sich lieber auf das, womit Sie sich auskennen.«

Was Rebus wusste, war, dass Eddie Ringan von Albträumen geplagt wurde, in denen er das Wort »Gas« geschrien hatte. War dieses Gekrakel ein Zeugnis einer seiner schlimmen Nächte? Aber warum hatte er es dann so dick durchgestrichen? Rebus nahm das Schreibheft von dem Klarschriftleser. Die Innenseite des Umschlags sah abgegriffen aus, die Kritzeleien waren bestimmt ein Jahr alt oder älter. Einige der Kringel sahen neuer aus als die durchgestrichene Botschaft. Wann auch immer Eddie das geschrieben hatte, es war bestimmt nicht letzte Nacht gewesen. Was vermutlich bedeutete, dass es in keinem direkten Zusammenhang damit stand, dass er sich vergast hatte. War es dann … ein Zufall? Rebus glaubte nicht an Zufälle, aber er glaubte an Spürsinn. Er wandte sich wieder dem Federfuchser zu, der über Rebus' Abfuhr sichtlich geknickt schien.

»Danke«, sagte er.

»Gern geschehen.«

Beide waren davon überzeugt, dass der andere nicht mit offenen Karten gespielt hatte.

In St. Leonard's wartete Brian Holmes auf ihn, froh, wieder unter den Lebenden zu sein.

»Was, zum Teufel, machen Sie denn hier?«

»Keine Angst«, beruhigte ihn Holmes. »Ich bin nur zu Besuch da. Die haben mich noch eine Woche krankgeschrieben.«

»Wie geht's Ihnen?« Rebus blickte sich nervös um und fragte sich, ob irgendwer Holmes von Eddie erzählt hatte. Doch das konnte er eigentlich ausschließen, da Brian sonst nicht so fröhlich gewesen wäre.

»Manchmal krieg ich wahnsinnige Kopfschmerzen, aber

ansonsten fühl ich mich wie im Urlaub.« Er klopfte auf seine Jackentasche. »Und DI Flower hat für mich gesammelt. Fast fünfzig Pfund.«

»Der Mann ist ein Heiliger«, sagte Rebus. »Ich hatte auch ein Geschenk, das ich Ihnen vorbeibringen wollte.«

»Was denn?«

»Eine Kassette von den Stones, *Let it Bleed.*«

»Vielen Dank.«

»Sollte Sie ein bisschen aufheitern nach der trübsinnigen Patsy Cline.«

»Zumindest kann sie singen.«

Rebus lächelte. »Sie sind gefeuert. Wohnen Sie jetzt übrigens bei Ihrer Tante?«

Das versetzte Holmes einen Dämpfer, genau wie Rebus beabsichtigt hatte. Er wollte ihn vorsichtig auf die schlechte Nachricht vorbereiten. »Nur vorübergehend. Nell … na ja, sie meint, sie brauche noch etwas Zeit.«

Rebus kannte das Gefühl. Er fragte sich, wann Patience endlich Zeit für den versprochenen Drink fände. »Trotzdem«, sagte er beschwichtigend, »scheint's doch mit euch beiden ein wenig bergauf zu gehen.«

»Nun ja.« Holmes nahm gegenüber seinem Vorgesetzten Platz. »Sie will, dass ich bei der Polizei aufhöre.«

»Das ist aber ein bisschen drastisch.«

»Das ist eine Trennung auch.«

Rebus atmete deutlich hörbar aus. »Vermutlich, aber trotzdem … Was wollen Sie denn machen?«

»Darüber nachdenken, was bleibt mir anderes übrig?« Er stand wieder auf. »Ich geh jetzt wohl besser. Bin bloß gekommen, um …«

»Brian, setzen Sie sich.« Holmes kannte diesen Tonfall und kam der Aufforderung nach. »Ich hab eine schlechte Nachricht über Eddie.«

»Eddie, den Koch?« Rebus nickte. »Was ist mit ihm?«

»Es hat einen Unfall gegeben. Nun ja, so was Ähnliches. Eddie war darin verwickelt.«

Es war unmissverständlich, was Rebus damit meinte. Nach jahrelanger Übung mit den Familien der Opfer von Auto- und Arbeitsunfällen, von Mord und Totschlag, war er mittlerweile ziemlich gut in solchen Reden.

»Ist er tot?«, fragte Holmes mit leiser Stimme. Rebus kräuselte die Lippen und nickte. »Mein Gott, und ich wollte gleich bei ihm vorbeischau'n. Wie ist das passiert?«

»Wir wissen es noch nicht genau. Die Autopsie findet wahrscheinlich heute Nachmittag statt.«

Holmes war nicht blöd und zog wieder die richtige Schlussfolgerung. »Unfall, Selbstmord oder Mord?«

»Eines der beiden Letzteren.«

»Und Sie tippen auf Mord?«

»Ich tippe auf gar nichts, bevor ich nichts Genaues in Erfahrung gebracht habe.«

»Sie meinen von Dr. Curt?«

Rebus nickte. »Bis dahin können wir nur warten. Hören Sie, ich besorg Ihnen ein Auto, das Sie nach Hause …

»Nein, nein, ich komm schon klar.« Er stand langsam auf. »Ich bin soweit in Ordnung. Es ist bloß … der arme Eddie. Er war ein Freund von mir, wissen Sie?«

»Ich weiß«, erwiderte Rebus.

Nachdem Holmes den Raum verlassen hatte, wurde Rebus bewusst, dass er billig davongekommen war. Brian schien noch nicht ganz auf dem Damm zu sein, weshalb er Rebus auch keine schwierigen Fragen gestellt hatte. Fragen wie: Hängt Eddies Tod etwa mit der Person zusammen, die *mich* beinah umgebracht hat? Darüber hatte Rebus sich auch schon den Kopf zerbrochen. Am Abend zuvor war Eddie bereits verschwunden, und Rebus hatte Cafferty aufgesucht. Heute am frühen Morgen fand man Eddie tot. Was bedeutete, dass es eine Person weniger gab, die etwas über die Nacht sagen konnte, in der das Central abgebrannt, eine Person weniger, die dort gewesen war. Doch Rebus glaubte immer noch, dass Cafferty seine Überraschung nicht gespielt hatte, als er von dem Überfall auf Holmes erfuhr. Wie lautete also die Antwort?

»Wenn ich das nur wüsste«, murmelte John Rebus vor sich hin. In dem Moment klingelte das Telefon. Er nahm den Hörer ab und hörte typische Gasthausgeräusche, dann die Stimme von Flower.

»Ein tolles Team, was Sie da haben, Inspector. Einer lässt sich die Nase einschlagen, und jetzt ist die andere auf den Arsch gefallen.« Die Verbindung wurde rasch unterbrochen.

»Und du kannst mich mal, Flower«, schimpfte Rebus in der Gewissheit, dass ihn niemand hörte.

22

Das städtische Leichenschauhaus von Edinburgh lag an der Cowgate, einer Straße, die nach der Route benannt war, auf der das Vieh zum Verkauf in die Stadt getrieben wurde. Eine schmale Straßenschlucht mit wenigen Geschäften und fast nur Durchgangsverkehr. Ein gutes Stück oberhalb gab es sehr viel belebtere Straßen, beispielsweise die South Bridge. Doch die schienen so weit entfernt zu sein, dass die Cowgate genauso gut unterirdisch hätte verlaufen können.

Rebus bezweifelte, dass die Gegend je etwas anderes gewesen war als ein trostloser Treffpunkt für die ärmsten Bewohner Edinburghs. Sie wirkten grau und abgestumpft und lebten von den Almosen der Passanten. Cowgate schrie förmlich nach Sanierung.

Eine nette Umgebung für das unauffällige Leichenschauhaus, in dem Dr. Curt, wenn er nicht an der Universität unterrichtete, seines Amtes waltete.

»Man muss es positiv sehen«, erklärte er Rebus. »Auf der Cowgate gibt's ein paar ganz nette Pubs.«

»Und einige andere, in die ich nicht mal 'nen Toten reinschleppen würde.«

Curt lachte in sich hinein. »Anschaulich, aber unpassend.«

»Wie Sie meinen. Also, was können Sie mir über Mr Ringan erzählen?«

»Ah, das arme Waisenkind Eddie.« Curt dachte sich gern Spitznamen für seine Leichen aus. Doch im Fall von Eddie Ringan entsprach die Bezeichnung sogar den Tatsachen. Soweit bekannt war, hatte Ringan keine lebenden Angehörigen mehr, deshalb war er auch von Patrick Calder identifiziert worden; außerdem von Siobhan Clarke, weil sie die Leiche entdeckt hatte.

»Ja, das ist der Mann, den ich gefunden habe«, hatte sie gesagt.

»Ja, das ist Edward Ringan«, hatte Pat Calder gesagt, bevor er von Toni, dem Barmann, hinausgeführt wurde.

Nun stand Rebus mit Curt neben dem Obduktionstisch, auf dem das, was von der Leiche übrig war, von einem Assistenten wieder zusammengeflickt wurde. *Those were the Days* pfiff der Assistent vor sich hin, während er alles Mögliche vom Tisch kratzte und in einen Abfalleimer fallen ließ. Rebus studierte eine Liste. Er hatte sie bereits dreimal durchgelesen, um sich nicht mit seiner Umgebung beschäftigen zu müssen. Curt rauchte eine Zigarette. Im Alter von fünfundfünfzig hatte er beschlossen, mit dem Rauchen anzufangen, da bisher nichts geschafft hatte, ihn umzubringen. Rebus hätte ihn um eine Zigarette bitten können. Doch es waren Player's ohne Filter, für Raucher das, was Terpentin für Trinker war.

Vielleicht weil er die Liste schon so oft studiert hatte, machte es plötzlich klick. »Wissen Sie«, sagte er, »wir haben gar keinen Abschiedsbrief gefunden.«

»Die hinterlassen nicht immer einen.«

»Eddie hätte das bestimmt getan. *Und* er hätte Elvis auf einem Kassettenrecorder neben dem Herd ›Heartbreak Hotel‹ singen lassen.«

»Das nenne ich stilvoll«, erwiderte Curt mit ironischem Unterton.

»Außerdem«, fuhr Rebus fort, »entnehme ich dieser Liste vom Inhalt seiner Taschen, dass er keinen Schlüssel bei sich hatte.«

»Keinen Schlüssel, ja.« Curt genoss seine Pause viel zu sehr, als dass er sich die Mühe gemacht hätte, darüber nachzudenken. Außerdem wusste er, dass Rebus es ihm sowieso gleich sagen würde.

»Also«, tat Rebus ihm den Gefallen, »wie ist er hineingekommen? Oder *falls* er mit dem Schlüssel hineingekommen ist, wo ist der Schlüssel jetzt?«

»Wo, in der Tat.« Der Assistent runzelte die Stirn, als Curt seine Zigarette auf dem Boden austrat.

Rebus wusste, wann jemand nicht mehr zuhörte, und legte die Liste beiseite. »Also, was haben Sie für mich?«

»Nun ja, die üblichen Tests müssen natürlich noch durchgeführt werden.«

»Natürlich, doch bisher …?«

»Bisher gibt es ein paar interessante Punkte.« Curt wandte sich der Leiche zu und zwang Rebus, das Gleiche zu tun. Das verkohlte Gesicht war bedeckt, und der Assistent hatte Brustkorb und Bauch, in denen nun die wichtigsten Organe fehlten, mit einem dicken schwarzen Faden grob zugenäht. Im Gegensatz zum Gesicht war der übrige Körper relativ unversehrt geblieben. Das dickliche Fleisch glänzte bleich.

»Also«, begann Curt, »die Verbrennungen sind nur oberflächlich. An die inneren Organe ist das Feuer nicht herangekommen. Das machte die Sache einfacher. Ich würde sagen, er ist vermutlich durch das Einatmen von Nordseegas erstickt.« Er drehte sich zu Rebus um. »Das mit der ›Nordsee‹ ist reine Mutmaßung.« Dann grinste er wieder, ein schiefes Grinsen, bei dem eine Seite des Mundes geschlossen blieb. »Es gibt Hinweise darauf, dass er Alkohol zu sich genommen hatte. Wir müssen die Testergebnisse abwarten, um zu sagen, wie viel. Ich vermute allerdings, dass es eine ganze Menge war.«

»Die Leber war sicher eine besondere Freude. Er hat nämlich schon seit Jahren kräftig gebechert.«

Curt machte ein zweifelndes Gesicht. Er ging zu einem anderen Tisch und kam mit dem Organ zurück, das bereits in der Mitte durchgeschnitten war. »Eigentlich ist sie ziemlich gut in Schuss. Sie sagten, er war ein Schnapstrinker?«

Rebus stellte seine Augen auf unscharf. So etwas lernte man mit der Zeit. »Locker eine Flasche pro Tag.«

»Davon sieht man aber hier nichts.« Curt warf die Leber ein Stück in die Luft. Sie landete klatschend wieder in seinen Händen. Er erinnerte Rebus an einen Metzger, der einem potenziellen Käufer seine Ware anpreist. »Er hat außerdem eine Beule am Kopf sowie blaue Flecken und geringfügige Brandwunden am Arm.«

»Ach?«

»Ich nehme an, dass Köche sich solche Verletzungen leicht bei ihrer Arbeit zuziehen. Spritzendes heißes Fett, überall Töpfe und Pfannen …«

»Kann schon sein«, sagte Rebus.

»Und nun kommen wir zu dem Teil der Vorführung, auf den Hamish die ganze Zeit gewartet hat.« Curt nickte seinem Assistenten zu, der sich erwartungsvoll in Positur stellte. »Ich nenne ihn Hamish«, gestand Curt, »weil er von den Hebriden kommt. Der gute Hamish hat etwas entdeckt, das mir durch die Lappen gegangen ist. Sie müssen wissen, Inspector, dass Zähne eine Faszination auf Hamish ausüben. Vermutlich weil seine als Kind sehr schlecht waren und er

sich an die Zeit erinnert, die er unter dem Bohrer des Zahn-
arztes gelitten hat.«

Nach Hamishs Miene zu urteilen, konnte das sogar stimmen.

»Das hat dazu geführt, dass Hamish den Leuten immer genau in den Mund guckt, und diesmal fand er es angebracht,
mich auf gewisse Verletzungen hinzuweisen.«

»Was für Verletzungen?«

»Kratzer im Rachengewebe. Und zwar ziemlich frische.«

»Als hätte er zu laut gesungen?«

»Oder geschrien. Doch viel wahrscheinlicher ist, dass ihm
irgendwas die Kehle hinuntergezwungen wurde.«

Rebus schwirrte der Kopf. Irgendwie schaffte Curt das immer bei ihm. Er schluckte und spürte, wie trocken seine eigene Kehle war. »Was hinuntergezwungen?«

Curt zuckte die Achseln. »Hamish meinte … Ihnen ist
klar, dass das reine Mutmaßungen sind, denn das ist natürlich *Ihr* Fachgebiet. Also Hamish meinte, eine Art Rohr, irgendwas Festes. Ich würde eher auf einen Gummi- oder Plas-
tikschlauch tippen.«

Rebus hüstelte. »Also nichts … äh, Organisches?«

»Sie meinen so was wie eine Zucchini? Oder eine Bana-
ne?«

»Sie wissen ganz genau, was ich meine.«

Curt neigte lächelnd den Kopf. »Natürlich weiß ich das,
tut mir Leid.« Dann zuckte er die Achseln. »Ich möchte ja
nichts ausschließen. Aber wenn Sie an einen Penis denken,
hätte der in Schmirgelpapier gewickelt sein müssen.«

Rebus hörte, wie Hamish hinter ihnen ein Lachen unter-
drückte.

Rebus rief Pat Calder an und fragte, ob sie sich irgendwo treffen könnten. Calder überlegte erst, bevor er zustimmte.

»Bei Ihnen zu Hause?«, fragte Rebus.

»Lieber im Café, da wollte ich sowieso gerade hin.«

Also im Café. Als Rebus dort ankam, war das »Krankheitsschild« bereits entfernt und durch einen Zettel ersetzt worden, auf dem stand: »Aufgrund eines Trauerfalls wird dieses Lokal geschlossen.« Die Mitteilung war von Pat Calder unterschrieben.

Als Rebus eintrat, hörte er Calder brüllen. »Raus hier, verdammt noch mal!« Das galt jedoch nicht Rebus, sondern einer jungen Frau im Regenmantel.

»Probleme, Mr Calder?« Rebus trat in das Restaurant. Calder war dabei, die Memorabilien von den Wänden zu nehmen und in Zeitungspapier einzuwickeln. Auf dem Fußboden zwischen den Tischen standen drei Kisten.

»Diese verdammte Reporterin will eine Sensationsstory für ihre Zeitung.«

»Ist das wahr, Miss?« Rebus sah Mairie Henderson zugleich missbilligend und *väterlich* an, als erwarte er, dass sie sich schäme.

»Mr Ringan war eine bekannte Persönlichkeit in der Stadt«, erklärte sie Rebus. »Ich bin sicher, er hätte gewollt, dass unsere Leser erfahren …«

Calder fiel ihr ins Wort. »Er hätte gewollt, dass sie sich hier voll fressen, einen fetten Scheck rausrücken und sich dann verpissen. *Das* können Sie drucken!«

»Was für ein Nachruf!«, bemerkte Mairie.

Calder sah aus, als wollte er ihr mit der Elvis-Uhr den Schädel einschlagen, mit jenem Ungetüm, bei dem die Arme des King als Zeiger fungieren. Er besann sich jedoch eines Besseren und nahm stattdessen einen der Elvis-Spiegel von der Wand.

»Ich glaube, Sie sollten besser gehen, Miss«, sagte Rebus mit ruhiger Stimme.

»Okay, ich verschwinde.« Sie warf sich ihre Tasche über die Schulter und stolzierte an Rebus vorbei. Heute hatte sie einen Rock an, sogar einen kurzen. Doch ein guter Soldat weiß, wann er den Blick geradeaus richten muss. Rebus lächelte Pat Calder zu, dem man ansah, wie er litt.

»Bisschen früh für das alles, oder?«

»Wollen Sie vielleicht kochen, Inspector? Ohne Eddie ist dieses Restaurant ... nichts wert.«

»Dann können die anderen Restaurantbesitzer hier in der Gegend ja wohl wieder aufatmen.«

»Wie meinen Sie das?«

»Eddie hatte doch geglaubt, der Überfall auf Brian wär eine Warnung gewesen.«

»Ja, schon, aber was hat das ...« Calder erstarrte. »Sie glauben, jemand ...? Es war doch Selbstmord, oder etwa nicht?«

»Sah jedenfalls so aus.«

»Soll das heißen, Sie sind nicht sicher?«

»War er denn Ihrer Meinung nach der Typ dafür, sich umzubringen?«

Calders Antwort war kühl. »Er hat sich jeden Tag mit seiner Trinkerei umgebracht. Vielleicht ist ihm ja alles zu viel geworden. Wie ich bereits sagte, Inspector, der Überfall auf Brian hat Eddie ziemlich getroffen. Vielleicht mehr, als wir wissen.« Er hielt inne, den Spiegel immer noch mit beiden Händen umklammert. »Glauben Sie, es war Mord?«

»Das hab ich nicht gesagt, Mr Calder.«

»Wer würde so was tun?«

»Vielleicht waren Sie mit Ihren Zahlungen im Rückstand.«

»Was für Zahlungen?«

»Schutzgeldzahlungen, Sir. Erzählen Sie mir nicht, dass es so etwas nicht gibt.«

Calder starrte ihn unverwandt an. »Sie vergessen, dass ich für die Finanzen zuständig war. Wir haben unsere Rechnungen immer pünktlich bezahlt. Alle.«

Rebus nahm diese Information hin und fragte sich, was genau das zu bedeuten hatte. »Wenn Sie zu wissen glauben, wer ein Interesse an Eddies Tod gehabt haben könnte, dann sollten Sie es mir besser sagen, okay? Tun Sie nichts Unüberlegtes.«

»Zum Beispiel?«

Zum Beispiel, sich eine Waffe kaufen, dachte Rebus, schwieg jedoch. Calder begann, den Spiegel einzuwickeln. »Packpaier, das ist so ungefähr das Einzige, wozu Zeitungen taugen«, sagte er.

»Sie hat doch nur ihre Arbeit getan. Eine gute Restaurantkritik hätten Sie bestimmt nicht abgelehnt, oder?«

Calder lächelte. »Davon haben wir eine ganze Menge bekommen.«

»Was werden Sie jetzt tun?«

»Darüber habe ich noch nicht nachgedacht. Ich weiß nur, dass ich von hier weggehe.«

Rebus deutete mit dem Kopf auf die Kisten. »Und diesen ganzen Kram wollen Sie behalten?«

»Das könnte ich niemals wegwerfen, Inspector. Es ist alles, was mir noch bleibt.«

Na ja, dachte Rebus, das Schlafzimmer ist ja auch noch da. Aber er sagte nichts, sondern sah einfach Pat Calder beim Einpacken zu.

Hamish, dessen wirklicher Name Alasdair McDougall lautete, war von seinen Altersgenossen mehr oder weniger von seiner Heimatinsel Barra vertrieben worden. Einer von ihnen hatte sogar versucht, ihn während einer nächtlichen Bootsüberfahrt nach einer Party auf South Uist zu ertränken. Zwei Minuten in dem eiskalten Wasser der Meerenge von Barra, und er hätte nur noch als Fischfutter getaugt. Doch dann hatten sie ihn wieder ins Boot gezogen und das Ganze als Unfall hingestellt. Was sie wohl auch getan hätten, wenn er tatsächlich ertrunken wäre.

Zuerst ging er nach Oban, dann weiter in den Süden nach Glasgow, bis er schließlich an der Ostküste landete. Glasgow gefiel ihm in mancher Hinsicht, in anderer wiederum nicht. Edinburgh mochte er lieber. Seine Eltern hatten nie wahrhaben wollen, dass ihr Sohn homosexuell war, selbst als er vor ihnen stand und es ihnen ins Gesicht sagte. Sein Vater traktierte ihn mit Bibelzitaten, wie er das schon seit siebzehn Jahren machte, mit dem Zittern des rechtschaffenen Gläubigen in der Stimme. Früher hatte er das als eindrucksvolle und überzeugende Darbietung empfunden, in dem Moment jedoch fand er es nur noch lächerlich.

»Bloß weil etwas in der Bibel steht«, hatte er seinem Vater erklärt, »heißt das noch lange nicht, dass es für einen das Evangelium sein muss.«

Doch für seinen Vater war es das und würde es immer bleiben. Mit der Bibel in der Hand hatte der alte Mann seinen jüngsten Sohn aus der Tür des kleinen elterlichen Bauernhofs gejagt. »Wage es niemals, unseren Namen zu besudeln!«, hatte er hinter ihm her gerufen. Diese Weisung hatte Alasdair in gewissem Sinne sogar befolgt, indem er sich immer nur als Dougall vorstellte und selten seinen vollen Namen nannte. Für die Schwulenszene in Glasgow war er Dougall gewesen, und für die in Edinburgh auch. Ihm gefiel das Leben, so wie er es sich eingerichtet hatte (nie gab es eine langweilige Nacht), und bisher war er erst zweimal zusammengeschlagen worden. Er hatte seine Klubs und Pubs, ein paar gute Freunde und einen größeren Bekanntenkreis. Manchmal spielte er sogar mit dem Gedanken, seinen Eltern zu schreiben. In dem Brief würde dann Folgendes stehen: Wenn mein Boss mit einer Leiche fertig ist, dann bleibt da nicht mehr viel für den Himmel übrig, das könnt ihr mir glauben.

Er dachte noch einmal an den dicklichen jungen Mann, der an einer Gasvergiftung gestorben war, und musste lachen. Er hätte in jenem Moment etwas sagen sollen, hatte es aber nicht getan. Warum nicht? Weil er sich noch immer nicht ganz zu seiner Homosexualität bekannte? Das wurde ihm schon einmal vorgeworfen, als er sich geweigert hatte, ein rosa Dreieck am Revers zu tragen. Ganz gewiss aber legte er keinen Wert darauf, dass ein Polizist erfuhr, dass er schwul war. Und wie würde Dr. Curt reagieren? Es gab alle möglichen Ausprägungen von Homophobie und eine beinah mittelalterliche Angst vor AIDS und davor, sich anzustecken. Er hätte zwar ohne diesen Job leben können, aber er gefiel ihm ganz gut. In den Jahren auf der Insel hatte er viele Male mit angesehen, wie Schafe und Rinder geschlachtet und zerlegt wurden. Das hier war nicht viel anders.

Nein, er würde sein Geheimnis für sich behalten und nicht erzählen, dass er Eddie Ringan *kannte*. Er dachte an den Abend vor ungefähr einer Woche. Da waren sie zusammen zu Dougall nach Hause gegangen, und Eddie hatte aus dem, was er in den Schränken fand, ein Chili zubereitet. Teuflisch scharf. Das brachte einen richtig zum Schwitzen. Er wollte allerdings nicht über Nacht bleiben, dazu war er nicht der Typ. Es hatte jedoch einen langen Kuss zum Abschied gegeben und vage Versprechungen, dass man sich wiedersehen würde.

Ja, er kannte Eddie, kannte ihn gut genug, um sich seiner Sache sicher zu sein.

Wer auch immer auf dem Obduktionstisch gelegen hatte, es war nicht der Typ, mit dem Dougall im Bett Chili gegessen hatte.

Siobhan Clarke fühlte sich den restlichen Tag über unnatürlich gelassen und so, als hätte sie alles im Griff. Man hatte sie für heute von der »Operation Geldsäcke« freigestellt, damit sie sich von dem Schock im Heartbreak Café erholen konnte, doch am späten Nachmittag spürte sie den Drang, *irgendwas* zu tun. Also fuhr sie auf gut Glück zum Haus von Rory

Kintoul. Es handelte sich um eine gepflegte, relativ neue Doppelhaushälfte in einer Sackgasse. Der Vorgarten besaß die Größe eines Handtuchs, war aber vermutlich hygienischer. Sie nahm an, dass man ohne weiteres von dem kurz geschnittenen, unkrautfreien Rasen essen konnte, ohne Gefahr zu laufen, sich eine Lebensmittelvergiftung zu holen. Das konnte man noch nicht mal von den Tellern in den meisten Polizeikantinen sagen. Durch ein Tor gelangte sie in die Gasse, und ein zweites führte sie zur dunkelblau gestrichenen Haustür von Kintoul. Jede vierte Tür in der Straße war dunkelblau. Die anderen waren pflaumenrot, vanillegelb und stahlgrau. Nicht gerade eine Farborgie, aber irgendwie passte es zu dem Rauputz und dem Asphalt. Kinder hatten mit Kreide ein kompliziertes Himmel-und-Hölle-Spiel auf den Bürgersteig gemalt und hüpften unter lautem Geschrei darin herum. Ein paar Türen weiter bellte im Garten hinterm Haus ein Hund, doch ansonsten war es in der Straße ruhig.

Sie klingelte an der Tür und wartete. Anscheinend war niemand zu Hause. Sie kam sich ziemlich unverfroren vor, als sie sich erlaubte, durch das Fenster zu starren. Dahinter befand sich ein Wohnzimmer, das sich bis zur Rückseite des Hauses erstreckte. Der Hund bellte nun noch lauter, und durch das hintere Fenster konnte sie eine Gestalt erkennen. Siobhan öffnete das Gartentor, wandte sich nach rechts und lief den schmalen Durchgang entlang, der Kintouls Haus von dem der Nachbarn trennte. Nun war sie im Garten. Kintoul hatte die Küchentür offen gelassen, um kein Geräusch zu machen, und schon ein Bein über den Nachbarzaun geschwungen. Dabei versuchte er, den angeleinten Köter zu beruhigen.

»Mr Kintoul!«, rief Siobhan. Als er aufblickte, winkte sie mit einer Hand. »Sie können sich wohl nicht entscheiden, wo Sie hinwollen. Wie wär's, wenn wir beide uns kurz drinnen unterhalten?«

Sie ging nicht gerade zimperlich mit ihm um. Als er mit

hängendem Kopf über den Rasen auf sie zukam, grinste sie.
»Sie wollen doch nicht etwa vor der Polizei davonlaufen?
Was haben Sie denn zu verbergen?«

»Nichts.«

»Sie sollten vorsichtiger sein. Bei so einer Herumturnerei
könnte leicht Ihre Wunde wieder aufbrechen.«

»Wollen Sie, dass das alle hören? Gehen Sie rein.« Er stieß
sie beinah durch die Küchentür. Genau die Einladung, die
Siobhan sich vorgestellt hatte.

Der Anruf kam um viertel nach sechs, und Rebus verabrede-
te sich für zehn. Um acht rief Patience an. Sie würde merken,
dass etwas nicht stimmte, dass er mit den Gedanken woanders war (was ja auch den Tatsachen entsprach), das wusste
er; doch er wollte das Gespräch unbedingt in die Länge ziehen. Irgendwie musste er die Zeit bis zehn Uhr rumkriegen.
Er wollte keinen Leerlauf, sonst könnte er nämlich in Versu-
chung kommen, nachzudenken, und es sich anders überlegen.

Als ihm kein anderes Thema mehr einfiel, erzählte er ihr
schließlich von Michael. Hier waren sie zumindest auf einer
Wellenlänge. Patience schlug eine Therapie vor und war erstaunt, dass niemand im Krankenhaus auf diese Möglichkeit
hingewiesen hatte. Sie würde sich erkundigen und Rebus zurückrufen. Er sollte in der Zwischenzeit unbedingt darauf
achten, dass Michael nicht in eine klinische Depression ver-
fiel. Das Problem mit solchen Medikamenten war nämlich,
dass sie einem nicht nur die Angst nahmen, sondern auch
sämtliche Emotionen abtöteten.

»Er war so aktiv, als er hier einzog«, sagte Rebus. »Die Studenten wundern sich auch schon, was mit ihm passiert ist.
Ich glaube, sie machen sich genauso viele Sorgen wie ich.«

Michaels selbst ernannte »Freundin« hatte viel Zeit darauf
verwandt, mit ihm zu reden, ihn zum Ausgehen zu bewegen,

aber Michael hatte sich allem widersetzt. Nun war sie schon mindestens einen Tag nicht mehr aufgetaucht. Einer der männlichen Studenten hatte Rebus in der Küche angesprochen und ihn äußerst mitfühlend gefragt, ob nicht vielleicht ein bisschen Hasch Mickey helfen könnte. Rebus verneinte das. Aber vielleicht war das ja gar keine so schlechte Idee.

Doch Patience war dagegen. »Wenn sich das Zeug, das er nimmt, mit Cannabis mischt, könnte es zu weiß Gott was für einer Reaktion kommen. Paranoia oder eine tiefe Depression, nehme ich an.«

Sie war ohnehin gegen Drogen, nicht nur gegen die verbotenen. Sie wusste, dass es für einen Arzt die bequemste Methode war, einfach ein Rezept auszustellen. Valium, Schlaftabletten,was auch immer. Überall in Schottland schluckten Menschen Tabletten, als wären es Nahrungsmittel, und besonders die, die am dringendsten Hilfe brauchten. Die Ärzte redeten sich ständig auf ihre Überlastung hinaus und sagten, was sollen wir anderes tun?

»Möchtest du, dass ich vorbeikomme?«, fragte sie plötzlich. Das war ein großer Schritt auf ihn zu, und Rebus wollte, dass sie es tat, doch es war schon fast neun.

»Nein, aber ich weiß dein Angebot zu schätzen.«

»Na schön, versuch ihn nicht zu lange allein zu lassen. Er schläft, um etwas zu verdrängen, dem er sich stellen müsste.«

»Wiedersehen, Patience.« Rebus legte den Hörer auf und zog sich an.

Warum hatte er ausgerechnet das Hafenviertel von North Queensferry als Treffpunkt ausgesucht? Nun ja, war das nicht offenkundig? Er stand neben der Hütte, zu der man Michael gebracht hatte. Ihm wurde langsam kalt. Er war zu früh, und Deek kam natürlich zu spät. Doch das störte Rebus wenig. So hatte er Zeit, die Eisenbahnbrücke zu betrachten und sich zu fragen, was für ein Gefühl es sein musste, mitten in der Nacht über das Geländer hinuntergelassen zu werden. Wie man stumm in seinen Knebel brüllte, während einem der Sack vom Kopf gezogen wurde, und in den Abgrund starrte. Genau das tat Rebus jetzt, obwohl er sich auf Meeresspiegelhöhe befand. Er starrte in den Abgrund.

»Kalt, was?« Deek Torrance rieb sich die Hände.

»Danke übrigens für den kleinen Scherz neulich abends.«

»Äh? Ach so, das.« Torrance grinste. »›King of the Road‹.«

»Hast du sie?«

Deek klopfte auf seine Manteltasche. Er war nervös, und das mit gutem Grund. Schließlich verkaufte man nicht jeden Tag einem Polizisten eine illegale Schusswaffe.

»Dann lass mal sehen.«

»Was? Hier draußen?«

Rebus blickte sich um. »Hier ist doch keiner.«

Deek biss sich auf die Lippen, dann nahm er schicksalsergeben die Waffe aus der Tasche und gab sie John Rebus.

Das Ding hatte ein ziemliches Gewicht, lag aber bequem in der Hand. Rebus steckte es in seine geräumige Tasche. »Munition?«

Das Klappern der Kugeln in der Schachtel erinnerte an eine Babyrassel. Rebus steckte sie ebenfalls ein, dann griff er in die Gesäßtasche seiner Hose und nahm das Geld heraus.

»Willst du's nachzählen?«

Deek schüttelte den Kopf, dann deutete er auf die andere Straßenseite. »Ich würd dir allerdings gern 'nen Drink spendieren, wenn du magst.«

Gegen einen Drink hatte Rebus nichts einzuwenden. »Ich pack das hier nur schnell weg.« Er schloss sein Auto auf und schob Waffe und Munition unter den Fahrersitz. Beim Aufrichten merkte er, dass er zitterte und dass ihm ein wenig schwindlig war. Ein Drink wäre gut. Außerdem hatte er Hunger, doch bei dem Gedanken an Essen musste er würgen. Er sah noch einmal zur Brücke. »Dann komm«, sagte er zu Deek Torrance.

Ohne Waffe, aber mit dem Geld, das er dafür bekommen hatte, in der Tasche war Torrance entspannter und gesprächiger. Sie saßen im Hawes Inn und tranken Bier. Torrance erklärte, wie die Waffen ins Land kamen.

»Weißt du, in Frankreich ist es ganz einfach, eine Waffe zu kaufen. Die kommen sogar mit Lieferwagen in die Städte und verscherbeln die Dinger direkt aus dem Auto. Vorher stecken sie dir einen Katalog in den Briefkasten, damit du weißt, was sie haben. Ich muss mich öfter mit so einem Fanzosen treffen, ist aber kein übler Bursche. Der reist ständig in irgendwelchen Geschäften über den Kanal. Er bringt Waffen mit, und ich kaufe sie. Dieses Mace-Sprühzeug verkauft er auch, falls du interessiert bist.«

»Warum hast du das nicht gleich gesagt?«, murmelte Rebus in sein Pint. »Dann hätte ich die Waffe gar nicht gebraucht.«

»Äh?« Deek merkte, dass es ein Scherz gewesen war, und lachte.

»Was hab ich denn nun eigentlich?«, fragte Rebus. »Da draußen war es ein bisschen zu dunkel, um was zu erkennen.«

»Na ja, das sind alles Imitate. Keine Sorge, ich feile höchstpersönlich alles ab, woran man das Ding erkennen könnte. Du hast einen 45er Colt. Der hat zehn Schuss.«

»Acht Millimeter?«

Deek nickte. »In der Schachtel sind zwanzig. Ist nicht gerade die tödlichste Waffe, die's gibt. Ich kann auch nachgebaute Uzis besorgen.«

»O Gott.« Rebus trank sein Pint aus. Plötzlich wollte er nur noch raus.

»Ist halt 'ne Möglichkeit, sein Geld zu verdienen«, sagte Deek Torrance.

»Aye, anscheinend kann man ganz gut davon leben«, entgegnete Rebus und stand auf, um zu gehen.

23

Am nächsten Morgen zwang sich Rebus, sich seiner eigentlichen Arbeit zu widmen. Er prüfte nach, ob es irgendeine Spur von Andrew McPhail gab. Fehlanzeige. Macleans Verletzungen durch das kochende Wasser waren nicht allzu schlimm, weil er das meiste mit den Armen abgewehrt hatte. Deshalb wurde Andrew McPhail nicht als gefährlicher Verbrecher eingestuft. Seine Beschreibung war lediglich an Bus- und Eisenbahnbahnhöfen sowie an Tank- und Raststätten an der Autobahn verteilt worden. Wenn er über genügend Leute verfügt hätte, wüsste Rebus *genau,* wo er anfangen würde, nach ihm zu suchen.

Ein Schatten fiel auf seinen Schreibtisch. Es war Little Weed.

»Tja«, begann Flower, »jetzt haben Sie einen Sergeant durch einen Schlag auf die Nase verloren und eine Polizistin durch eine Gasexplosion. Wie wär's mit 'ner Zugabe?«

Rebus stellte fest, dass sie Publikum hatten. Die halbe Wache wartete schon seit längerem darauf, dass es zwischen den beiden Inspektoren mal richtig krachte. Plötzlich schienen sich sehr viel mehr Detectives als gewöhnlich für die Aktenschränke in der Nähe von Rebus' Schreibtisch zu interessieren.

»Es wär einfacher, wenn Sie 'nen Handstand machten«, bemerkte Rebus.

»Was?«

»Dann wüsste man gleich, wo die Scheiße herkommt, die Sie reden.«

Von den Aktenschränken kam unnatürliches Hüsteln. »Ich hab Halspastillen, falls jemand welche braucht«, rief Rebus. Die Schranktüren schlossen sich, das Publikum verschwand.

»Sie halten sich wohl für ein Geschenk Gottes?«, sagte Flower. »Und meinen, Sie sind der Größte.«

»Ich bin besser als so mancher.«

»Und viel schlechter als andere.«

Rebus nahm sich die Liste der Festnahmen vom gestrigen Abend und fing an zu lesen. »Wenn Sie dann fertig sind …?«

Flower lächelte. »Rebus, ich hab immer geglaubt, Typen wie Sie wären mit den Dinosauriern ausgestorben.«

»Aye, aber bloß, weil man *Sie* abgelehnt hat, als Sie darum baten.«

Somit stand es zwei zu null für Rebus, doch der wusste, dass das Spiel noch nicht zu Ende war.

Er studierte noch einmal die Liste der Festgenommenen, um sich zu vergewissern, dass er den Namen richtig gelesen hatte. Dann seufzte er und ging hinunter zu den Zellen. Um Zelle eins hatte sich eine Gruppe junger Polizisten versammelt, die abwechselnd durch das Guckloch schauten.

»Da ist dieser Typ drin mit den ganzen Tätowierungen«, erklärte einer von ihnen Rebus.

»Das Nadelkissen?«

Der Constable nickte. Das Nadelkissen war von Kopf bis Fuß tätowiert, kein Zentimeter Haut war mehr frei. »Er ist zum Verhör hergebracht worden.«

Rebus nickte. Wann auch immer sie einen Grund hatten, das Nadelkissen auf die Wache zu holen, am Schluss war der Mann nackt.

»Ein guter Name, finden Sie nicht, Sir?«

»Was, Nadelkissen? Vermutlich besser als der Name, den ich für ihn hab.«

»Und wie ist der?«

»Schlicht und ergreifend Arschloch«, antwortete Rebus, schloss Zelle Nummer zwei auf und machte die Tür hinter sich zu. Ein junger Mann saß auf der Pritsche, unrasiert und mit traurigen Augen.

»Was hast du denn angestellt?«

Andy Steele blickte zu ihm auf, dann schaute er zur Seite. Die Stadt Edinburgh war ihm offenbar nicht gut bekommen. Er fuhr mit den Fingern durch sein zerzaustes Haar.

»Haben Sie Ihre Tante Ena besucht?«, fragte er.

Rebus nickte. »Ihre Eltern hab ich allerdings nicht gesehen.«

»Macht nichts, aber zumindest hab ich Sie gefunden und zu ihr geschickt.«

»Und was hast du seitdem so getrieben?«

Andy Steele kratzte sich am Kopf. Ein paar Schuppen fielen auf seine Hose. »Nun ja, ich hab ein bisschen Sightseeing gemacht.«

»Dafür wird man aber nicht verhaftet.«

Steele seufzte und hörte auf zu kratzen. »Kommt drauf an, was man sich ansieht. Ich hab einem Mann in einem Pub erzählt, ich wär Privatdetektiv. Und der hat darauf gesagt, er hätte einen Auftrag für mich.«

»O Gott!« Rebus' Aufmerksamkeit wurde kurz von einem Vier-gewinnt-Spiel abgelenkt, das unbeholfen auf die Zellenwand gemalt war.

»Seine Frau würde ihn betrügen. Er sagte mir, wo ich sie vielleicht finden könnte, und gab mir ihre Beschreibung. Ich bekam zehn Pfund und sollte noch mehr kriegen, wenn ich ihm Bericht erstatte.«

»Erzähl weiter.«

Andy Steele starrte an die Decke. Er wusste, dass er keine gute Figur machte, doch das hätte er sich früher überlegen müssen. »Es war eine Wohnung im Erdgeschoss. Ich hab sie den ganzen Abend beobachtet. Die Frau war dort, ich hab sie gesehen. Aber keinen Mann. Also bin ich hinters Haus gegangen, um mir einen besseren Überblick zu verschaffen. Irgendwer muss mich gesehen haben und hat die Polizei gerufen.«

»Und der hast du dann deine Geschichte erzählt?«

Steele nickte. »Sie sind sogar mit mir zurück in die Kneipe gegangen. Der Mann war natürlich verschwunden, und niemand kannte ihn. Ich wusste noch nicht mal seinen Namen.«

»Aber seine Beschreibung von der Frau stimmte?«

»O aye.«

»Vermutlich seine Exfrau oder eine alte Flamme. Er wollte ihr einen Schreck einjagen, und das war ihm zehn Pfund wert.«

»Bloß dass die Frau jetzt Anzeige erstattet. Ist wohl kein sehr guter Anfang für meine Karriere, was, Inspector?«

»Kommt drauf an«, erwiderte Rebus. »Um deine Karriere als Privatdetektiv mag's zwar nicht so gut bestellt sein, aber als Spanner ist dein Stern eindeutig im Aufgehen.« Als er Steeles unglückliche Miene sah, zwinkerte Rebus ihm zu. »Kopf hoch, ich werd mal sehen, was ich tun kann.«

Doch bevor er irgendetwas tun konnte, rief Siobhan Clarke aus der Gorgie Road an, um ihm von ihrer Begegnung mit Rory Kintoul zu berichten.

»Ich hab ihn gefragt, ob er über die Wettleidenschaft seines Cousins Bescheid wüsste. Er wollte nicht darüber reden, aber ich hab den Eindruck, dass die Bande innerhalb dieser Familie ziemlich eng sind. Im Wohnzimmer waren Hunderte von Fotos: Onkel und Tanten, Brüder und Schwestern, Nichten, Cousins, Omas …«

»Ich verstehe, was Sie meinen. Haben Sie das eingeschlagene Fenster erwähnt?«

»Natürlich. Darüber hat er sich dermaßen aufgeregt, dass er sich am Stuhl festklammern musste, um nicht aufzuspringen. Ein großer Redner ist er allerdings nicht. Meinte, es wär sicher ein Betrunkener gewesen.«

»Derselbe Betrunkene, der ihm ein Messer in den Bauch gerammt hat?«

»Ganz so hab ich's nicht ausgedrückt, und er auch nicht. Ich weiß nicht, ob es wichtig ist oder nicht, jedenfalls hat er gesagt, er hätte früher den Metzgereiwagen für seinen Cousin gefahren.«

»Was, hauptberuflich?«

»Ja. Bis vor etwa einem Jahr.«

»Ich wusste gar nicht, dass Bone überhaupt einen Lieferwagen hat. Der wird dann wohl als Nächstes dran glauben müssen.«

»Sir?«

»Der Lieferwagen. Erst wird das Schaufenster eingeschmissen, und wenn das nichts nützt, fackelt man den Lieferwagen ab.«

»Sie meinen also, es geht um Schutzgeld?«

»Vielleicht um Schutzgeld, aber ich halte Wettschulden für wahrscheinlicher. Was meinen Sie?«

»Nun ja, ich hab Kintoul auf diese Möglichkeit angesprochen.«

»Und?«

»Er hat gelacht.«

»Das will bei ihm ja einiges heißen.«

»Richtig, er ist nicht gerade ein sehr emotionaler Typ.«

»Also geht's nicht um Wettschulden. Dann muss ich noch mal nachdenken.«

»Sein Sohn kam rein, als wir uns unterhielten.«

»Frischen Sie mein Gedächtnis auf.«

»Siebzehn und arbeitslos, sein Name ist Jason. Als Kintoul ihm sagte, dass ich von der Kriminalpolizei bin, schien das den Jungen zu beunruhigen.«

»Ganz natürliche Reaktion bei einem Teenager, der Stütze kriegt. Die meinen heutzutage, wir wären von der Presspatrouille und würden sie zum Militär zwingen.«

»Da steckte mehr dahinter.«

»Wie viel mehr?«

»Keine Ahnung. Könnte das Übliche sein, Drogen und Gangs.«

»Wir müssen mal nachsehen, ob er vorbestraft ist. Wie läuft's denn bei den Geldsäcken?«

»Ehrlich gesagt, ich würd lieber Postsäcke nähen.«

Rebus lächelte. »Muss man alles mal mitgemacht haben, Clarke«, sagte er und legte den Hörer auf.

Aus irgendeinem Grund hatte er am Vortag vergessen, Pat Calder nach der kurzen Notiz auf der hinteren Umschlagseite des Rezepthefts zu fragen. Er wollte sich nur ungern eingestehen, dass ihm das passiert war, weil ihn Mairies Beine oder der Anblick all dieser Elvisse abgelenkt hatten. Bevor er die Wache verließ, hatte Rebus überprüft, ob es eine Akte über Jason Kintoul gab. Es existierte keine. Irgendwie schien die Waffe unter dem Fahrersitz Rebus' Konzentration zu fördern. Die Fahrt zu »The Colonies« dauerte nicht lange.

Pat Calder erschrak sichtlich bei seinem Anblick.

»Morgen«, begrüßte ihn Rebus. »Hab mir gedacht, dass ich Sie zu Hause antreffe.«

»Kommen Sie rein, Inspector.«

Rebus trat ein. Das Wohnzimmer war viel unordentlicher als bei seinem ersten Besuch, und er fragte sich, wer von den beiden denn der Ordentlichere gewesen war. Eddie Ringan mochte zwar wie ein Penner ausgesehen und sich auch so verhalten haben, aber das musste nichts heißen.

»Entschuldigen Sie das Chaos.«

»Sie haben ja im Moment eine Menge am Hals.« Das Zimmer war ungelüftet, und es lag jener strenge männliche Geruch in der Luft, den man manchmal in Umkleideräumen oder Wohnungen findet, die sich mehrere Leute teilen. Doch musste mehr als eine Person anwesend sein, um so einen Geruch zu erzeugen. Rebus begann sich Gedanken über den schlanken jungen Barmann zu machen, der Calder ins Leichenschauhaus begleitet hatte ...

»Ich bin gerade dabei, die Beerdigung zu organisieren«,

sagte Pat Calder. »Sie findet am Montag statt. Die haben mich gefragt, ob sie im Familien- und Freundeskreis abgehalten würde. Da musste ich ihnen sagen, dass Eddie keine Familie hat.«

»Dafür hatte er gute Freunde.«

Calder lächelte. »Danke, Inspector, das ist sehr freundlich. Wollten Sie was Bestimmtes …?«

»Nur eine Sache, etwas, das wir in der Küche gefunden haben.«

»Ach?«

»Eine Art Nachricht. Sie lautete: ›Ich hab doch nur das Gas aufgedreht‹.«

Calder erstarrte. »O Gott, dann *war* es also Selbstmord?«

Rebus zuckte die Achseln. »Es handelt sich nicht um einen Abschiedsbrief. Wir haben die Notiz auf der Innenseite eines Schulhefts gefunden.«

»Eddies Rezeptheft?«

»Ja.«

»Ich hab mich schon gewundert, wo das abgeblieben ist.«

»Der Satz war dick durchgestrichen. Das Ganze befindet sich zur Analyse im Labor.«

»Vielleicht hat es was mit seinen Albträumen zu tun.«

»Das hab ich mich auch gefragt. Jetzt müsste man nur noch wissen, wovon er geträumt hat, stimmt's? Albträume können von Dingen handeln, vor denen man Angst, *oder* von Dingen, die man getan hat.«

»Ich bin kein Psychologe.«

»Ich auch nicht«, gab Rebus zu. »Eddie besaß doch sicher Schlüssel zum Restaurant?«

»Ja.«

»Wir haben aber keine bei ihm gefunden. Sind Sie beim Einpacken auf welche gestoßen?«

»Ich glaub nicht. Aber wie ist er denn ohne Schlüssel reingekommen?«

»Sie sollten zur Kriminalpolizei gehen, Mr Calder. Das habe ich mich nämlich auch gefragt.« Rebus stand auf. »Tut mir Leid, dass ich Sie stören musste.«

»Das ist schon in Ordnung. Können Sie Brian wegen dem Begräbnis Bescheid sagen? Warriston-Friedhof um zwei Uhr.«

»Montag um zwei, richte ich ihm aus. Ach ja, noch eins. Sie haben doch sicher ein Heft für die Reservierungen?«

Calder schien verblüfft. »Natürlich.«

»Da würd ich nämlich gern mal einen Blick reinwerfen. Vielleicht tauchen darin ein paar Namen auf, die Ihnen nichts sagen, für die Polizei aber ganz aufschlussreich sein könnten.«

Calder nickte. »Natürlich. Ich bring es Ihnen mittags vorbei, wenn ich ins Heartbreak gehe.«

»Sind Sie immer noch beim Aufräumen?«

»Nein, ich treffe mich mit einem potenziellen Käufer. Eins von den Pizzarestaurants will sich vergrößern …«

Was auch immer Pat Calder vertuschen wollte, es gelang ihm nur mäßig. Doch Rebus hatte nicht den Nerv, gründlicher nachzuhaken. Es gab sowieso schon genug, was ihm Sorgen machte. Angefangen mit der Waffe. Letzte Nacht hatte er damit im Auto gesessen, den Finger am Abzug. Genauso, wie sein Ausbilder beim Militär es ihm beigebracht hatte – fest, aber nicht zu sehr. Wie eine Erektion, die man aufrechterhalten möchte.

Er hatte außerdem über Gut und Böse nachgedacht. Wenn man böse Dinge dachte – Träume von Grausamkeit und Lust –, machte einen das nicht automatisch zu einem bösen Menschen. Doch wenn man den Kopf voll edler Gedanken hatte und den ganzen Tag Menschen folterte … Es lief darauf hinaus, dass man in der Gesellschaft nach seinen Taten beurteilt wurde, nicht nach dem, was einem im Kopf herumging. Also gab es keinen Grund, sich schlecht zu fühlen, weil er mörderische Gedanken hatte. Jedenfalls so lange nicht, wie er diese nicht in die Tat umsetzte. Und doch wäre es ein gutes Gefühl, es nicht beim Denken zu belassen. Mehr als das, es würde ihm sogar *richtig* erscheinen.

Er hielt mit dem Auto an der erstbesten Kirche an. Seit Monaten war er in keinem Gottesdienst mehr gewesen. Immer hatte er irgendwelche Entschuldigungen gefunden, sich aber fest vorgenommen, sich in Zukunft zu bessern. Doch die Sonntagmorgen mit Patience waren so überaus angenehm gewesen.

Irgendwer hatte sich an dem hölzernen Anschlagbrett vor der Kirche mit einem Marker zu schaffen gemacht und »Unsere Liebe Frau der ewigen Hilfe« in »Unsere Liebe Frau der ewigen Hölle« verwandelt. Nicht gerade ein gutes Omen, doch Rebus ging trotzdem hinein. Er setzte sich in eine der Bänke. Außer ihm waren nur noch einige wenige Leute da. Im Hineingehen hatte er sich ein Gebetbuch genommen. Nun starrte er lange und konzentriert auf den nüchternen schwarzen Einband und fragte sich, warum der bei ihm solche Schuldgefühle hervorrief. Irgendwann kam eine Frau aus dem Beichtstuhl und zog ihr Kopftuch zurecht. Rebus stand auf und zwang sich, den kleinen Verschlag zu betreten. Eine Minute kniete er schweigend vor dem vergitterten Fenster und versuchte sich zu erinnern, was man eigentlich sagen musste.

»Vergib mir, Vater, denn ich bin im Begriff zu sündigen.«

»Das wollen wir erst mal sehen, mein Sohn«, vernahm er ene raue irische Stimme von der anderen Seite des Gitters. Es lag so viel Zuversicht in der Stimme, dass Rebus beinah gelächelt hätte.

Stattdessen sagte er: »Ich bin noch nicht mal katholisch.«

»Das glaub ich dir aufs Wort. Aber du bist Christ?«

»Ich nehm's an. Ich bin früher zur Kirche gegangen.«

»Glaubst du?«

»Ich kann nicht nicht glauben.« Er fügte nicht hinzu, wie sehr er sich darum bemüht hatte.

»Dann sprich über dein Problem.«

»Jemand bedroht mich, meine Freunde und meine Angehörigen.«

»Bist du zur Polizei gegangen?«

»Ich bin Polizist.«

»Ah. Und nun hast du vor, das Gesetz selbst in die Hand zu nehmen, wie es in diesen Filmen immer heißt.«

»Woher wissen Sie das?«

»Du bist nicht der erste Polizist in diesem Beichtstuhl. Es gibt auch ein paar Katholiken bei der Polizei.« Diesmal lächelte Rebus. »Also, was willst du tun?«

»Ich hab eine Waffe.«

Ein lautes Luftholen war zu hören. »Das ist allerdings ernst. Ja, das ist sehr ernst. Aber du musst dir doch darüber im Klaren sein, wenn du eine Waffe benutzt, dann wirst du zu dem, was du am meisten verachtest. Du wirst wie *sie*.« Dem Priester gelang es, das letzte Wort zu zischen.

»Na und?«, entgegnete Rebus.

»Frag dich doch mal Folgendes: Kannst du für den Rest deines Lebens mit der Erinnerung und der Schuld leben?« Die Stimme hielt inne. »Ich weiß, wie ihr Kalvinisten denkt. Ihr glaubt, ihr seid von Anfang an verdammt, warum sich also nicht schon das Leben zur Hölle machen, bevor man dort hinkommt? Aber ich rede von *diesem* Leben, nicht vom nächsten. Möchtest du im Fegefeuer leben, *bevor* du stirbst?«

»Nein.«

»Du wärst auch ein verdammter Idiot, wenn du was anderes sagen würdest. Bind einen Stein an die Waffe und wirf sie in den Forth, da gehört sie hin.«

»Danke, Vater.«

»War mir ein ganz besonderes Vergnügen. Und noch was, mein Sohn.«

»Ja, Vater?«

»Komm wieder und red noch mal mit mir. Ich will wissen,

welchen Unsinn ihr Evangelen so denkt. Da hab ich was zum Grübeln, wenn nichts im Fernsehen ist.«

Rebus hielt sich nicht lange in der Gorgie Road auf. Sie kamen nicht weiter. Die bisher aufgenommenen Fotos waren entwickelt worden, und man hatte einige der Gesichter identifizieren können. Doch bei den Identifizierten handelte es sich um kleine Gauner, Exknackis oder aufstrebendes junges Gemüse. Das waren noch nicht mal kleine Fische, sondern eher so was wie der Laich am Rande eines Sees. Allerdings hatte Flower auch nicht mehr Glück, was Rebus nur recht war. Er freute sich schon darauf, wenn Little Weed seine Spesenabrechnung einreichte. All diese Runden …

Er fühlte sich erfrischt durch sein Gespräch mit dem Priester, von dem er noch nicht mal den Namen kannte, wie ihm jetzt bewusst wurde. Doch das musste wohl so sein. Anonyme Sünder. Vielleicht tat er dem Priester sogar den Gefallen und besuchte ihn irgendwann. Und abends würde er an die Küste fahren und die Waffe wegwerfen. Es war von vornherein eine Idiotie gewesen. In gewisser Weise hatte es gereicht, sie zu kaufen. Er hätte sie sowieso nie benutzt, oder?

In St. Leonard's lag ein Päckchen für ihn auf dem Empfangstisch – das Reservierungsheft aus dem Heartbreak Café. Calder hatte eine kurze Notiz dazu geschrieben.

»Elvis hat ja wohl auch Pizza gegessen, oder?« Es sah also so aus, als würde das Heartbreak italienisch.

Während er die Notiz las, hatte der Dienst habende Beamte nach oben telefoniert und mit leiser Stimme in den Hörer gesprochen.

»Was sollte das denn?«, fragte Rebus. Er glaubte, eindeutig die Worte »Er ist da« gehört zu haben.

»Nichts, Sir«, antwortete der Beamte. Rebus versuchte, durch Anstarren eine Antwort von ihm zu erzwingen, und drehte sich genau in dem Moment um, als das Gespann Lauderdale und Flower forsch die Doppeltür des Treppenhauses aufstieß.

»Kann ich Ihre Autoschlüssel haben?«, forderte Lauderdale ihn auf.

»Was ist denn hier los?« Rebus blickte zu Flower, der aussah wie ein Priester bei einer Hexenverbrennung.

»Die Schlüssel, bitte.« Lauderdales Hand war so ruhig, dass Rebus glaubte, wenn er jetzt wegginge und die beiden Männer dort stehen ließe, würde die Hand noch stundenlang ausgestreckt bleiben. Er übergab seine Schlüssel.

»Es ist eine absolute Schrottkiste. Wenn Sie die Karre nicht an der richtigen Stelle treten, springt sie noch nicht mal an.« Er folgte den beiden Männern durch die Tür auf den Parkplatz.

»Ich will das Auto nicht fahren«, erklärte Lauderdale. Er hörte sich bedrohlich an, doch Flowers gelassenes Schweigen machte Rebus viel mehr Sorgen. Dann kam ihm die Erleuchtung: die Waffe! Sie wussten von der Waffe. Und sie lag immer noch unter dem Fahrersitz. Wo hätte er sie sonst verstecken sollen – in der Wohnung, wo Michael sie finden könnte? In der Hosentasche, wo sie erstaunt hochgezogene Augenbrauen bei den Kollegen auslösen würde? Nein, er hatte sie im Auto gelassen, dessen Tür Lauderdale nun öffnete. Die Hand erneut ausgestreckt, drehte Lauderdale sich zu ihm um. »Die Waffe, Inspector Rebus.« Und als Rebus sich nicht rührte: »Geben Sie mir die Waffe.«

24

Er hob die Waffe und feuerte sie ab – eins, zwei, drei Schüsse. Dann senkte er sie wieder.

Alle nahmen ihre Ohrenschützer ab. Der Mann von der Spurensicherung hatte in etwas geschossen, das aussah wie eine einfache Holzkiste. Die Kugeln würden herausgeholt und dann analysiert werden. An der Hand, mit der er die Waffe hielt, trug der Techniker einen Plastikhandschuh. Er ließ die Waffe in einen Plastikbeutel fallen, bevor er den Handschuh auszog.

»Wir sagen Ihnen so bald wie möglich Bescheid«, erklärte er Chief Superintendent Watson, der den Mann mit einem Nicken entließ. Nachdem er gegangen war, wandte sich Watson an Lauderdale.

»Erzählen Sie mir das Ganze noch mal, Frank.«

Lauderdale holte tief Luft. Er erzählte Watson die Geschichte nun schon zum dritten Mal, doch das machte ihm nichts aus. Ganz im Gegenteil. »Inspector Flower kam heute am späten Vormittag zu mir und sagte, er hätte einen Anruf erhalten ...«

»Anonym natürlich.«

»Natürlich.« Lauderdale holte erneut Luft. »Der Anrufer sagte ihm, dass sich die Waffe, die vor fünf Jahren bei der Schießerei im Central Hotel benutzt worden war, in Inspector Rebus' Besitz befinde. Dann hat er eingehängt.«

»Und wir sollen glauben, dass Rebus vor fünf Jahren diesen Mann erschossen hat?«

Das konnte Lauderdale nicht beantworten. »Ich weiß nur, dass sich in Rebus' Auto tatsächlich eine Waffe befand. Und er sagt selbst, dass sie vermutlich voll von seinen Fingerabdrücken ist. Ob es sich nun um die fragliche Waffe handelt oder nicht, werden wir ja bald erfahren.«

»Warum sind Sie eigentlich so verdammt fröhlich? Wir wissen doch beide, dass das eine abgekartete Sache ist.«

»Wir wissen jedoch auch, Sir«, fuhr Lauderdale fort, ohne auf Watsons Äußerung einzugehen, »dass Inspector Rebus seit längerem eine kleine Privatermittlung in puncto Central Hotel durchführt. Die Akten liegen neben seinem Schreibtisch. Er wollte niemandem sagen, weshalb.«

»Dann hat er halt was rausgefunden, und jetzt macht sich jemand Sorgen. Deshalb hat man ihm die Waffe untergeschoben …«

»Bei allem Respekt, Sir«, Lauderdale zögerte, »niemand hat ihm was untergeschoben. Rebus hat zugegeben, dass er die Waffe von jemandem gekauft hat, den er als ›Fremden‹ bezeichnet. Er habe diesen ›Fremden‹ ausdrücklich *gebeten*, ihm eine Waffe zu besorgen.«

»Wozu?«

»Er behauptet, er würde bedroht. Natürlich könnte er lügen.«

»Was soll das denn heißen?«

»Vielleicht war die Waffe der Grund, weshalb er sich überhaupt auf die Akten vom Central gestürzt hat. Nun spinnt er sich diese Geschichte zusammen, damit wir ihn zumindest nicht beschuldigen können, Beweismaterial zu unterschlagen.«

Watson dachte darüber nach. »Und was ist Ihre Meinung?«

»Ganz objektiv, Sir …«

»Also bitte, Frank, wir wissen doch alle, dass Sie Rebus nicht ausstehen können. Als er Sie und Flower auf sich zukommen sah, muss er geglaubt haben, Sie wollten ihn lynchen.«

Lauderdale rang sich ein künstliches Lachen ab. »Abgesehen von allem Persönlichen, Sir, auch wenn wir uns nur an die bloßen *Tatsachen* halten, steckt Inspector Rebus in ernsthaften Schwierigkeiten. Selbst wenn wir davon ausgehen, dass er die Waffe gekauft hat, handelt es sich offenbar um ein ziemlich übles Teil – da ist mal irgendwer mit einer Feile drangegangen.«

»Es ist schlimmer denn je mit ihm«, sinnierte Watson, »seit ihn seine Freundin rausgeschmissen hat. Ich hatte große Hoffnungen in der Hinsicht.«

»Sir?«

»Sie hat ihn dazu gebracht, anständige Sachen anzuziehen. Rebus sah langsam so aus, als könnte man … eine Beförderung in Erwägung ziehen.«

Lauderdale hätte es fast die Sprache verschlagen.

»Dämlicher Kerl«, fuhr Watson fort. Lauderdale nahm an, dass er von Rebus sprach. »Ich sollte wohl besser mit ihm reden.«

»Wollen Sie, dass ich …?«

»Ich will, dass Sie hier bleiben und auf diese Ergebnisse warten. Wo ist Flower?«

»Wieder bei der Arbeit, Sir.«

»Sie meinen wieder im Pub. Mit ihm will ich auch reden. Merkwürdig, dass dieser anonyme Anrufer es geschafft hat, ausgerechnet die einzige Person in St. Leonard's zu erwischen, die Rebus genauso verehrt wie Sie.«

»Verehrt, Sir?«

»Ich meinte natürlich verabscheut.«

Doch in Wirklichkeit war, wie Rebus bereits herausgefunden hatte, der Anruf nicht von Flower persönlich entgegengenommen worden, sondern von einem Constable, der zufällig wusste, wie Flower zu Inspector John Rebus stand. Er hatte Flower im Pub angerufen, und dieser war nach St. Leonard's gefahren, um es Lauderdale zu sagen.

Rebus wusste das, weil er die Zeit in St. Leonard's totschlagen musste, während alle anderen im Labor in Fettes waren. Und er wusste, dass er nicht viel Zeit hatte, weil Watson ihn suspendieren würde, sobald er zurückkam. Er suchte sich ein paar Plastiktüten und verstaute darin die Central-Hotel-Akten zusammen mit dem Reservierungsheft vom Heartbreak Café. Dann brachte er das ganze Zeug zum Auto und warf es in den Kofferraum … wahrscheinlich der erste Ort, an dem Watson nachsehen würde.

Verdammt, und er hatte vorgehabt, die Waffe noch an diesem Abend loszuwerden.

Lauderdale hatte gesagt, man »vermutete«, dass es sich um die Waffe handelte, die bei dem Mord im Central Hotel benutzt worden war. Nun ja, das würde sich leicht beweisen oder widerlegen lassen. Schließlich besaßen sie immer noch die Kugel von damals. Rebus wünschte, er hätte die Waffe genauer untersucht. Sie hatte neu und unbenutzt ausgesehen, aber vielleicht war sie nur bei diesem einen verhängnisvollen Mal abgefeuert worden.

Er zweifelte keinen Moment daran, dass es sich tatsächlich um diese Waffe handelte. Allerdings fragte er sich, wie die es geschafft hatten, ihn reinzulegen. Das konnte er nur herausfinden, indem er die Sache von hinten aufdröselte. Deek hatte ihm die Waffe besorgt. Also mussten sie sich irgendwie an ihn herangemacht haben. Nun ja, Rebus hatte selbst die Nachricht in Umlauf gesetzt, dass er Deek Torrance suchte. Und Nachrichten sprachen sich herum. Irgendwer hatte davon gehört und es so interessant gefunden, dass er sich ebenfalls auf die Suche nach Deek machte. Man hatte ihn gefragt, was er denn für eine Beziehung zu John Rebus habe. Als Rebus Deek dann bat, ihm eine Waffe zu besorgen, hatte dieser Bericht erstattet.

Ja, so war es wohl gewesen. Rebus hatte sich diesen ganzen Schlamassel selbst eingebrockt, als er nach einer Waffe fragte. Denn da war ihnen klar geworden, was sie mit ihm tun mussten. Dass sie ihm die Waffe unterschoben, war allerdings ein bisschen zu plump. Darauf würde niemand hereinfallen. Trotzdem musste die Sache untersucht werden. Derartige Untersuchungen konnten Monate dauern, und in dieser Zeit wäre er suspendiert. Sie wollten ihn aus dem Weg haben, weiter nichts. Weil er ihnen auf die Pelle rückte.

Rebus lächelte in sich hinein. Er tappte noch immer im Dunkeln … es sei denn, er war auf irgendwas gestoßen, ohne es zu merken. Er musste alles noch einmal durchgehen, bis ins kleinste Detail. Doch das kostete Zeit – Zeit, die ihm Watson, dessen war er sich sicher, ziemlich bald gewähren würde.

Deshalb verblüffte er, als er in das Büro des Chief Superintendent spazierte, selbst Watson mit seiner Gelassenheit.

»John«, begann Watson, nachdem er Rebus bedeutet hatte, sich zu setzen, »wie kommt es bloß, dass Sie anscheinend immer wieder ein faules Ei aus dem Hut zaubern können?«

»Weil ich das Zauberwort sage, Sir?«, mutmaßte Rebus.

»Und wie heißt das Zauberwort?«

Rebus gab sich überrascht, dass Watson es nicht kannte. »Abrakadabra, Sir.«

»John«, sagte Watson, »ich suspendiere Sie.«

»Danke, Sir«, sagte Rebus.

An diesem Abend machte er sich auf die Suche nach Deek Torrance. Er fuhr sogar nach South Queensferry hinaus – die hoffnungsloseste aller Hoffnungen in einer hoffnungslosen Nacht. Deek war sicher reichlich entlohnt worden, um die Stadt weit hinter sich lassen zu können. Vielleicht befand er sich schon gar nicht mehr in der westlichen Hemisphäre. Andererseits war es auch möglich, dass sie ihn auf dauerhaftere Art zum Schweigen gebracht hatten.

»Als schöner Kumpel hast du dich erwiesen«, murmelte Rebus mehr als einmal vor sich hin. Und um den Kreis zu schließen, fuhr er zu seinem Lieblingsmassagesalon. Er schien immer der einzige Kunde zu sein und hatte sich oft gefragt, wie der Organ Grinder eigentlich sein Geld verdiente. Doch jetzt wusste er es natürlich: Er kam zu einem nach Hause. Natürlich nur wenn man reich ... oder berüchtigt ... genug war.

»Wie lange gehen Sie schon dorthin?«, fragte Rebus. Wenn er dort bäuchlings auf dem Tisch lag, war ihm immer bewusst, dass der Organ Grinder ihm mit Leichtigkeit den Hals oder Rücken brechen könnte. Doch er glaubte nicht, dass er das tun würde. Allerdings hoffte er, dass seine Instinkte ihn zumindest in diesem Fall nicht trügten.

»Erst seit ein paar Monaten. Irgendwer in einem Fitnesscenter hat seiner Frau von mir erzählt.«

»Dann kennen Sie die also?«

»Nicht richtig. Sie findet mich zu grob.«

»Ist ja lustig, dass die Frau von Big Ger Cafferty so was sagt.«

»Er ist also ein Schurke?«

»Wie kommen Sie denn darauf?«

»Sie dürfen nicht vergessen, dass ich noch nicht so lange hier bin.«

Rebus hatte tatsächlich vergessen, dass der Organ Grinder aus Nordlondon stammte. Wenn er in der richtigen Stimmung war, konnte er wunderbare Geschichten über diese Stadt erzählen.

»Wissen Sie irgendwas über ihn, das Sie mir berichten möchten?«, wagte sich Rebus trotz der kräftigen Hände in seinem Nacken vor.

»Da gibt es nichts zu berichten«, antwortete der Organ Grinder. »Schweigen ist eine Tugend, Inspector.«

»Die viel zu häufig befolgt wird. Haben Sie mal irgendwen bei ihm da draußen gesehen?«

»Nur seine Frau und seinen Chauffeur.«

»Chauffeur? Sie meinen diesen Kleiderschrank mit dem Knorpelknubbel anstelle des linken Ohrs?«

»Das erklärt den Haarschnitt«, sinnierte der Organ Grinder.

»Der ließe sich nur schwer anders erklären«, meinte Rebus.

Nachdem der Organ Grinder ihn durchgeknetet hatte, fuhr Rebus in die Wohnung zurück. Michael sah sich gerade mit verzückter Miene einen Spielfilm an. Rebus ging zum Fernseher und schaltete ihn aus. Michael starrte immer noch unverwandt auf den Bildschirm. Er hielt eine Tasse kalten Tee in der Hand. Rebus nahm sie ihm vorsichtig ab.

»Mickey«, sagte er. »Ich brauche jemanden, mit dem ich reden kann.«

Michael blinzelte und sah ihn an. »Du kannst immer mit mir reden«, erwiderte er. »Das weißt du doch.«

»Das weiß ich«, sagte Rebus. »Wir haben jetzt etwas gemeinsam.«

»Was denn?«

Rebus ließ sich auf das Sofa fallen. »Man hat uns beide hängen lassen.«

25

Chief Superintendent Watson hatte einen Horror vor den Samstagvormittagen, an denen seine Frau ihn zu überreden versuchte, mit ihr einkaufen zu gehen. Eintönige Stunden in Kaufhäusern und Bekleidungsgeschäften, ganz zu schweigen vom Supermarkt, wo man ihn nur zu gern zum Versuchskaninchen machte für das neueste malaysische Mikrowellengericht oder irgendeine unanständig aussehende, unaussprechliche Frucht. Das Schlimmste war natürlich, dass er andere Männer sah, die sich in genau dem gleichen Dilemma befanden. Ein Wunder, dass keiner von ihnen ausrastete und zu schreien anfing, dass sie doch schließlich früher mal Jäger gewesen waren, wild und stolz.

Doch an diesem Morgen konnte er die Arbeit vorschieben. Er suchte immer nach irgendeinem Vorwand, um kurz in St. Leonard's vorbeizugehen oder sich Arbeit mit nach Hause zu nehmen. Nun saß er in seinem Arbeitszimmer, hörte Radio Scotland und las die Zeitung. Im Gebäude herrschte himmlische Ruhe. Dann klingelte das Telefon, was ihn ärgerte, bis ihm einfiel, dass er genau auf diesen Anruf gewartet hatte. Es war die Ballistikabteilung von Fettes. Nach dem Anruf sah er eine Nummer in seiner Kartei nach und führte ein weiteres Telefongespräch.

»Ich erwarte Sie am Montagmorgen in meinem Büro«, erklärte er Rebus, »zu einer offiziellen Befragung.«

»Daraus schließe ich«, sagte Rebus, »dass ich einen Knaller von Waffe erworben habe.«

»Allerdings!«

»Die Kugeln haben also übereingestimmt?«

»Ja.«

»Damit haben Sie gerechnet«, konstatierte Rebus. »Ich allerdings auch.«

»Es ist eine peinliche Situation, John.«

»Das soll es auch sein.«

»Für Sie genauso wie für mich.«

»Mit Verlaub, Sir, an Sie hab ich dabei nicht gedacht ...«

Als Siobhan Clarke an diesem Morgen aufwachte, warf sie einen Blick auf die Uhr und sprang aus dem Bett. Mein Gott, es war schon fast neun! Sie hatte gerade das Wasser für ein Bad aufgedreht und suchte im Badezimmer nach sauberer Unterwäsche, da kam ihr die Erleuchtung. Es war Wochenende! Kein Grund, sich zu beeilen. Ganz im Gegenteil. Ein Aushilfsteam hatte die »Operation Geldsäcke« übernommen, nur für dieses erste Wochenende, um abzuklären, ob sich in Dougarys Büro irgendwas tat. Laut Information der Steuerfahndung waren für Dougary die Wochenenden sakrosankt. Angeblich begab er sich noch nicht mal in die Nähe der Gorgie Road. Aber sie mussten sichergehen, deshalb würde zumindest an diesem Wochenende eine Ersatzmannschaft die Dinge im Auge behalten. Wenn nichts passierte, wollte man sich am nächsten Wochenende die Mühe sparen. Zum

Glück hatte Dougary feste Gewohnheiten. Nur selten war sie länger als bis halb sechs auf ihrem Wachposten geblieben, häufig konnte sie sogar etwas früher gehen. Was Siobhan entgegenkam, denn so schaffte sie es, außerhalb der Arbeitszeit ein paar nützliche Fahrten nach Dundee zu unternehmen.

Für den heutigen Morgen hatte sie eine weitere Fahrt geplant, doch sie brauchte Edinburgh erst in etwa einer Stunde zu verlassen. Und sie würde ganz bestimmt zurück sein, bevor bei den Hibs zum Anstoß gepfiffen wurde.

Jetzt gab's erst mal einen Kaffee. Im Wohnzimmer herrschte ein ziemliches Chaos, doch das störte sie nicht. Normalerweise erledigte sie sämtliche Hausarbeiten am Sonntagmorgen. Das war das Gute am Singledasein: Man trug die Verantwortung für sein Chaos ganz allein. Es gab niemanden, der dumme Bemerkungen darüber machte oder sich dadurch gestört fühlte. Chipstüten, Pizzakartons, zu Dreivierteln leere Weinflaschen, alte Zeitungen und Zeitschriften, CD-Boxen, diverse Kleidungsstücke, geöffnete und ungeöffnete Post, Teller und Besteck sowie sämtliche Kaffeebecher, die sie besaß – das alles lag in ihrem dreieinhalb mal viereinhalb Meter großen Wohnzimmer herum. Irgendwo unter dem ganzen Müll befand sich ein Futon und ein schnurloses Telefon, das jetzt klingelte. Sie griff unter einen Pizzakarton, nahm den Hörer und zog die Antenne heraus.

»Sind Sie das, Clarke?«

»Ja, Sir.« So ziemlich der Letzte, den sie erwartet hätte: John Rebus. Sie ging ins Badezimmer.

»Das rauscht ja fürchterlich«, sagte Rebus.

»Ich hab bloß das Wasser an der Badewanne ausgedreht.«

»Oje, Sie sind in der ...«

»Nein, Sir, noch nicht. Ich hab ein schnurloses Telefon.«

»Ich hasse diese Dinger. Da redet man fünf Minuten, dann hört man plötzlich die Toilettenspülung. Tja, tut mir Leid ... wie spät is es?«

»Genau neun Uhr.«

»Tatsächlich?« Er klang völlig fertig.

»Sir, ich hab von Ihrer Suspendierung gehört.«

»Das kann ich mir denken.«

»Es geht mich zwar nichts an, aber was wollten Sie überhaupt mit einer Waffe?«

»Mentaler Schutz.«

»Wie bitte?«

»So nennt mein Bruder das. Und der sollte es wissen. Er war nämlich früher Hypnotiseur.«

»Sir, ist alles in Ordnung?«

»Natürlich. Gehen Sie zum Spiel?«

»Nicht, wenn Sie was anderes für mich zu tun haben.«

»Tja, ich dachte nur … haben Sie eigentlich die Cafferty-Akten noch?«

Sie war zurück ins Wohnzimmer gegangen. Und ob sie die noch hatte. Der Inhalt lag auf dem Sofatisch, dem Schreibtisch und der halben Frühstückstheke.

»Ja, Sir.«

»Könnten Sie mir die vielleicht in meine Wohnung bringen? Ich hab nämlich die Akten vom Central Hotel hier. Irgendwo muss es darin einen Hinweis geben, den ich bisher übersehen habe.«

»Sie wollen sie mit den Cafferty-Akten vergleichen? Das ist aber eine Riesenarbeit.«

»Nicht wenn man es zu zweit macht.«

»Um wie viel Uhr soll ich kommen?«

Im Haus von Brian Holmes' Tante in Barnton war der Samstag fast so wie ein Sonntag, außer dass Brian sich samstags nicht davor drücken musste, mit ihr in die presbyterianische Kirche zu gehen. War es da ein Wunder, dass er so viel Zeit im Heartbreak Café verbrachte, nachdem man ihn dort so freundlich aufgenommen hatte? Doch diese Zeiten waren vorüber. Er versuchte sich damit abzufinden, dass »Elvis« tot war, doch es fiel ihm schwer. Kein King Shrimp Creole mehr oder Blue Suede Choux oder In the Gateau, keine Blue-Hawaii-Cocktails mehr. Nie mehr lange Nächte mit Tequila Slammers (natürlich mit Jose Cuervo Gold) oder Jim Beam, Eddies Lieblingsbourbon.

»›Halt dich an den Beam‹, pflegte er immer zu sagen.«

»Ganz ruhig, mein Junge.« Na großartig, jetzt hatte seine Tante ihn erwischt, wie er mit sich selber redete. Sie brachte ihm eine Tasse Ovomaltine.

»Das trinkt man doch vorm Schlafengehen«, sagte er. »Wir haben doch noch nicht mal Mittag.«

»Es wird dich beruhigen, Brian.«

Er nahm einen Schluck. Es schmeckte gar nicht so schlecht. Pat war vorbeigekommen, um zu fragen, ob er am Montag mit ihm als Sargträger rechnen könne.

»Es wäre mir eine Ehre«, hatte Holmes ihm geantwortet und es auch so gemeint. Pat hatte ihm nicht in die Augen sehen wollen. Vielleicht dachte auch er an all die Nächte, die sie nach der Sperrstunde noch betrunken an der Bar verbracht hatten. In einer jener Nächte hatten sie sich über große Unglücke in Schottland unterhalten, und da hatte Eddie plötzlich eröffnet, dass er dabei gewesen war, als das Central Hotel abbrannte.

»Ich bin für einen Typ eingesprungen, Geld bar auf die Kralle und keine Fragen. Konnte mich kaum noch auf den Beinen halten nach der Tagesschicht im Eyrie.«

»Ich wusste gar nicht, dass du mal im Eyrie gearbeitet hast.«

»Assistent des Chefkochs persönlich. Wenn er dieses Jahr immer noch keine Empfehlung im Michelin kriegt, kann er gleich aufgeben.«

»Was ist denn genau im Central passiert?« Holmes' Hirn war noch nicht völlig vom Schnaps benebelt gewesen.

»In einem der Zimmer im ersten Stock wurde Poker gespielt.« Er schien den Faden zu verlieren und drohte jeden Moment einzuschlafen. »Tam und Eck suchten Mitspieler ...«

»Tam und Eck?«

»Tam und Eck Robertson ...«

»Aber was ist passiert?«

»Es hat keinen Sinn, Brian«, sagte Pat Calder, »sieh ihn dir doch an.«

Eddies Kopf ruhte auf seinen Armen, die ausgestreckt auf der Theke lagen, und obwohl seine Augen offen waren, schlief er.

»Ein Cousin von mir war im Ibrox-Stadion, als dort das Geländer zusammenkrachte und etliche Leute im Gedränge totgetrampelt wurden«, berichtete Pat, während er ein Pintglas spülte.

»Aber weißt du noch, wo du an dem Abend warst, an dem Jock Stein starb, unser begnadeter Nationaltrainer?«, fragte Holmes. Es folgten noch weitere Geschichten, die Eddie alle verschlafen hatte.

Jetzt war er für immer eingeschlafen. Und Holmes sollte Sargträger Nummer vier sein. Er hatte Pat ein paar Fragen gestellt.

»Merkwürdig«, hatte Pat gesagt, »dein Boss Rebus hat mich genau das Gleiche gefragt.«

Und so wusste Brian, dass der Fall in guten Händen war.

Rebus fuhr durch die mittäglichen Straßen. Samstags wirkte die Innenstadt, solange man sich von der Princes Street fernhielt, nicht so hektisch. Zumindest bis etwa halb drei, dann füllte sich nämlich entweder der Ost- oder Westteil der Stadt, je nachdem, welche Mannschaft ein Heimspiel hatte, mit Fußballfans. Und an Derbytagen mied man die Innenstadt am besten ganz. Doch heute fand kein Match statt, und die Hibs traten zu Hause an. Also war es in der Stadt ruhig.

»Sie haben mich doch erst letzte Woche nach ihm gefragt«, erklärte ein Barmann Rebus.

»Dann frag ich halt noch mal.«

Er war wieder auf der Suche nach Deek Torrance, diesmal in zerstörerischer Mission. Er bezweifelte zwar, dass Deek sich in der Stadt aufhielt, aber Geld und Alkohol konnten einen Mann manchmal unvorsichtig werden und ihn Gefahren verkennen lassen. Rebus' einzige Hoffnung war, dass Deek sich irgendwo von dem Geld betrank, das er ihm für die Waffe gezahlt hatte. Doch diese Hoffnung stand auf ziemlich tönernen Füßen. In einer Kneipe in Leith traf er Chick Muir und berichtete ihm von den jüngsten Ereignissen.

»Das ist ja schrecklich«, tröstete ihn Chick. »Ich werd weiterschnüffeln.«

Diese Vorstellung gefiel Rebus. Chick würde das nicht allzu schwer fallen. Informanten wurden auch Schnüffler genannt, und Chick hatte ein Riechorgan von beachtlicher Größe.

Um halb zwei verließ er ein schmuddeliges Wettbüro. Er hatte schon mehr Hoffnung in einem Hospiz gesehen, und auch weniger Tränen. Zehn Minuten später saß er bei Haggis mit Rübchen und Kartoffelpüree – alles aus der Mikrowelle – in der Sutherland Bar. Irgendwer hatte seine Zeitung auf dem Stuhl liegen gelassen. Rebus begann zu lesen. Zufälligerweise war die Zeitung bei einem Artikel von Mairie Henderson aufgeschlagen.

»Sie sind zu spät«, sagte er, als Mairie sich neben ihn setzte. Um ein Haar wäre sie wütend wieder aufgestanden.

»Ich war vor einer halben Stunde schon mal hier! Viertel nach eins, wie vereinbart. Ich hab bis halb zwei gewartet.«

»Ich dachte, wir wären um halb zwei verabredet gewesen«, sagte er fröhlich.

»Da waren Sie auch noch nicht hier. Sie haben echt Glück, dass ich überhaupt noch mal gekommen bin.«

»Und warum sind Sie gekommen?«

Sie riss ihm die Zeitung aus der Hand. »Weil ich meine Zeitung vergessen hab.«

»Steht eh nicht viel drin.« Er schob sich eine weitere Gabel Haggis in den Mund.

»Ich dachte, Sie wollten mich zum Essen einladen.«

Rebus deutete mit dem Kopf auf die Essenstheke. »Bedienen Sie sich. Die schreiben's auf meine Rechnung.«

Nach kurzer Überlegung kam sie zu dem Schluss, dass ihr Hunger größer war als ihr Zorn. Mit einer Quiche und Bohnensalat kam sie von der Essenstheke zurück und schnappte sich ihr Portemonnaie. »Die machen hier keine Rechnungen«, ließ sie ihn wissen. Rebus zwinkerte ihr zu.

»Nur ein kleiner Scherz von mir.« Er versuchte, ihr etwas Geld in die Hand zu drücken, doch sie drehte sich auf dem Absatz um. Flache Absätze, überhaupt hatte sie lustige kleine Schuhe an, wie Doc Martens für Kinder. Und eine schwarze Strumpfhose. Rebus ließ sich das Essen auf der Zunge zergehen. Als sie zurückkam, zog sie ihren Mantel aus. Es dauerte eine Weile, bis sie bequem saß.

»Was zu trinken?«

»Ist vermutlich meine Runde?«, sagte sie unwirsch.

Er schüttelte den Kopf, also bat sie ihn um einen Gin mit frisch gepresstem Orangensaft. Rebus holte die Getränke, für sich ein Guinness, das vermutlich mehr Nährwert besaß als das Essen, das er gerade verspeist hatte.

»Also«, begann Mairie, »was ist denn nun das große Geheimnis?«

Rebus zeichnete mit dem kleinen Finger seine Initialen in die dicke Schaumkrone des Biers. »Man hat mir die rote Karte gezeigt.«

Das ließ sie aufblicken. »Was? Suspendiert?« Jetzt war sie nicht mehr wütend auf ihn, sondern ganz die Reporterin, die eine Story witterte. Er nickte. »Was ist passiert?« Aufgeregt schob sie sich eine Ladung von ihrem Salat aus Kidneybohnen und Kichererbsen auf die Gabel. Rebus hatte von seinen Mietern einen Crashkurs im Erkennen von Hülsenfrüchten erhalten. Kidneybohnen und Kichererbsen waren die leichteste Übung. Er konnte nun sogar auf große Entfernung eine Pinto- von einer Borlottibohne unterscheiden.

»Ich bin in den Besitz einer Waffe gekommen, einem 45er Colt. Kann ein Imitat gewesen sein oder auch nicht.«

»Und?« Vor lauter Aufregung hätte sie ihn fast mit dem Salat bespuckt.

»Und es war die Waffe, die bei der Schießerei im Central Hotel benutzt worden ist.«

»Nein!« Ihr Aufschrei ließ mehrere Gäste für eine Sekunde beim Trinken innehalten. So eine Kneipe war das Sutherland. Rebus konnte förmlich sehen, wie sich Mairies Kopf mit Fragen füllte.

»Schreiben Sie noch für die Sonntagsausgabe?«, wollte er wissen. Sie nickte, immer noch bemüht, ihre vielen Fragen in eine sinnvolle Reihenfolge zu bringen. »Wie wär's, wenn Sie mir einen Gefallen tun? Ich wollte schon immer mal auf die Titelseite …«

Doch er wollte nicht, dass *sein* Name darauf erschien. In der Zeitungsredaktion gingen sie das Ganze noch einmal sorgfältig durch. So bekam Rebus doch noch seine Führung durch das Gebäude. Es war ein bisschen enttäuschend, ein riesiges Treppenhaus, lauter Großraumbüros und nicht viel Action. Was sich an Action abspielte, konzentrierte sich ausschließlich auf Mairies Schreibtisch und ihren hochmodernen Computer.

Es fand sogar ein Gespräch mit dem verantwortlichen Redakteur der Sonntagsausgabe statt. Die Zeitung musste sich in einigen Dingen absichern. So war das immer bei Geschichten, deren Quelle nicht bekannt werden sollte. Nach schottischem Gesetz durften nicht bestätigte Artikel nicht gedruckt werden. Und die Presse schien sich daran zu halten. Doch Rebus bekam tatkräftige Unterstützung durch die Frau, unter deren Namen die Geschichte erscheinen würde. Nach einer telefonischen Beratung mit dem gut bezahlten Anwalt der Zeitung wurde die Zustimmung erteilt, und Mairie fing an, wie wild auf das Keyboard einzuhämmern.

»Ich kann Ihnen nicht versprechen, dass es auf der ersten Seite erscheint«, warnte der Redakteur. »Man kann ja nie wissen, welchen Knaller wir noch reinkriegen. Bisher haben Sie nur einen Autounfall mit drei Verletzten auf die Innenseite verdrängt.«

Rebus blieb, um den Prozess von Anfang bis Ende mitzuerleben. Mit Hilfe einer Reihe von Befehlen auf Mairies Computer wurde der Text zum Belichten in die Technik geschickt, die sich in einem anderen Teil des Gebäudes befand. Kurz darauf lieferte ein Laserdrucker eine erste Fassung der Titelseite, wie sie am nächsten Morgen aussehen sollte. Dort stand im unteren Teil der Seite die Überschrift: WAFFE AUS FÜNFJÄHRIGEM MORDDRAMA GEFUNDEN.

»Die wird noch geändert«, sagte Mairie. »Da macht sich der Chefredakteur dran.«

»Warum?«

»Zum einen, weil es sich so anhört, als hätte es fünf Jahre lang Morde gegeben.«

Das stimmte. Rebus hatte es gar nicht bemerkt. Mairie starrte ihn an.

»Wird Ihnen das nicht nur noch *mehr* Ärger einbringen?«

»Wer weiß schon, dass Sie die Geschichte von mir bekommen haben?«

Sie lächelte. »Nun ja, fangen wir mal mit der gesamten Belegschaft der City of Edinburgh Police an.«

Rebus erwiderte ihr Lächeln. Er hatte sich am Morgen Koffeintabletten gekauft, um munter zu bleiben. Sie taten ihre Wirkung. »Falls mich jemand fragt«, sagte er, »muss ich halt einfach die Wahrheit sagen.«

»Und wie lautet die?«

»Ich weiß von nix.«

26

Am Nachmittag verteilte Rebus noch mehr Geld an die Studenten, damit sie bis Mitternacht wegblieben. Er fragte sich, ob es ein einzigartiger Fall in der schottischen Sozialgeschichte war, dass ein Vermieter seine Mieter bezahlte. Zurzeit hielten sich nur zwei von ihnen in der Wohnung auf, da die beiden anderen (er hatte mittlerweile geklärt, dass es vier feste Mieter waren, deren Namen er sich aber noch nicht merken konnte und die er deshalb nie benutzte) nach Hause gefahren waren.

Michael blieb jedoch da. Das würde aber kein Problem sein, da er wahrscheinlich in der Abstellkammer döste oder fernsah. Es machte ihm anscheinend auch nichts aus, wenn der Ton abgestellt war, Hauptsache, es gab irgendwelche Bilder, auf die er starren konnte.

Rebus besorgte richtigen Kaffee, Milch, Bier, Softdrinks und diverse Snacks. Als er vom Einkaufen zurückkam, fiel ihm ein, dass Siobhan Vegetarierin war, und er verfluchte sich, dass er Chips mit Räucherspeckgeschmack gekauft hatte. Doch das waren ja nur künstliche Aromastoffe, also würde es ihr vielleicht nichts ausmachen. Sie erschien um halb sechs.

»Kommen Sie rein, kommen Sie rein.« Rebus führte sie durch den langen dunklen Flur ins Wohnzimmer. »Das ist mein Bruder Michael.«

»Hallo, Michael.«

»Mickey, das ist DC Siobhan Clarke.« Michael blinzelte

und nickte mit dem Kopf. »Kommen Sie, geben Sie mir Ihre Jacke. Wie war übrigens das Spiel?«

»Torlos.« Siobhan stellte ihre beiden Tragetaschen auf den Boden und zog die schwarze Lederjacke aus. Rebus hängte die Jacke im Flur auf. Als er zurückkam, erwischte er sie, wie sie skeptisch das Wohnzimmer betrachtete.

»Ziemlicher Saustall, was?«, sagte er, obwohl er vorher eine Viertelstunde lang aufgeräumt hatte.

»Das kann man wohl sagen.« Sie stritt nicht ab, dass es ein Saustall war. Durch das hohe Schiebefenster konnte man kaum durchschauen. Und was die Tapete betraf … sie konnte gut verstehen, weshalb die Studenten versucht hatten, jeden Zentimeter mit Postern zu bedecken.

»Was zu trinken?«

Sie schüttelte den Kopf. »Lassen Sie uns gleich anfangen.« Es war nicht ganz so, wie sie erwartet hatte. Der zombieartige Bruder war natürlich auch nicht gerade hilfreich. Aber wenigstens lenkte er einen nicht ab. Sie machten sich an die Arbeit.

Eine Stunde später hatten sie sich einen groben Überblick über beide Akten verschafft. Siobhan lag seitlich auf dem Fußboden, die Beine angezogen, den Kopf auf einen Arm gestützt. Sie trank gerade die zweite Dose Cola. Die Akten lagen vor ihr auf dem Boden. Rebus saß nicht weit von ihr auf dem Sofa, die Akten teils auf dem Schoß, teils in einem Stapel neben sich. Er hatte sich einen Stift hinters Ohr geklemmt, wie ein Metzger oder Buchmacher. Siobhan hielt ihren Stift im Mund und klopfte beim Nachdenken gegen ihre Zähne. Eine schwachsinnige, aber offenbar wahnsinnig komische Quizshow flimmerte stumm über den Fernsehschirm. Nach Michaels Mimik zu urteilen, hätte es sich genauso gut um einen Kriegsverbrecherprozess handeln können.

Schwerfällig erhob er sich aus seinem Sessel. »Ich geh 'ne Runde pennen«, informierte er sie. Siobhan versuchte, sich ihre Überraschung nicht anmerken zu lassen, als er statt auf die Wohnzimmertür auf die Tür vom Wandschrank zuging. Er schloss sie hinter sich.

»Mir geht es um zwei Dinge«, erklärte Rebus. »Endlich das Mordopfer zu identifizieren.«

»Und den Mörder«, fügte Siobhan hinzu.

Doch Rebus schüttelte den Kopf. »Zu beweisen, dass Big Ger dort war.«

»Es gibt keinerlei Beweise, dass er sich auch nur in der Nähe aufhielt.«

»Und vielleicht wird es die auch nie geben. Aber trotzdem … Wir wissen immer noch nicht, wer alles bei dem Pokerspiel dabei war. Das können ja nicht nur die Bru-Head Brothers gewesen sein.«

»Wir könnten versuchen, mit sämtlichen Leuten zu reden, die an jenem Abend im Hotel waren.«

»Ja, das könnten wir.« Rebus klang wenig begeistert.

»Oder wir versuchen, die Brüder zu finden – sofern sie überhaupt noch leben – und sie zu fragen.«

»Ihr Cousin weiß vielleicht, wo sie sind.«

»Wer? Radiator McCallum?«

Rebus nickte. »Allerdings wissen wir auch nicht, wo der ist. Eddie Ringan war dort, aber er stand nie auf der offiziellen Liste. Black Aengus stand nicht auf der Liste und die Bru-Head Brothers auch nicht. Es wundert mich, dass wir überhaupt irgendwelche Namen haben.«

»Außerdem ist das alles lange her.« Siobhan hörte sich entspannter an, seit Michael nicht mehr im Zimmer war.

»Aber manche Dinge vergessen die Leute nicht so schnell. Vielleicht sollte ich mir Black Aengus noch mal vorknöpfen.«

»Das lassen Sie lieber bleiben.« Siobhan hätte jetzt was von Dundee sagen können, aber sie wollte erst die Bestätigung haben, und außerdem sollte es eine Überraschung sein. Am Montag würde sie es wissen.

Das Telefon klingelte. Rebus nahm den Hörer ab.

»John? Hier ist Patience.«

»Oh, hallo.«

»Selber hallo. Ich dachte, wir sollten mal einen Termin für unser Treffen vereinbaren.«

»Auf einen Drink?«

»Jetzt sag bloß nicht, du hättest es vergessen. Nein, ich weiß, was das soll: Du spielst nur den Unnahbaren. Treib es nicht zu weit, Rebus.«

»Nein, so war das nicht gemeint. Ich bin nur im Augenblick ziemlich beschäftigt.« Siobhan schien zu verstehen, dass sie störte, stand auf und signalisierte in Zeichensprache, sie wolle in der Küche Kaffee kochen. Rebus nickte.

»Tja, tut mir Leid, dass ich dich bei was auch immer gestört ...«

»Versteh das bitte nicht falsch, Patience. Aber mir gehen gerade alle möglichen Dinge im Kopf rum.«

»Und ich gehör wohl nicht dazu?«

Rebus gab einen entnervten Laut von sich. Aus der Küche kam ein Niesen. Ja, auf den Tribünen an der Easter Road konnte es ganz schön frisch sein.

»John«, sagte Patience, »ist da eine Frau in der Wohnung?«

»Ja«, antwortete er.

»Eine der Studentinnen?«

Er belog sie selten. »Nein, eine Kollegin. Wir arbeiten ein paar Akten durch.«

»Ich verstehe.«

Herrgott noch mal, er hätte lügen sollen. Die Gedanken an das Central Hotel beschäftigten ihn so sehr, dass er Patiences Sticheleien nicht gewachsen war. »Hör mal«, sagte er, »hattest du an einen bestimmten Ort und Termin für unser Treffen gedacht?«

Doch Patience hatte bereits eingehängt. Rebus starrte auf

den Hörer, zuckte die Achseln und legte ihn auf den Teppich. Er wollte keine weiteren Unterbrechungen.

»Der Kaffee ist fertig«, verkündete Siobhan.

»Super.«

»Hab ich was falsch gemacht?«

»Was? Nein, nein, bloß ... ach nichts.«

Doch Siobhan ließ sich nichts vormachen. »Sie hat mich niesen gehöt und geglaubt, Sie hätten eine andere Frau hier.«

»Ich *habe* eine andere Frau hier. So denkt sie halt ... Sie vertraut mir nicht so besonders.«

»Sollte sie das denn?«

Rebus seufzte. »Sagen Sie mir doch noch mal, was wir über die Robertson-Brüder wissen.«

Siobhan setzte sich auf den Fußboden und fing an, aus der Akte vorzulesen. Rebus schaute vom Sofa auf sie herunter. Auf ihren Kopf und den Nacken mit den feinen hellen Haaren, die in ihrem Kragen verschwanden. Kleine durchstochene Ohren ...

»Wir wissen, dass sie sich gut verstehen. Es war eine Familie, die eng zusammenhielt, sechs Kinder in einer Hütte mit einem einzigen Schlafzimmer.«

»Was ist aus den anderen Brüdern und Schwestern geworden?«

»Vier Schwestern«, las Siobhan vor. »Sind heutzutage brave Hausfrauen und Mütter. Nur die Jungen waren wild. Beides Spielertypen, besonders Karten und Pferde. Tam ist der bessere Kartenspieler von den beiden, aber Eck hat mehr Glück mit Pferden ... Vergessen Sie nicht, dass dieses Zeug hier sechs Jahre alt ist und sowieso alles aus zweiter Hand stammt.«

Rebus nickte. Er musste an den alten Mann im letzten Pub in Lochgelly denken, der von den Malern und Tapezierern Drinks schnorrte. Er hatte gesagt, dass ihm einer der Männer auf den Zeichnungen bekannt vorkäme. Darauf war ihm einer der Anstreicher mit der Bemerkung ins Wort gefallen, dass er ein Pferd eher wiedererkennen würde als einen Menschen. Der alte Mann war also versessen auf Pferde, und genau das waren Eck und Tam auch.

»Vielleicht hat er sie bei einem Buchmacher gesehen«, überlegte Rebus laut.

»Wie bitte?«

Rebus erklärte es ihr.

»Es ist einen Versuch wert«, räumte sie ein. »Was haben wir sonst schon in der Hand?«

Rebus hatte einen Bekannten bei der Kriminalpolizei in Dunfermline, einen Detective Sergeant Hendry. Es wurde gemunkelt, dass dieser zu gut in seinem Job war, um jemals befördert zu werden. Nur den Unfähigen wurde diese Ehre zuteil. Damit schaffte man sie aus dem Weg. Als DI teilte Rebus diese Meinung nicht so ganz. Doch ihm war klar, dass Hendry längst Inspector hätte sein müssen, und er fragte sich, wer gegen ihn intervenierte. Es konnte nicht daran liegen, dass Hendry zu aufmüpfig war. Er war einer der ruhigsten Menschen, die Rebus kannte. Sein Hobby, Vogelbeobachtung, spiegelte seinen Charakter wider. Sie hatten ihre privaten Telefonnummern ausgetauscht, als sie zusammen an einem Fall arbeiteten. Ja, es war einen Versuch wert.

»Hallo, Hendry«, sagte er. »Hier ist Rebus.«

»Typisch Rebus, die wohlverdiente Ruhe eines hart arbeitenden Mannes zu stören.«

»Warst du Vögel beobachten?«

»Ich hab heute Morgen einen Buntspecht gesehen.«

»Bei uns gibt's auch 'ne Menge bunter Vögel.«

»Klar, aber wir sind hier halt eher ein bisschen provinziell. Also, was willst du?«

»Ich möchte, dass du einen Blick in euer Telefonbuch wirfst. Ich bin hinter Buchmacherläden her.«

»Irgendeinem bestimmten?«

»Nein, ich bin nicht wählerisch. Ich brauche die Namen und Adressen von allen.«

»In welchen Städten?«

Rebus dachte nach. »Dunfermline, Cowdenbeath, Lochgelly, Cardenden, Kelty, Ballingry. Das reicht für den Anfang.«

»Wird aber ein bisschen dauern. Kann ich dich zurückrufen?«

»Klar. Und denk mal über zwei Namen nach, Tam und Eck Robertson. Das sind Brüder.«

»Okay. Du bist wieder in der Arden Street, hab ich gehört.«

»Was?«

»Deine Ärztin hätte dich rausgeschmissen. Woran lag's, an deinen Manieren im Bett?«

»Wer hat dir das denn erzählt?«

»So was spricht sich rum. Es stimmt also gar nicht?«

»Nein. Es ist nur so, dass mein Bruder für ein paar Tage ... ach, vergiss es.«

»Bis später.«

Rebus legte den Hörer auf. »Ist das denn zu glauben? Hinz und Kunz scheint über die Sache mit mir und Patience Bescheid zu wissen. Stand das in der Zeitung oder was?«

Siobhan lächelte. »Und?«

»Hendry meldet sich, wenn er die Adressen rausgesucht hat. Wir könnten inzwischen 'ne Kleinigkeit essen gehen, ein Curry oder so.«

»Und wenn er anruft, während wir nicht da sind?«

»Dann versucht er's halt noch mal.«

»Haben Sie eigentlich keinen Anrufbeantworter?«

»Das Ding hat nicht funktioniert, deshalb hab ich's weggeworfen. Außerdem gibt es in Fife so viele Buchmacherläden, dass Hendry Stunden damit beschäftigt sein wird.«

Sie gingen zu Fuß nach Tollcross, weil Siobhan meinte, sie brauche unbedingt etwas frische Luft.

»Ich dachte, davon hätten Sie genug bei dem Spiel mitgekriegt.«

»Soll das ein Witz sein? Bei all dem Gestank nach Zigaretten, schalem Bier und ranzigem Fett ...«

»Sie verderben mir den Appetit auf mein Curry.«

»Ich wette, Sie sind ein Vindaloo-Typ.«

»Ausschließlich Madras«, sagte Rebus.

Während des Essens kam er zu dem Schluss, dass Siobhan hinterher eigentlich nach Hause gehen könnte. Schließlich war heute Abend mit der Liste der Wettläden nichts mehr anzufangen. Und morgen wären die Läden sowieso geschlossen. Doch Siobhan wollte zumindest so lange bleiben, bis Hendry sich gemeldet hatte.

»Wir haben noch nicht alle Akten durch«, wandte sie ein.

»Allerdings«, sagte Rebus. Nach dem Essen trank Siobhan eine Tasse Kaffee, und Rebus bestellte etwas für Michael zum Mitnehmen.

»Wie geht's ihm überhaupt?«, fragte sie.

»Allmählich besser«, versicherte Rebus. »Er ist mit den Tabletten fast fertig. Und danach geht's ihm bestimmt wieder gut.«

Wie um diese Einschätzung zu bestätigen, trafen sie bei ihrer Rückkehr Michael in der Küche an, wo dieser gerade einen Teebeutel in einen Becher mit heißem, milchigem Wasser tunkte. Er sah aus, als hätte er sich gerade geduscht und rasiert.

»Ich hab dir ein Curry mitgebracht«, sagte Rebus.

»Du bist ein Hellseher.« Michael schnupperte in die braune Papiertüte. »Rogan Josh?« Rebus nickte und sagte zu Siobhan: »Michael ist der Rogan-Josh-Experte der Stadt.«

»Es hat jemand angerufen, während ihr weg wart.« Michael nahm die Pappschachteln aus der Tüte.

»Hendry?«

»Ja, genau.«

»Hat er eine Nachricht hinterlassen?«

Michael entfernte den Deckel von beiden Schachteln, Fleisch und Reis. »Er hat gesagt, du sollst dir einen Stift und einen Stapel Papier zurechtlegen.«

Rebus lächelte Siobhan an. »Kommen Sie«, sagte er, »wir wollen Hendrys Telefonrechnung schonen.«

»Bin ich froh, dass du zurückrufst«, waren Hendrys erste Worte. »Zum einen muss ich in einer halben Stunde bei einem Bowling-Hallenturnier sein. Und außerdem ist es eine lange Liste.«

»Dann schieß mal los«, ermunterte Rebus ihn.

»Kann ich sie dir nicht auf die Wache faxen?«

»Nein, kannst du nicht. Ich bin aus dem Spiel.«

»Das wusste ich nicht.«

»Komisch. Über mein Liebesleben scheinst du ja bestens informiert zu sein. Ich bin soweit, wenn du es bist.«

Hendry rasselte die Namen, Adressen und Telefonnummern herunter, und Rebus gab sie an Siobhan weiter. Sie behauptete, schnell schreiben zu können, also wurde ihr das Protokoll übertragen. Doch nach zehn Minuten machte Rebus weiter, weil ihr die Hand wehtat. Die fertige Liste umfasste drei DIN-A4-Seiten. Hendry garnierte die nüchternen Informationen mit Dingen, die er aufgeschnappt hatte, wie zum Beispiel Rangeleien um Lizenzen, Verdacht auf das Verschieben gestohlener Güter, Treffpunkte von zwielichtigen Elementen und Ähnliches. Rebus war für alles dankbar.

»Diese Buchmacher scheinen mir ein netter Haufen zu sein«, bemerkte er, nachdem Siobhan ihm wieder den Hörer gereicht hatte.

»Das kann mal wohl sagen«, meinte Hendry. »Bin ich jetzt entlassen?«

»Klar, und vielen Dank für alles.«

»Solange es dir hilft, wieder ins Spiel zu kommen. Wir

brauchen alle Stürmer, die wir kriegen können. Diese beiden Namen sagen mir übrigens gar nichts. Und, Rebus?«

»Was?«

»Sie hört sich ja wie ein richtiger kleiner Feger an.«

Hendry unterbrach die Verbindung, bevor Rebus irgendeine Erklärung abgeben konnte. Was Klatsch betraf, da konnte es Hendry mit jedem Waschweib aufnehmen. Rebus wagte gar nicht daran zu denken, was für Geschichten er die nächsten ein bis zwei Wochen über sich hören würde.

»Was hat er gesagt?«, fragte Siobhan.

»Nichts.«

Sie hatte die Liste bereits überflogen. »Also mir sagt keiner von den Namen was.« Rebus nahm ihr die Liste ab.

»Mir auch nicht.«

»Nächste Station Fife?«

»Für mich, ja. Am Montag, denke ich.« Bloß dass er am Montag bei Chief Superintendent Watson Bericht erstatten und zum Begräbnis von Eddie Ringan gehen musste. »Während Sie«, sagte er, »unsere Interessen bei der ›Operation Geldsäcke‹ vertreten.«

»Ich hab gedacht, ich könnte zur Beerdigung gehen. Dann hätten wir einen Vorwand, uns ein paar Stunden in Fife umzusehen.«

Rebus schüttelte den Kopf. »Ich weiß das Angebot zu schätzen, aber *Sie* sind noch bei der Truppe. Ich bin derjenige, der jetzt genügend Zeit für die Beinarbeit hat.« Sie wirkte enttäuscht. »Das ist ein Befehl«, erklärte Rebus.

»Ja, Sir«, erwiderte Siobhan.

27

Die Vorstellung eines weiteren endlosen Sonntags quälte Rebus so sehr, dass er, nachdem er die Messe besucht hatte, über die Forth-Straßenbrücke noch einmal nach Fife fuhr.

Er war in Unsere Liebe Frau der ewigen Hölle gewesen, hatte ganz hinten gesessen, das Geschehen beobachtet und sich gefragt, ob der Priester, der den Gottesdienst abhielt, *sein* Priester war. Der Akzent klang schottisch-irisch; schwer zu sagen. Sein Priester hatte leise geredet, während dieser hier sprach, so laut er konnte. Vielleicht waren einige der Gemeindemitglieder taub. Doch es gab auch eine ansehnliche Zahl junger Leute. Er war beinah der Einzige, der nicht das Abendmahl entgegennahm.

Dem westlichen Teil von Fife würde ein Abendmahl sicherlich auch ganz gut tun. Die Leute dort würden den Wein trinken und den Kelch verpfänden. Er beschloss, sich Dunfermline bis zum Schluss aufzuheben. Es war die größte Stadt mit den meisten Wettbüros. Er konnte sich nicht erinnern, ob man schneller nach Ballingry kam, wenn man in Kinross von der Autobahn abfuhr. Jedenfalls war es die schönere Strecke. Am Loch Leven, dem Ort zahlreicher Picknicks und Fußballspiele in seiner Kindheit, war er versucht anzuhalten. Er hatte immer noch eine Beule unter dem Knie, wo Michael ihn mal getreten hatte. Auf den engen, kurvigen Straßen tummelten sich die Sonntagsfahrer, deren Autos auf Hochglanz poliert waren. Es bestand durchaus die Chance, dass sich Hendry im Vogelschutzgebiet am Loch Leven aufhielt. Dennoch hielt Rebus nicht an. Schon bald war er in dem sehr viel trübsinnigeren Ballingry. Er blieb nicht länger, als er unbedingt musste.

Ihm war selbst nicht klar, was er eigentlich mit diesem Trip bezweckte. Sämtliche Wettläden waren natürlich geschlossen. Vielleicht würde er jemanden treffen, mit dem er über diesen oder jenen Buchmacher plaudern konnte, doch das bezweifelte er. Dabei wusste er genau, was er tat. Er schlug die Zeit tot, und das war eine gute Gegend dafür. Zumindest hatte er hier die Illusion, dass er etwas Kontruktives in dem Fall unternahm. Also parkte er vor dem geschlossenen Laden und hakte auf seiner dreiseitigen Liste konstruktiv die Adresse ab.

Es gab natürlich einen *weiteren* Grund, weshalb er an diesem Morgen so früh aufgestanden war und das Haus verlassen hatte. Neben ihm im Auto lag die Sonntagszeitung. Die Central-Hotel-Geschichte hatte sich hartnäckig auf der ersten Seite gehalten, nun unter der Überschrift: CENTRAL-HOTEL-BRAND: WAFFE GEFUNDEN. Sobald Watson und Co. das gesehen hatten, würden sie sich ans Telefon hängen und sich gegenseitig anrufen – und natürlich auch bei John Rebus. Ausnahmsweise würden die Studenten mal *seine* Anrufe entgegennehmen müssen. Er hatte die Geschichte zweimal gelesen und kannte nun jedes Wort auswendig. Er hoffte, dass *irgendwer* sie gerade irgendwo las und in Panik geriet …

Die nächsten Stationen: Lochore, Lochgelly, Cardenden. Rebus war in Cardenden geboren und aufgewachsen. Nun ja, eigentlich in Bowhill, damals gab es nämlich noch vier Gemeinden: Auchterderran, Bowhill, Cardenden und Cundonald. ABCD nannte man sie im Volksmund. Dann hatte die Post alles unter dem Namen Cardenden zusammengefasst. Die Stadt sah nicht sehr viel anders aus, als Rebus sie in Erinnerung hatte. Er hielt am Friedhof und verbrachte ein paar Minuten am Grab seiner Eltern. Eine Frau Mitte vierzig stellte einen Blumenstrauß vor einen Grabstein in der Nähe und lächelte Rebus im Vorbeigehen zu. Als er zum Ausgang des Friedhofs kam, wartete sie dort auf ihn.

»Johnny Rebus?«

Das kam so unerwartet, dass er grinsen musste. Und dieses Grinsen machte sein Gesicht um Jahre jünger.

»Wir sind zusammen zur Schule gegangen«, erklärte die Frau. »Heather Cranston.«

»Heather …?« Er starrte sie an. »*Cranny?*«

Sie legte sich eine Hand auf den Mund, um ihr Lachen zu unterdrücken. »Das habe ich seit über zwanzig Jahren nicht mehr gehört.«

Jetzt erinnerte er sich, wie sie sich immer beim Lachen den Mund zugehalten hatte, weil sie fand, dass es sich komisch anhörte. Nun deutete sie mit dem Kopf zum Friedhof.

»Ich gehe fast jede Woche bei deinen Eltern vorbei.«

»Das ist mehr, als ich tue.«

»Aye, aber du wohnst ja jetzt auch in Edinburgh oder so?«

»Richtig.«

»Bist du zu Besuch hier?«

»Auf der Durchreise.« Inzwischen hatten sie den Friedhof verlassen und spazierten die abschüssige Straße entlang nach Bowhill. Sie kamen an Rebus' Auto vorbei, doch er wollte das Gespräch nicht abbrechen. Also gingen sie weiter.

»Aye«, erwiderte sie, »viele Leute kommen hier durch. Aber kaum einer bleibt. Früher kannte ich jeden im Ort, aber jetzt nicht mehr …«

Während Rebus ihr zuhörte, wurde ihm bewusst, wie viel von dem Dialekt und dem Akzent er mit den Jahren verloren hatte.

»Komm doch mit auf eine Tasse Tee«, sagte sie jetzt. Er hatte nach einem Ehering an ihrer Hand gesucht und keinen entdeckt. Sie war keineswegs eine unattraktive Frau. Groß, während sie in der Schule klein und schüchtern gewesen war. Oder vielleicht hatte Rebus sie auch falsch in Erinnerung. Ihre Wangen glühten, und sie hatte die Wimpern getuscht. Sie trug hohe schwarze Schuhe, und ihre muskulösen Beine steckten in teefarbenen Strumpfhosen. Rebus, der weder gefrühstückt noch zu Mittag gegessen hatte, hätte wetten mögen, dass sie einen ganzen Vorrat an Kuchen und Plätzchen besaß.

»Aye, warum nicht?«, sagte er.

Sie wohnte in einem Haus an der Craigside Road. Auf dem Weg vom Friedhof waren sie an einem Wettbüro vorbeigekommen. Es wirkte genauso ausgestorben wie der Rest der Straße.

»Willst du dir das alte Haus anschauen?« Sie meinte das Haus, in dem er aufgewachsen war. Er zuckte die Achseln und beobachtete, wie sie die Tür aufschloss. Im Flur lauschte sie kurz, dann rief sie: »Shug! Bist du da oben?« Aber es kam keine Antwort aus dem ersten Stock. »Es ist ein Wunder«, meinte sie. »Vor vier Uhr aus dem Bett. Er muss irgendwo hingegangen sein.« Sie bemerkte Rebus' Gesichtsausdruck und fuhr sich mit der Hand an den Mund. »Keine Sorge, weder Ehemann noch Freund, noch sonst was. Es ist mein Sohn Hugh.«

»Oh?«

Sie zog ihren Mantel aus.

»Rein mit dir.« Sie öffnete ihm die Tür zum Wohnzimmer. Es war ein kleiner Raum, voll gestellt mit einer großen dreiteiligen Sitzgarnitur, einem Esstisch mit Stühlen sowie Schrankwand und Fernseher. Sie hatte den Kamin zumauern und stattdessen eine Zentralheizung einbauen lassen. Rebus ließ sich auf einen der Kaminsessel sinken. »Aber du bist nicht verheiratet?«

Sie hatte ihren Mantel über das Treppengeländer gelegt. »Hab nie so recht einen Sinn darin gesehen«, sagte sie beim Hereinkommen. Mit großen Schritten ging sie zunächst zum Heizkörper, um zu prüfen, ob er warm war, dann zum Kaminsims, um sich Zigaretten und Feuerzeug zu holen. Sie bot Rebus eine an.

»Ich rauche nicht mehr«, sagte er. »Auf Anraten des Arztes.« Was in gewisser Weise stimmte.

»Ich hab ein paarmal versucht, damit aufzuhören, aber du kannst dir nicht vorstellen, wie ich da zugenommen hab.« Sie inhalierte tief.

»Und Hughs Vater …?«

Sie blies den Rauch durch die Nasenlöcher. »Den kannte ich eigentlich kaum.« Sie bemerkte Rebus' Gesichtsausdruck. »Bist du jetzt schockiert, Johnny?«

»Nur ein bisschen, Cranny. Du warst immer so … nun ja …«

»Still? Das war in einem anderen Leben. Was möchtest du, Kaffee, Tee oder mich?« Und sie lachte hinter der Hand, die die Zigarette hielt.

»Ein Kaffee wär schön«, antwortete John Rebus und rutschte im Sessel hin und her.

Sie brachte zwei Becher mit bitterem Pulverkaffee. »Plätzchen hab ich leider keine, sind alle.« Sie reichte ihm den Becher, ein Souvenir aus Blackpool. »Ich hab schon Zucker reingetan, hoffe, das war richtig.«

»Prima«, sagte Rebus, der eigentlich keinen Zucker nahm. Dann redeten sie über Leute, die sie aus der Schule kannten. Sie saß ihm gegenüber und versuchte, die Beine übereinander zu schlagen. Doch ihr Rock war zu eng, also ließ sie es bleiben und zog stattdessen am Saum.

»Was führt dich denn nun hierher? Auf der Durchreise hast du gesagt?«

»Ja, so was in der Art. Ich suche eigentlich nach einem Buchmacherladen.«

»Wir sind an einem auf dem Weg vom …«

»Es geht um was ganz Bestimmtes. Ein Laden, der entweder in den letzten fünf Jahren oder so neu eröffnet wurde oder in dieser Zeit den Besitzer gewechselt hat.«

»Dann meinst du Hutchy's.« Sie sagte das ganz cool und nahm gleich danach einen tiefen Zug aus ihrer Zigarette.

»Hutchy's? Aber den Laden gab's doch schon seit unserer Kindheit.«

Sie nickte. »Nach Joe Hutchinson, dem ersten Besitzer, benannt. Nach seinem Tod hat sein Sohn Howie den Laden übernommen und versucht, den Namen zu ändern. Aber alle sprachen immer weiter von Hutchy's, also hat er's aufgegeben. Vor etwa fünf Jahren, vielleicht auch etwas weniger, hat er verkauft und ist nach Spanien abgedampft. Stell dir das mal vor, genauso alt wie wir und hat bereits ausgesorgt. Verbringt den Rest seines Lebens in der Sonne. Hier hat man am ehesten noch das Gefühl von Wärme, wenn der Toaster an ist.«

»Und an wen hat er das Geschäft verkauft?«

Darüber musste sie erst mal nachdenken. »Greenwood ist der Name, glaub ich. Aber der Laden heißt immer noch Hutchy's. Das steht jedenfalls auf dem Schild über der Tür. Aye, Tommy Greenwood.«

»Tommy? Bist du sicher? Nicht Tom oder Tam?«

Sie schüttelte ihren dauergewellten Kopf. Sie hatte sich helle Strähnchen in die Haare machen lassen. Um das Grau zu kaschieren, nahm Rebus an. Und was sie da auf dem Kopf hatte, erinnerte ziemlich stark an diese Bienenkorbfrisuren aus den frühen Sechzigern. Rebus fühlte sich in eine andere Zeit versetzt …

»Tommy Greenwood«, wiederholte sie. »Eine Freundin von mir ist ein parmal mit ihm ausgegangen.«

»War er schon länger in Cardenden, bevor er Hutchy's übernahm?«

»Nein. Wir kannten ihn gar nicht. Dann kaufte er kurz hintereinander Hutchy's *und* das Haus von dem alten Arzt unten am Fluss. Man munkelt, er hätte Howie aus einem Koffer voller Bargeld bezahlt und besäße bis heute kein Bankkonto.«

»Wo kam das Geld denn her?«

»Aye, das ist eine gute Frage.« Sie nickte. »Das würden einige Leute hier gern wissen.«

Er stellte ihr noch ein paar Fragen über Greenwood, doch sie konnte ihm nichts weiter sagen. Der blieb nämlich für

sich, ging jeden Tag zu Fuß von seinem Haus zum Buchmacherladen. Fuhr kein dickes Auto. Hatte keine Frau, keine
Kinder. War nicht sehr gesellig und ging selten einen trinken.

»Für so manche Frau wäre er eine gute Partie«, sagte sie in
einem Ton, der Rebus zu verstehen gab, dass sie es selbst
schon mit Köder und Angelhaken versucht hatte.

Nach weiteren zwanzig Minuten gelang es Rebus zu entkommen, doch erst nachdem man Adressen und Telefonnummern getauscht und sich gegenseitig versichert hatte,
man würde in Kontakt bleiben. Auf dem Rückweg ging er
langsam an Hutchy's vorbei – eine wenig ansprechende Fassade mit abblätternder Farbe und rußigen Fenstern – und
dann forschen Schritts den Hügel zum Friedhof hinauf. Dort
stellte er fest, dass ein zweites Auto dicht hinter seinem parkte. Ein kirschroter Renault 5. Er klopfte an die Scheibe auf
der Fahrerseite. Siobhan Clarke legte ihre Zeitung zur Seite
und kurbelte das Fenster herunter.

»Was, zum Teufel, machen Sie denn hier?«, wollte Rebus
wissen.

»Folge einer Eingebung.«

»Wie haben Sie mich denn überhaupt gefunden?«

»Hat eine Weile gedauert. Haben Sie in Ballingry angefangen?« Er nickte. »Das hat mich zurückgeworfen. Ich bin
nämlich in Kelty von der Autobahn runter.«

»Hören Sie«, sagte Rebus, »es gibt einen möglichen Kan-
didaten.«

Das schien sie nicht zu interessieren. »Haben Sie die Zeitung von heute Morgen gelesen?«

»Ach das, ich wollte Ihnen eigentlich Bescheid sagen.«

»Nein, nicht das auf der Titelseite, innen.«

»Innen?«

Sie tippte auf eine Überschrift und reichte ihm die Zeitung
durchs Fenster. Drei Verletzte bei Unfall auf der M8.
Im Artikel stand, dass am Samstagmorgen ein BMW von der

Autobahn Richtung Glasgow abgekommen und auf einem Feld gelandet sei. Die drei Innensassen waren ins Krankenhaus eingeliefert worden – Ehefrau, Sohn im Teenageralter und der »Edinburgher Geschäftsmann David Dougary, 41«.

»O Gott«, stieß Rebus hervor, »und das hab ich von der Titelseite verdrängt.«

»Schade, dass Sie's nicht direkt gelesen haben. Wie geht's denn jetzt weiter?«

Rebus las den Artikel noch einmal. »Keine Ahnung. Kommt drauf an, ob sie dichtmachen oder die Gorgie-Geschäftsstelle verlegen. Dann machen wir entweder auch dicht oder folgen ihnen.«

»*Wir?* Sie sind suspendiert, falls Sie das vergessen haben.«

»Oder Cafferty sucht sich jemand anders, der die Sache übernimmt, solange Dougary ausfällt.«

»Das wäre aber nur für kurz.«

»Was bedeutet, dass es jemand Handverlesenes sein müsste.«

»Oder er springt selbst für Dougary ein.«

»Das bezweifle ich«, erwiderte Rebus, »aber es wäre wunderbar, wenn er es täte. Die einzige Möglichkeit, das rauszukriegen, ist, die Überwachung fortzusetzen, bis etwas passiert.«

»Und bis dahin?«

»Da haben wir noch jede Menge Buchmacherläden zu überprüfen.« Rebus drehte sich um und sah lächelnd in Richtung Bowhill. »Doch etwas sagt mir, dass wir bereits einen Volltreffer gelandet haben.«

»Wenn das mal nicht ein Schuss in den Ofen ist«, gab Siobhan zu bedenken, während Rebus sein Auto aufschloss und einstieg.

Als sie in Dunfermline eine Kleinigkeit aßen und Tee tranken, erzählte Rebus ihr die Geschichte von Hutchy's und dem

Mann mit dem Koffer voller Bargeld. Sie verzog das Gesicht, als ob sie einen Schluck zu heißen Tee getrunken oder in was Scharfes gebissen hätte.

»Wie war noch mal der Name?«

»Tommy Greenwood.«

»Aber der kommt doch in der Cafferty-Akte vor.«

»Was?« Nun war es an Rebus, das Gesicht zu verziehen.

»Tommy Greenwood. Ich bin mir ganz sicher. Er ist … er *war* vor Jahren einer von Caffertys Komplizen. Dann ist er von der Bildfläche verschwunden, wie so viele andere. Sie hatten sich über die Aufteilung der Anteile gestritten oder so was.«

»Klingt nach einem dicken Stein um den Hals, dann mit einem Hauruck von der Brücke.«

»Wie Sie zu sagen pflegen, es ist ein mobiles Gewerbe.«

»Gluck, gluck, gluck, bis hinunter auf den Grund.«

Siobhan lächelte. »Ist es nun der echte Tommy Greenwood oder nicht?«

Rebus zuckte die Achseln. »Wenn der Kerl beim plastischen Chirurgen war, könnte das schwer festzustellen sein. Trotzdem gibt es Möglichkeiten.« Er nickte vor sich hin. »O doch, da gibt es Möglichkeiten.«

Angefangen bei einem freundlichen Steuerbeamten …

Mehr als einer las an diesem Sonntag die Geschichte auf der Titelseite der Morgenzeitung mit einer Mischung aus Sorge, Angst, Schuld und Zorn. Telefonanrufe wurden getätigt, Gemeinheiten sich gegenseitig an den Kopf geworfen. Doch da Sonntag war, konnte man nicht viel unternehmen. Hätten die Spirituosenläden aufgehabt oder die Supermärkte und Lebensmittelläden Alkohol verkaufen dürfen, hätte vielleicht so mancher seine Sorgen ertränkt oder seinen Zorn beschwichtigt. Doch wie die Dinge lagen, baute sich der Zorn weiter auf, und die Sorge wuchs. Stein für Stein näherte sich das Gebäude aus Wut und Empörung der Vollendung. Es fehlte nur noch das Dach. Etwas, das dafür sorgte, dass der Druck drinnen blieb und die Naturgewalten draußen.

Und das alles nur wegen John Rebus. Darüber war man sich mehr oder weniger einig. John Rebus rückte mit einem Rammbock an, und mehr als einer verspürte große Lust, die Tür aufzureißen und ihn hereinzulassen – ihn in *seine* Höhle zu lassen. Und dann die Tür hinter ihm zu verriegeln.

28

Die Besprechung im Büro von Farmer Watson war für neun Uhr morgens angesetzt. Vermutlich wollte er Rebus genau dann drankriegen, wenn dieser noch müde und schlapp war. Er mochte zwar morgens laut knurren, aber zu beißen fing er erst nachmittags an. Dass jeder, angefangen von Watson bis hin zum Kantinenpersonal, wusste, dass man ihn reingelegt hatte, machte die Sache nicht weniger peinlich. Zunächst einmal waren die Ermittlungen in dem Mord im Central Hotel nicht offiziell, und Watson dachte nicht daran, sie zu sanktionieren. Also hatte Rebus auf eigene Faust gehandelt. Doch eines musste man dem Farmer lassen, er kümmerte sich um seine Leute. Gemeinsam bastelten sie eine Geschichte zusammen, laut der Rebus die Erlaubnis erhielt, in seiner Freizeit ein bisschen in den Akten herumzuwühlen.

»Im Hinblick darauf, dass der Fall vielleicht zu einem späteren Zeitpunkt wieder aufgerollt wird, wenn dies aufgrund von neuem Beweismaterial sinnvoll erscheint«, erklärte der Farmer. Seine Sekretärin, eine kluge Frau mit einem grauenhaften Geschmack, was Haarfarben betraf, schrieb diese abschließenden Worte mit. »Und datieren Sie es zwei Wochen zurück.«

Nachdem sie gegangen war, sagte Rebus: »Danke, Sir.« Er

hatte die ganze Zeit gestanden, da im Raum nur für den Stuhl der Sekretärin Platz war. Nun balancierte er vorsichtig über diverse Aktenstapel, um sich zu setzen.

»Ich versuche genauso *meine* Haut zu retten wie Ihre, John. Und kein Wort zu irgendwem, verstanden?«

»Ja, Sir. Was ist mit Inspector Flower? Könnte er nicht argwöhnisch werden? Er beklagt sich ganz bestimmt bei Inspector Lauderdale.«

»Soll er. Die beiden können so viel miteinander plaudern, wie sie wollen. Eines sollten Sie verstehen, John.« Watson faltete die Hände und fuhr mit leiser Stimme fort: »Ich *weiß,* dass Lauderdale es auf meinen Job abgesehen hat. Und ich weiß, dass ich ihm nicht mal von hier bis zur Tür trauen kann.« Er hielt inne. »Wollen *Sie* meinen Job, Inspector?«

»Keine Angst.«

Watson nickte. »Genau das meine ich. Mir ist natürlich klar, dass Sie während der nächsten ein bis zwei Wochen nicht untätig rumsitzen werden, also gebe ich Ihnen einen guten Rat. Am Gesetz kann man nicht so herumpfuschen wie an einem alten Auto. Also denken Sie erst nach, bevor Sie etwas tun. Und vergessen Sie nicht, wegen solcher Geschichten wie dem Kauf einer Waffe können Sie bei der Polizei rausfliegen.«

»Aber ich hab sie doch gar nicht gekauft, Sir«, widersprach Rebus und wiederholte die Geschichte, die sie sich ausgedacht hatten, »sie ist als potenzielles Beweisstück in meinen Besitz gelangt.«

Watson nickte. »Ganz schön gestelzt. Aber es könnte Sie davor retten, dass man Sie zu Hackfleisch verarbeitet.«

»Ich bin Vegetarier, Sir.« Worauf Watson schallend zu lachen anfing.

Sie waren beide mehr als ein bisschen neugierig, was in der Gorgie Road passieren würde. Es war niemand im Büro aufgetaucht, keine Menschenseele. Nun wurde das Krankenhaus, wo Dougary im Streckverband lag, von einem zusätzlichen Posten beobachtet. Wenn sich in der Gorgie Road nichts tat, würden sie ganz zum Krankenhaus überwechseln, bis Dougary wieder laufen konnte. Vielleicht würde er die Geschäfte vom Bett aus weiterführen.

Um halb zwölf fuhr ein glänzender Jaguar auf den Parkplatz des Taxiunternehmens. Der Chauffeur, ein großer Mann mit langen glatten Haaren, stieg aus. Er öffnete die hintere Tür, woraufhin niemand anders als Morris Gerald Cafferty erschien.

»Ich hab dich, du Drecksack«, zischte DS Petrie, der in seiner Aufregung eine ganze Rolle Film verschoss. Siobhan telefonierte bereits mit St. Leonard's. Und nachdem sie mit CI Lauderdale gesprochen hatte, rief sie in der Arden Street an. Rebus nahm beim zweiten Klingeln ab.

»Bingo«, sagte sie. »Cafferty ist gekommen.«

»Achten Sie darauf, dass die Fotos mit Datum und Uhrzeit gekennzeichnet sind.«

»Ja, Sir. Wie ist die Besprechung verlaufen?«

»Ich glaube, der Farmer liebt mich.«

»Sie gehen beide hinein«, sagte Petrie und nahm endlich den Finger vom Auslöser. Der Motor der Kamera stoppte. Madden, der ans Fenster trat, um zu schauen, was los war, wollte wissen, wer das sei.

Im gleichen Moment stellte Rebus eine ähnliche Frage. »Wer ist bei Big Ger?«

»Sein Fahrer.«

»Ein Kleiderschrank von Kerl mit langen Haaren?«

»Genau.«

»Dann ist das der Typ, dem Davey Dougary das Ohr abgebissen und das er anschließend gefressen hat.«

»Die können sich also nicht riechen?«

»Bloß dass der Kleiderschrank jetzt auch für Big Ger arbeitet.« Er dachte einen Augenblick nach. »So wie ich Big Ger kenne, hat er ihn nur eingestellt, um Dougary zu ärgern.«

»Warum sollte er das tun?«

»Seine Vorstellung von Humor. Sagen Sie mir Bescheid, wenn die wieder rauskommen.«

»Mach ich.«

Eine halbe Stunde später rief sie ihn erneut an. »Cafferty ist wieder weg.«

»Dann ist er aber nicht lange geblieben.«

»Aber sein Chauffeur ist noch da.«

»Was?«

»Cafferty ist allein weggefahren.«

»Das darf doch nicht wahr sein. Er überlässt dem Kleiderschrank Dougarys Geschäftsbücher!«

»Also muss er ihm vertrauen.«

»Muss er wohl. Aber ich kann mir nicht vorstellen, dass dieser Koloss viel Erfahrung mit Buchführung hat. Er ist ein typischer Wachhund.«

»Was bedeutet?«

»Was bedeutet, dass Big Ger ihm unter die Arme greifen muss und praktisch jeden Tag im Büro aufkreuzen wird. Das hätte gar nicht besser laufen können!«

»Dann sollten wir lieber noch mehr Filme besorgen.«

»Aye, passen Sie auf, dass dieser Dämlack Petrie nicht wieder ohne dasitzt. Wie geht's übrigens seinem Gesicht?«

»Es juckt, aber wenn er kratzt, tut's weh.« Petrie blickte herüber, also erklärte sie ihm: »Inspector Rebus hat sich gerade nach dir erkundigt.«

»O ja, das interessiert mich brennend«, sagte Rebus. »Ich hoffe, ihm fällt die Nase ab und plumpst in seine Thermosflasche.«

»Ich werde Ihre guten Wünsche ausrichten, Sir«, verkündete Siobhan.

»Tun Sie das«, erwiderte Rebus. »Und haben Sie keine Hemmungen. Okay, ich muss los zur Beerdigung.«

»Ich hab mit Brian gesprochen. Er sagt, er wär einer der Sargträger.«

»Das ist gut«, meinte Rebus. »Dann hab ich wenigstens eine Schulter, an der ich mich ausweinen kann.«

Der Warriston-Friedhof ist eine wilde Ansammlung von uralten (teilweise geschändeten) und ganz neuen Gräbern. Es gibt so stark erodierte Steine, dass von der Inschrift nur noch schwache Einkerbungen zu sehen sind. An einem sonnigen Tag kann man dort lehrreiche Spaziergänge machen, doch nachts lässt die Ortsgruppe der Hell's Angels zuweilen wüste Partys steigen. Was sich dann abspielt, erinnert mehr an Voodoo à la New Orleans als an schottische Volkstänze.

Rebus glaubte, dass Eddie mit Ort und Veranstaltung einverstanden gewesen wäre. Die Zeremonie selbst war schlicht und würdevoll, wenn man von der Tatsache absah, dass der Kranz die Form einer elektrischen Gitarre hatte und Eddie mit der Hülle einer Elvis-LP im Sarg begraben wurde.

Rebus stand ein Stück vom Geschehen entfernt. Er hatte auch Pat Calders Einladung zu dem kleinen Imbiss nach dem Begräbnis abgelehnt. Der sollte nicht in dem leeren Heartbreak Café gereicht werden, sondern in einem Raum im Obergeschoss einer nahe gelegenen Gaststätte. Rebus war einen Augenblick versucht gewesen mitzukommen, da das ausgewählte Lokal Gibson's ausschenkte. Aber dann hatte er es sich doch anders überlegt.

Armer Eddie. Obwohl Rebus ihn kaum gekannt hatte und er mit einer Pfanne voller Käsehappen auf ihn losgegangen war, hatte Rebus den Mann gemocht. Er begegnete solchen Menschen ständig, Menschen, die so viel aus ihrem Leben hätten machen können, es aber nicht taten. Er wusste, dass auch er zu ihnen zählte. Ein Verlierer.

Aber zumindest bin ich noch am Leben, dachte er. Und so Gott will, wird mich niemand ins Jenseits befördern, indem er mir Alkohol durch einen Trichter in die Kehle zwingt und dann das Gas aufdreht. Das beschäftigte ihn: weshalb der Trichter? Man brauchte doch bloß mit Eddie in eine Bar zu gehen, und er hätte sich freiwillig bis zum Umfallen mit Tequila und Bourbon besoffen. Man hätte ihm niemals etwas reinzwingen müssen. Doch Dr. Curt hatte seine Leber in die Luft geworfen und für ein ganz ordentliches Exemplar erklärt. Das war kaum zu glauben, doch er hatte es mit eigenen Augen gesehen.

Oder etwa nicht?

Er starrte zu Pat Calder, der gerade Seil Nummer eins ergriff und es auf seine Zugfestigkeit prüfte. Brian war Träger Nummer vier, was bedeutete, dass er auf der anderen Seite des Sargs stand, schräg gegenüber von Calder und zwischen zwei Männern, die Rebus nicht kannte. Barmann Toni war Nummer sechs. Doch Rebus' Blick war auf Calder gerichtet. Du Schweinehund, dachte er. Du hast doch nicht etwa, oder? Aber vielleicht hast du ja doch.

Er drehte sich um und lief zu seinem Auto, das vor dem Friedhof auf der Straße parkte. Sein Ziel war die Arden Street.

Arden Street und das Reservierungsheft aus dem Heartbreak Café.

So wie Rebus die Dinge sah, hatte er zwei Möglichkeiten. Er konnte entweder die Tür eintreten oder versuchen, sie leise zu öffnen. Es war ein ganz gewöhnliches Schloss, die Sorte, die man manchmal mit einem festen Stück Plastik aufbekam. Natürlich gab es noch ein zusätzliches Sicherheitsschloss, doch das war vermutlich offen. Als er an der Tür ruckelte, stellte er fest, dass sie genügend nachgab, um diese Vermutung zu bestätigen. Also nur das Standardschloss. Doch der Spalt zwischen Tür und Zarge war mit einem Zierstreifen aus

Holz verdeckt. Ein Einbrecher hätte den Zierstreifen so lange mit einem Brecheisen bearbeitet, bis der Spalt frei lag.

Doch Rebus hatte kein Brecheisen dabei.

Ein Schlag mit dem Türklopfer würde wohl kaum eine Reaktion hervorrufen. Andererseits schätzte er seine Chancen, die Tür mit der Schulter oder durch einen Tritt aufzubekommen, nicht allzu hoch ein – Standardschloss hin oder her. Also bückte er sich, öffnete mit einer Hand die Briefklappe, ging mit den Augen ganz nahe an den Schlitz heran, griff mit der anderen Hand nach dem schwarzen Eisenring und klopfte fünfmal laut: dam-di-di-dam-dam. Diese Art Klopfen signalisierte einen Freund, zumindest hoffte Rebus das. Im Apartment rührte sich nichts. Kein Laut, keine Bewegung. Die Gegend schien zu dieser Tageszeit ausgestorben. Vermutlich könnte er die Tür gewaltsam öffnen, ohne dass es jemand mitbekam. Doch stattdessen versuchte er es noch einmal mit dem Türklopfer. In der Wohnungstür war ein Spion, und er hoffte, dass drinnen jemand neugierig genug sein würde, um einen Blick nach draußen zu werfen.

Nun tat sich was. Ein Schatten bewegte sich langsam vom Wohnzimmer auf den Flur zu. Lautlose Bewegungen. Und dann erschien ein Kopf hinter der Tür. Das genügte Rebus.

»Hallo, Eddie!«, rief er. »Ich hab Ihnen Ihren Kranz mitgebracht.«

Eddie Ringan ließ ihn herein.

Er trug einen roten Kimono aus Seide mit einem Feuer speienden Drachen auf dem Rücken. Auf den Armen waren Symbole, die Rebus nicht verstand. Doch das kümmerte ihn nicht. Eddie ließ sich auf das Sofa fallen, Rebus' bevorzugter Platz, also blieb er einfach stehen.

»Das mit dem Kranz war gelogen«, sagte er.

»Die gute Absicht zählt. Einen schönen Anzug haben Sie an.«

»Die Krawatte musste ich mir leihen«, meinte Rebus.

»Schwarze Krawatten sind cool.« Eddie sah aus wie der leibhaftige Tod. Seine Augen waren blutunterlaufen und von dunklen Ringen umgeben. Sein Gesicht glich dem eines Gefangenen: durch Mangel an Sonne grau und ohne jede Hoffnung. Er kratzte sich unter den Armen. »Wie ist es denn gelaufen?«

»Ich bin gegangen, als man Sie gerade ins Grab senkte.«

»Sie werden jetzt alle beim Imbiss sein. Für das Essen hätte ich gern selbst gesorgt, aber Sie wissen ja, wie das ist.«

Rebus nickte. »Ist nicht einfach, eine Leiche zu sein. Das hätten Sie schon noch herausgefunden.«

»Einige Leute haben es ganz gut hingekriegt.«

»Wie Radiator McCallum und die Robertson-Brüder?«

Eddie setzte ein grimmiges Lächeln auf. »Einer von denen, ja.«

»Sie müssen ziemlich verzweifelt gewesen sein, um Ihren eigenen Tod zu inszenieren.«

»Ich sage nichts.«

»Na schön.« Eine Weile herrschte Schweigen, das schließlich von Eddie gebrochen wurde.

»Wie sind Sie dahinter gekommen?«

Rebus nahm sich geistesabwesend eine Zigarette aus der Packung auf dem Kaminsims. »Durch Pat. Er hat sich eine absolut verrückte Geschichte ausgedacht.«

»Typisch Pat. Dieser verdammte Möchtegernschauspieler.«

»Er hat erzählt, Willie sei aus dem Restaurant gestürmt, nachdem er irgendeinem armen Gast das Essen vom Teller gefressen hat. Ich hab mich bei ein paar Leuten erkundigt, die an jenem Abend dort gewesen waren. Dazu reichte jeweils ein kurzer Anruf. Niemand hatte etwas Derartiges gesehen. Außerdem war da noch die Leber des Toten. Sie war richtig gut in Schuss, also kann es unmöglich Ihre gewesen sein.«

»Das können Sie laut sagen.«

Rebus wollte sich gerade die Zigarette anzünden, als ihm

bewusst wurde, was er tat. Er nahm sie aus dem Mund und legte sie neben das Päckchen.

»Dann hab ich die Vermisstenmeldungen durchgesehen. Scheint so, als wäre Willie seit Tagen nicht in seiner Wohnung gewesen. Die ganze Sache war dilettantisch, Eddie. Wenn dem armen Kerl nicht bei der Explosion das Gesicht weggepustet worden wäre, hätten wir sofort gewusst, dass Sie es nicht sind.«

»Hätten Sie? Darüber haben wir nachgedacht und sind zu dem Schluss gekommen, es könnte so gerade klappen, da Brian nicht im Dienst und Haymarket nicht Ihr Revier ist.«

Rebus schüttelte den Kopf. »Schon deshalb nicht, weil in solchen Fällen Fotos gemacht werden, und die hätte ich früher oder später zu Gesicht bekommen. Die krieg ich immer.« Er hielt inne. »Also, warum haben Sie ihn getötet?«

»Es war ein Unfall.«

»Lassen Sie mich raten. Sie kamen nach einer ziemlich exzessiven Sauftour spätabends ins Restaurant zurück und wurden stinkwütend, als Sie sahen, dass Willie gut allein zurechtgekommen war. Sie haben sich mit ihm geprügelt, und er ist irgendwo mit dem Kopf dagegengeknallt. Dann hatten Sie eine Idee.«

»Möglich.«

»An dieser Geschichte ist nur eines faul«, sagte Rebus. Eddie rutschte auf dem Sofa hin und her. Er sah lächerlich aus in dem Kimono und hatte die Arme schützend um sich gelegt. Zugleich vermied er es, Rebus anzusehen, und starrte stattdessen auf den Kamin.

»Was?«, fragte er schließlich.

»Pat behauptet, Willie wäre am *Dienstag*abend aus dem Café gerannt. Seine Leiche wurde aber erst am Donnerstagmorgen gefunden. Wenn er bei einer Prügelei am Dienstag ums Leben gekommen wäre, hätte der Pathologe an den Totenflecken und der Leichenstarre erkannt, dass die Leiche schon älter war. Das war sie aber nicht, sie war frisch. Was bedeutet, dass Sie ihn erst am Donnerstagmorgen unter Alkohol gesetzt und vergast haben. Sie müssen ihn den ganzen Mittwoch festgehalten haben, weil Sie genau wussten, was Sie mit ihm vorhatten.«

»Ich sage nichts.«

»Nein, aber *ich*. Ich wiederhole: Es war eine Verzweiflungstat, Eddie. Verzweifelter geht es nicht. Und jetzt kommen Sie mit.«

»Was?«

»Wir machen eine kleine Fahrt.«

»Wohin?«

»Zur Wache natürlich. Ziehen Sie sich was an.« Rebus beobachtete, wie er aufzustehen versuchte. Er hatte Mühe, die Beine gerade zu halten. Ja, das konnte ein Mord aus einem machen. Es war das Gegenteil von Totenstarre, nämlich der Wackelpuddingeffekt. Er brauchte lange, um sich umzuziehen. Als er endlich fertig war, hatte Eddie Tränen in den Augen, und seine Lippen waren feucht von Speichel.

Rebus nickte. »So geht's«, sagte er. Er hatte die Absicht, Eddie nach St. Leonard's zu bringen.

Doch sie würden die landschaftlich schönere Strecke nehmen.

»Wo fahren wir hin?«

»Nur ein kleiner Umweg. Es ist so schönes Wetter.«

Eddie blickte durch die Windschutzscheibe. Draußen war alles grau in grau, die Häuser wie der Himmel. Es sah nach Regen aus, und der Wind wurde immer heftiger. Als sie auf der Holyrood Park Road Richtung Arthur's Seat fuhren, schwante ihm allmählich etwas. Und als Rebus dann von der Holyrood Richtung Duddingston abbog, sah Eddie plötzlich äußerst nervös aus.

»Sie wissen, wo wir hinfahren?«, fragte Rebus.

»Nein.«

»Auch gut.«

Er fuhr weiter bis zum Tor des Grundstücks und signalisierte dann mit dem Blinker, dass er in die Einfahrt biegen wollte.

»Um Himmels willen, nein!«, schrie Eddie Ringan. Er zog die Knie an und stemmte sie gegen das Armaturenbrett. Statt in das Tor einzubiegen, fuhr Rebus daran vorbei und blieb ein Stück weiter am Bordstein stehen. Von dort konnte man einen Teil von Caffertys Villa erkennen. Wenn jemand am Fenster ganz rechts im Obergeschoss des Hauses stehen würde, könnte er vermutlich das Auto sehen.

»Nein, nein.« Eddie weinte.

»Sie wissen also, wo wir sind«, sagte Rebus erstaunt. »Dann kennen Sie Big Ger?« Er wartete, bis Eddie nickte. Der Koch hatte eine Art Fötushaltung eingenommen, die Füße untergeschlagen, den Kopf zwischen den Knien. »Haben Sie Angst vor ihm?« Eddie nickte wieder. »Warum?« Eddie schüttelte ganz langsam den Kopf. »Hat es was mit dem Central Hotel zu tun?«

»Warum musste ich das bloß Brian erzählen?« Es war ein lauter Aufschrei, der in der Enge des Wagens noch lauter klang. »Wie kann man nur so dämlich sein?«

»Man hat nämlich die Waffe gefunden.«

»Davon weiß ich nichts.«

»Sie haben die Waffe also nie gesehen?«

Eddie schüttelte den Kopf. Verdammt, da hatte Rebus sich mehr erwartet.

»Was haben Sie denn gesehen?«

»Ich war in der Küche.«

»Ja?«

»Da kam dieser Typ reingelaufen und brüllte mich an, ich sollte das Gas aufdrehen. Er sah völlig wahnsinnig aus, Blutspritzer im Gesicht ... an den Wimpern.« Anscheinend wirkte das Reden wie eine Art Exorzismus, denn Eddie beruhigte sich ein wenig. »Er fing selber an, alle Gasflammen aufzudrehen, ohne sie anzuzünden. Er sah so irr aus, dass ich getan habe, was er von mir verlangte.«

»Und dann?«

»Dann bin ich abgehauen. Ich wollte keine Minute länger bleiben. Ich hab geglaubt, was alle anderen glaubten, dass es nämlich um die Versicherung geht. Bis man die Leiche gefunden hat. Eine Woche später bekam ich Besuch von Big Ger. *Unangenehmen* Besuch. Die Botschaft lautete: Sag niemals ein Wort, kein einziges Wort über das, was passiert ist.«

»War Big Ger in jener Nacht dort?«

Eddie zuckte die Achseln. Verfluchter Kerl! »Ich war in der Küche. Ich hab nur diesen Verrückten gesehen.«

Nun ja, zumindest wusste Rebus, wer *das* gewesen war – jemand, der über den Zustand der Küche im Central Bescheid wusste. »Black Aengus?«, fragte er.

Eine Weile schwieg Eddie, starrte nur mit verweinten Augen aus dem Fenster. Dann fuhr er fort: »Big Ger wird in jedem Fall herausfinden, dass ich geredet hab. Ab und zu schickt er mir eine Warnung. Nichts Brutales … jedenfalls nicht bei mir. Nur um mich daran zu erinnern, dass er es nicht vergessen hat. Er wird mich umbringen.« Eddie drehte den Kopf zu Rebus. »Er wird mich umbringen, und dabei hab ich nichts weiter gemacht, als das Gas aufgedreht.«

»Der Mann mit dem Blut, das war Aengus Gibson, stimmt's?«

Eddie nickte ganz langsam, kniff die Augen zusammen und quetschte die letzten Tränen heraus. Rebus ließ den Motor an. Als er losfuhr, sah er den Jeep aus der Gegenrichtung auf sich zukommen. Der Wagen blinkte, um in das Tor einzubiegen, das sich bereits öffnete. Gesteuert wurde er von einem Schlägertyp, dessen Gesicht Rebus neu war. Auf dem Rücksitz saß Mo Cafferty.

Auf der kurzen Fahrt nach St. Leonard's, während Eddie heulend auf dem Beifahrersitz kauerte, beschäftigte Rebus ein einziger Gedanke, ging ihm immer wieder durch den Kopf. Konnte Mo Cafferty überhaupt fahren? Das ließe sich leicht feststellen, ein rascher Anruf beim Straßenverkehrsamt genügte. Wenn sie keinen Führerschein besaß, wenn sie also einen Chauffeur brauchte, wer hatte den Jeep dann an jenem Tag gefahren, als Rebus ihn vor Bones Metzgerei stehen sah? Und war das nicht überhaupt ein merkwürdiger Zufall? John Rebus glaubte nicht an Zufälle.

»Das Heartbreak Café hat nicht zufällig sein Fleisch von Bone's bekommen?«, fragte er Eddie, dem der Name aber nichts zu sagen schien. »Ich meine die Metzgerei Bone's«, erklärte Rebus. Doch Eddie schüttelte den Kopf. »Egal«, meinte Rebus.

In St. Leonard's wartete genau die Person auf ihn, die er sprechen wollte.

»Warum sind Sie nicht in der Gorgie Road?«, wollte er wissen.

»Und warum sind Sie hier? Sie sind doch suspendiert.«, fragte Siobhan Clarke.

»Das war aber nicht die feine Art. Außerdem hab ich zuerst gefragt.«

»Ich musste das hier abholen.« Sie schwenkte einen großen braunen Umschlag.

»Hören Sie, ich hab einen kleinen Auftrag für Sie. Nun ja, eigentlich mehrere. Als Erstes müssen wir Eddies Sarg wieder ausgraben lassen.«

»Was?«

»Da liegt nicht Eddie drin. Den hab ich gerade in eine Zelle gesperrt. Sie müssen ihn vernehmen und offiziell in Haft nehmen lassen. Ich werd Ihnen alles erklären.«

»Dann muss ich mir das wohl aufschreiben.«

»Brauchen Sie nicht. Sie haben ein gutes Gedächtnis.«

»Nicht wenn mein Gehirn unter Schock steht. Dann war der Typ in dem Backofen also gar nicht Eddie?«

»Sie haben's erfasst. Zweitens, überprüfen Sie, ob Mo Cafferty einen Führerschein hat.«

»Wozu denn das?«

»Tun Sie's einfach. Außerdem haben Sie mir doch berichtet, Bone hätte, als er seinen Mercedes gewonnen hat, *seinen Anteil* von dem Geschäft dagegen gewettet. Ihre Worte: seinen Anteil.«

»Das stimmt. Das hat mir seine Frau erzählt.«

Rebus nickte. »Ich will wissen, wem die andere Hälfte gehört.«

»Ist das alles, Sir?«

Rebus dachte nach. »Nein, noch nicht ganz. Lassen Sie Bones Mercedes überprüfen. Versuchen Sie rauszukriegen, ob es einen Vorbesitzer gibt. Dann wissen wir, von wem er ihn hat.« Er sah sie unverwandt an. »So schnell Sie können, ja?«

»So schnell ich kann, Sir. Aber möchten Sie denn nicht wissen, was in diesem Umschlag hier ist? Etwas für den Mann, der schon alles hat.«

»Dann mal los, überraschen Sie mich.«

Das tat sie.

Rebus war so überrascht, dass er ihr in der Kantine Kaffee und einen Krapfen spendierte. Die Röntgenaufnahmen lagen zwischen ihnen auf dem Tisch.

»Es ist nicht zu fassen«, sagte er immer wieder. »Es ist einfach nicht zu fassen. Danach hab ich schon vor *Ewigkeiten* suchen lassen.«

»Sie lagen im Archiv in Ninewells.«

»Aber da hab ich doch gefragt!«

»Aber haben Sie denn auch freundlich genug gefragt?«

Siobhan hatte ihm erklärt, dass sie ein paarmal in Dundee

gewesen war und dort alle möglichen Leute angesprochen hatte, die ihr vielleicht helfen könnten, besonders in dem chaotischen Archiv. Das war vor ein paar Jahren umgezogen und neu organisiert worden, so dass ältere Unterlagen nun in irgendwelchen ungeordneten Haufen lagen. Es hatte eine Weile gedauert. Außerdem hatte sie dem jungen Mann, der schließlich das Gewünschte für sie fand, ein Date versprechen müssen.

Rebus hielt erneut eines der Röntgenbilder hoch.

»Der rechte Arm ist gebrochen«, bestätigte Siobhan. »Das war vor zwölf Jahren. Als er in Dundee wohnte und arbeitete.«

»Tam Robertson«, sagte Rebus lakonisch. Das war es also. Der Tote, der Mann, dem man eine Kugel durchs Herz gejagt hatte, eine Kugel aus Rebus' 45er Colt, war Tam Robertson.

»Wird vor Gericht wohl schwer zu beweisen sein«, gab Siobhan zu bedenken. Das stimmte.

Man brauchte mehr als Berichte aus zweiter Hand und eine Röntgenaufnahme, um vor einem Geschworenengericht die Identität einer Person zu beweisen.

»Da gibt es schon Möglichkeiten«, meinte Rebus. »Wir können es noch einmal über zahnärztliche Unterlagen versuchen, nun wo wir wissen, wer der Tote ist. Dann kann man Fotos übereinander projizieren und vergleichen. Doch für den Augenblick reicht mir, dass *meine* Neugier befriedigt ist.« Er nickte. »Gut gemacht, Clarke.« Er machte Anstalten aufzustehen.

»Sir?«

»Ja?«

Sie lächelte. »Frohe Weihnachten, Sir.«

29

Er rief in der Gibson-Brauerei an, wo man ihm sagte, dass »Mr Aengus« sich bei einer Ale-Prämierung in Newcastle befinde und erst spät am Abend zurückerwartet würde. Also rief er beim Finanzamt an und redete eine Weile mit dem zuständigen Inspektor. Wenn er Tommy Greenwood zur Rede stellen wollte, würde er alle Munition brauchen, derer er habhaft werden konnte ... ein eher unpassendes Bild unter den gegebenen Umständen, aber trotzdem wahr. Er ließ sein Auto vor St. Leonard's stehen und machte einen Spaziergang, um einen klaren Kopf zu bekommen. Langsam ergab alles einen Sinn. Aengus Gibson hatte mit Tam Robertson Karten gespielt und ihn erschossen. Dann hatte er das Hotel in Brand gesetzt, um den Mord zu vertuschen. Das schien einleuchtend, doch in Rebus' Kopf waren immer noch mehr Fragen als Antworten. War es wahrscheinlich, dass Aengus in seinen wilden Jahren eine Waffe mit sich herumschleppte? Warum versuchte Eck, der ebenfalls anwesend war, seinen Bruder nicht zu rächen? Hätte Aengus ihn nicht irgendwie zum Schweigen bringen müssen? Waren nur die drei an dem Pokerspiel beteiligt? Und wer hatte Deek Torrance die Waffe zugespielt? So viele Fragen.

Als er zur South Clerk Street kam, sah er einen Lieferwagen vor Bone's parken. Im Laden wurde gerade eine neue Schaufensterscheibe eingesetzt, und die Hecktür des Lieferwagens stand offen. Rebus ging zu dem Wagen und schaute hinein. Das war mal ein richtiger Metzgereiwagen gewesen, und niemand hatte sich die Mühe gemacht, ihn umzubauen. Über eine Stufe konnte man einsteigen. Im Innern befanden sich eine Theke, diverse Schränke und eine kleine Kühl-Gefrier-Kombination. Früher war der Wagen sicher die Wohnsiedlungen abgefahren, wo Hausfrauen und Rentner sich für

Fleisch anstellten, statt sich auf den weiten Weg zum nächsten Laden zu machen. Ein Mann in einer weißen Schürze kam aus Bone's heraus, ein totes Schwein über der Schulter.

»Entschuldigen Sie«, sagte er und schob den Kadaver in den Wagen.

»Liefern Sie damit aus?«, fragte Rebus.

Der Mann nickte. »Nur an Restaurants.«

»Ich kann mich noch erinnern, wie früher ein Metzgereiwagen regelmäßig bei uns vorbeikam«, sagte Rebus.

»Aye, das lohnt sich heutzutage nicht mehr.«

»Alles ändert sich«, meinte Rebus. Der Mann nickte zustimmend. Rebus betrachtete erneut den Innenraum des Wagens. Um hinter die Theke zu kommen, musste man in das Auto klettern, einen mit einem Scharnier versehenen Teil der Theke hochklappen und eine kleine, schmale Tür aufstoßen. Schmal – genau das war der Innenraum des Lieferwagens. Er erinnerte sich an Michaels Beschreibung von dem Wagen, mit dem man ihn herumgefahren hatte. Ein Lieferwagen, in dem es übel roch. Als der Mann wieder aus dem Wagen stieg, fiel ein Stück Stroh auf die Straße. Stroh in einem Metzgereiwagen? Die Tiere, die darin befördert wurden, hatten schon eine ganze Weile kein Stroh mehr gesehen.

Rebus warf einen Blick in den Laden. Ein junger Verkäufer sah zu, wie die Scheibe eingesetzt wurde.

»Wir haben geöffnet, Sir«, informierte er Rebus.

»Ich wollte zu Mr Bone.«

»Er ist heute Nachmittag nicht da.«

Rebus deutete mit dem Kopf auf den Wagen. »Liefern Sie noch Ware aus?«

»Was, von Haus zu Haus?« Der junge Mann schüttelte den Kopf. »Nur Zustellungen en gros, Spezialaufträge.«

Ja, das konnte Rebus nachvollziehen.

Er ging zurück nach St. Leonard's und traf erneut auf Siobhan. »Ich hab vergessen zu sagen ...«

»Noch mehr Arbeit?«

»Nicht viel mehr. Pat Calder, den müssen Sie auch zum Verhör herbringen. Er wird mittlerweile wieder zu Hause sein und sich furchtbare Sorgen machen, wohin Eddie denn verschwunden ist. Schade, dass ich bei diesem Wiedersehen nicht dabei sein kann. Aber vielleicht erleb ich's ja dann vor Gericht ...«

Ein ereignisreicher Tag – obwohl es noch nicht mal sechs Uhr abends war. In der Wohnung kochten die Studenten gerade ein Linsencurry, während Michael im Wohnzimmer saß und ein anderes Buch über Hypnotherapie las. Das Leben dort lief jetzt ziemlich geregelt ab, und alles wirkte sehr ... nun ja, das Wort, das einem dazu in den Sinn kam, war *heimelig*. Ein merkwürdiges Wort im Zusammenhang mit ein paar Studenten, einem Polizisten und einem Exsträfling, aber es schien die Situation gut zu beschreiben.

Michael war mit den Tabletten fertig und sah besser aus. Eigentlich sollte er jetzt noch mal zum Arzt gehen, doch Rebus hatte seine Zweifel, ob das etwas nützte. Man würde ihm vermutlich nur weitere Tabletten verordnen. Die Narben würden auch auf natürliche Weise heilen. Das brauchte eben seine Zeit. Jedenfalls hatte er wieder Appetit und verputzte zwei Portionen Curry.

Nach dem Essen saßen sie alle im Wohnzimmer. Die Studenten tranken Wein, Michael wollte nichts, Rebus schlürfte Bier aus der Dose. Und sie hörten Musik: die Stones und die Doors, Janis Joplin, die ganz frühen Pink Floyd. Es war einer von diesen Abenden. Rebus fühlte sich völlig erschlagen und schob das auf die Koffeintabletten, die er geschluckt hatte. Da machte er sich Sorgen um Michael und nahm nun selbst irgendwelches Teufelszeug. Die Tabletten hatten ihn zwar trotz wenig Schlaf und viel Nachdenken das Wochenende durchstehen lassen, aber so konnte es nicht weitergehen. Bei der Musik, dem Bier und der entspannten Unterhaltung würde er ganz bestimmt gleich hier auf dem Sofa einschlafen ...

»Was war denn das?«

»Klang, als hätte jemand eine Flasche oder so was zerschlagen.«

Die Studenten standen auf, um aus dem Fenster zu schauen. »Ich seh nichts.«

»Doch, guckt mal, da liegt Glas auf der Straße.« Sie wandten sich an Rebus. »Irgendwer hat Ihre Windschutzscheibe eingeschlagen.«

Seine Windschutzscheibe war tatsächlich eingeschlagen. Das stellte er fest, als er auf die Straße hinunterging. Etliche Nachbarn standen am Fenster oder an der Tür, um herauszufinden, was los war. Doch die meisten zogen sich bereits wieder zurück. Ein dicker Stein lag auf dem Beifahrersitz, umgeben von zersplittertem Glas. Ganz in der Nähe setzte ein Auto gemächlich rückwärts aus der Parklücke. Es hielt neben ihm auf der Straße an. Das Beifahrerfenster ging herunter.

»Was ist passiert?«

»Nichts. Nur ein Stein durch die Windschutzscheibe.«

»Was?« Der Beifahrer wandte sich dem Fahrer zu. »Warte einen Moment.« Er stieg aus, um den Schaden zu begutachten. »Wer, zum Teufel, macht denn so was?«

»Keine Ahnung.« Rebus griff ins Auto, um den Stein herauszuholen. In dem Moment spürte er, wie etwas gegen seinen Hinterkopf prallte. Als er begriff, was los war, wurde er bereits vom Auto weg auf die Straße gezerrt. Er hörte einen Wagen rückwärts fahren und anhalten. Er versuchte, sich zu wehren, sich mit den Fingernägeln am harten Asphalt festzukrallen. Gott, er würde gleich ohnmächtig werden. Mit jedem Herzschlag pochte sein Kopf vor Schmerz. Irgendwer hatte ein Fenster geöffnet und rief etwas herunter, eine Warnung oder Beschwerde. Nun lag er allein mitten auf der Straße. Der Beifahrer war zurück zum Auto gelaufen und knallte die Tür zu. Rebus mühte sich verzweifelt ab, auf die Beine zu kommen. Er blinzelte, um den Schleier vor den Augen loszuwerden. Er sah Scheinwerfer und wusste, was die beiden Männer vorhatten.

Sie würden ihn voll überfahren.

Ein uralter Trick, und er war darauf reingefallen. Der Angreifer bietet dem Opfer seine Hilfe an. Der Motor des Wagens heulte auf; mit durchdrehenden Rädern schoss das Auto auf ihn zu. Rebus fragte sich, ob er das Nummernschild noch lesen könnte, bevor er starb.

Da packte ihn eine Hand hinten am Kragen und zog, zerrte ihn rückwärts von der Straße. Das Auto erwischte seine Beine, riss ihm einen Schuh vom Fuß und schleuderte ihn in die Luft. Der Wagen hielt nicht an, verlangsamte noch nicht mal sein Tempo, sondern raste die Steigung hinauf bis zum Ende der Straße, wo er nach rechts abbog und verschwand.

»Alles in Ordnung, John?«

Es war Michael. »Du hast mir das Leben gerettet, Mickey.« Adrenalin mischte sich mit Schmerz, und Rebus wurde speiübel. Er erbrach unverdautes Linsencurry auf den Bürgersteig.

»Probier mal aufzustehen«, sagte Michael. Rebus versuchte es, doch es misslang.

»Meine Beine tun weh«, sagte er. »Mein Gott, tun mir die Beine weh!«

Auf den Röntgenbildern waren keine Frakturen zu erkennen, noch nicht mal ein angeknackster Knochen. »Nur ein paar schlimme Prellungen, Inspector«, erklärte die Ärztin im Royal Infirmary. »Sie haben Glück gehabt. So wie das Auto Sie erwischt hat, hätte das übel ausgehen können.«

Rebus nickte. »Ich hätte es wissen sollen«, sagte er. »War einfach fällig, dass ich mal als Patient komme, so oft wie ich in letzter Zeit hier Leute besucht habe.«

»Ich hole Ihnen rasch was«, sagte die Ärztin.

»Einen Moment, bitte, Frau Doktor. Ist Ihr Labor abends geöffnet?«

Sie schüttelte den Kopf. »Warum fragen Sie?«

»Schon gut.«

Sie ging aus dem Zimmer. Michael trat neben ihn. »Wie fühlst du dich?«

»Ich weiß nicht, was mir mehr wehtut, mein Kopf oder mein linkes Bein.«

»Kein großer Verlust für den Fußball.«

Rebus' Lächeln gerict zu einer Grimasse. Bei jeder Bewegung der Gesichtsmuskeln schossen kleine Stromstöße durch sein Gehirn. »Bitte sehr«, sagte sie, »damit sollte es gehen.«

Rebus hatte Schmerztabletten erwartet. Doch was sie in der Hand hielt, war ein Krückstock.

Es war eine Krücke aus Aluminium, hohl und deshalb ganz leicht, mit einem großen gummiüberzogenen Griff. Durch Löcher im Stock selbst, in die ein Metallstift einrastete, ließ sie sich in der Höhe verstellen. Sie sah aus wie ein seltsames Blasinstrument. Doch als Rebus das Krankenhaus verließ, war er froh, dass er sie hatte.

Zu Hause meinte einer der besorgten Studenten, er könne ihm was Besseres anbieten, und kam mit einem Stock aus schwarzem Holz und einem silbernen Knauf aus seinem Zimmer zurück. Rebus probierte ihn aus. Er hatte genau die richtige Höhe.

»Den hab ich in einem Trödelladen erstanden«, erklärte der Student. »Fragen Sie mich nicht, warum.«

»Sieht aus, als könnte ein Schwert darin verborgen sein«, sagte Rebus. Er drehte und zog am Knauf, aber nichts passierte. »War wohl nichts.«

Die Polizei hatte nicht nur mit Rebus im Krankenhaus gesprochen, sondern sich auch mit den Studenten unterhalten.

»Dieser Constable«, berichtete der Besitzer des Spazierstocks, dessen Name höchstwahrscheinlich Ed war, »ich meine, der hat uns angeguckt, als wären wir Hausbesetzer. Dann hat er gefragt, war Inspector Rebus bei euch? Und wir haben das bejaht. Der Constable kriegte das alles nicht auf die Reihe.« Er begann zu lachen. Selbst Michael lächelte. Irgendwer brühte eine Kanne Kräutertee auf.

Na prima, dachte Rebus. Eine weitere Geschichte, die die Runde machen würde. Rebus packt seine Wohnung voll Studenten, dann sitzt er abends bei Bier und Wein mit ihnen rum. Im Krankenhaus hatte man ihn gefragt, ob er einen der Männer erkannt hätte. Die Antwort lautete Nein. Es war schließlich ein mobiles Gewerbe ... Einer der Nachbarn hatte die Nummer des Wagens notiert. Es war ein Ford Escort, der nur etwa eine Stunde vorher in der Nähe des Sheraton auf der Lothian Road von einem Parkplatz gestohlen worden war. Man würde ihn schon bald irgendwo abgestellt finden, vermutlich nicht weit von Marchmont und ohne Fingerabdrücke.

»Die müssen verrückt geworden sein«, sagte Michael auf der Heimfahrt im Streifenwagen, den Rebus für sie organisiert hatte. »Zu glauben, sie könnten einfach so eine Nummer abziehen.«

»Das war keine Nummer, Michael. Irgendwer ist ziemlich verzweifelt. Die Geschichte gestern in der Zeitung hat die echt aufgerüttelt.« War das nicht genau das, was er gewollt hatte: eine Reaktion? Und die hatte er bekommen.

Von der Wohnung aus rief er den Notdienst einer Autoglaserei an. Es würde zwar ein Vermögen kosten, aber er brauchte den Wagen ganz früh am nächsten Morgen. Er hoffte nur, dass sein Bein in der Nacht nicht steif würde.

30

Was es natürlich tat. Er war schon um fünf Uhr auf und übte im Wohnzimmer gehen, versuchte Gelenke und Bänder zu lockern. Er betrachtete sein linkes Bein. Ein riesiger Bluterguss saß dick und fett an der Wade und zog sich auch noch vorne über den größten Teil des Schienbeins. Wenn dieses statt der Wade den Aufprall abgekriegt hätte, wäre es sicher zu einem glatten Bruch gekommen. Er schluckte zwei Paracetamol – von der Ärztin im Royal Infirmary gegen die Schmerzen empfohlen – und wartete darauf, dass es hell wurde. Er hatte letzte Nacht Schlaf gebraucht, aber nicht viel bekommen. Heute musste er sich ganz auf seinen Verstand verlassen und hoffte, dass dieser scharf genug war.

Um halb sieben quälte er sich die Treppe hinunter und humpelte zum Auto, das nun eine Windschutzscheibe besaß, die mehr wert war als der ganze Rest. Es herrschte noch nicht viel Verkehr, so dass die Fahrt nicht allzu lange dauerte. Er fuhr über die Küstenstraße nach North Berwick und vermied es, allzu oft zu schalten. Gleich hinter der Stadt fand er das Haus, das er suchte. Nun ja, eher ein Anwesen. Es lag auf einem Grundstück von etwa anderthalb Hektar, mit freiem Blick über den Forth bis zum dunkel aufragenden Felsen der Insel Bass Rock. Rebus kannte sich nicht gut mit Architektur aus – georgianisch vermutete er. Das Gebäude sah aus wie viele Häuser in der New Town von Edinburgh, mit kannelierten Säulen zu beiden Seiten des Eingangs und großen Schiebefenstern, von denen jede Hälfte aus neun Scheiben bestand.

Broderick Gibson hatte es weit gebracht seit jenen Tagen, als er in seinem Gartenschuppen mit Rezepten zum Bierbrauen herumexperimentierte. Rebus parkte vor dem Eingang und klingelte. Mrs Gibson öffnete die Tür. Rebus stellte sich vor.

»Sie sind ein bisschen früh, Inspector. Ist irgendwas nicht in Ordnung?«

»Ich möchte nur kurz Ihren Sohn sprechen.«

»Er ist gerade beim Frühstück. Nehmen Sie doch bitte so lange im Wohnzimmer Platz. Ich bringe Ihnen ...«

»Schon gut, Mutter.« Aengus Gibson stand kauend in der Tür zum Esszimmer und wischte sich mit einer Stoffserviette den Mund ab. »Kommen Sie herein, Inspector.«

Rebus ging lächelnd an Mrs Gibson vorbei.

»Was ist denn mit Ihrem Bein passiert?«, fragte Gibson.

»Ich dachte, das könnten Sie mir vielleicht sagen, Sir.«

»Ich? Wieso?« Aengus hatte sich wieder an den Tisch gesetzt. Statt eines Frühstücks mit allem Pipapo – Terrinen mit diversen warmen Speisen auf Warmhalteplatten, Wedgewood-Porzellan und ein Diener, der den Tee einschenkte –, wie Rebus es sich vorgestellt hatte, sah er nur einen schlichten weißen Teller mit fettiger Wurst und Ei. Dazu gebutterten Toast und einen Becher Kaffee. Zwei Zeitungen lagen gefaltet neben Aengus – Mairies Blatt und die *Financial Times*. Zahlreiche Krümel auf dem Tisch ließen erkennen, dass die Eltern schon fertig waren.

Mrs Gibson streckte den Kopf durch die Tür. »Eine Tasse Kaffee, Inspector?«

»Nein, danke, Mrs Gibson.« Lächelnd zog sie sich zurück.

»Ich dachte bloß«, sagte Rebus zu Aengus, »dass Sie es vielleicht arrangiert hätten.«

»Ich versteh nicht, was Sie meinen.«

»Den Versuch, mich zum Schweigen zu bringen, bevor ich ein paar Fragen über das Central Hotel stellen kann.«

»Das schon wieder!« Aengus biss in eine Scheibe Toast.

»Ja, das schon wieder.« Rebus setzte sich an den Tisch und streckte das linke Bein aus. »Sehen Sie, ich *weiß*, dass Sie sich in jener Nacht, lange nachdem Mr Vanderhyde gegangen war, noch dort befanden. Ich weiß, dass Sie mit zwei Gaunern namens Tam und Eck Robertson Poker gespielt haben. Ich weiß, dass jemand auf Tam geschossen und ihn getötet hat, und ich weiß, dass Sie mit Blut im Gesicht in die Küche gerast sind und gebrüllt haben, man solle alle Gashähne aufdrehen. Das, Mr Gibson, weiß ich bereits.«

Gibson schien Mühe zu haben, den gekauten Toast hinunterzuschlucken. Er nahm einen großen Schluck Kaffee und wischte sich erneut den Mund ab.

»Nun ja, Inspector«, entgegnete er, »wenn das alles ist, was Sie wissen, würde ich sagen, Sie wissen nicht sehr viel.«

»Vielleicht möchten Sie mir ja den Rest erzählen, Sir.«

Beide schwiegen. Aengus spielte mit seinem leeren Becher. Rebus wartete, dass er etwas sagen würde. Da flog die Tür auf.

»Raus hier!«, brüllte Broderick Gibson. Er trug eine Hose und ein Hemd mit offenem Kragen, dessen Manschetten mangels Manschettenknöpfen herumschlackerten. Offensichtlich hatte seine Frau ihn beim Anziehen gestört. »Ich könnte Sie auf der Stelle verhaften lassen!«, schrie er. »Der Chief Constable hat mir gesagt, dass Sie suspendiert sind.«

Rebus stand ganz langsam auf, um sein verletztes Bein zur Schau zu stellen. Doch Broderick Gibson hatte kein Mitleid mit ihm.

»Und halten Sie sich von uns fern, es sei denn, Sie haben eine entsprechende Befugnis. Ich werde mich noch heute Morgen mit meinem Anwalt in Verbindung setzen.«

Rebus war inzwischen an der Tür. Er blieb stehen und fixierte Broderick Gibson mit dem Blick. »Das sollten Sie auch tun, Sir. Und am besten sagen Sie ihm auch gleich, wo *Sie* in der Nacht waren, in der das Central Hotel abbrannte. Ihr Sohn steckt übrigens in ernsten Schwierigkeiten, Sir. Sie können nicht ewig Ihre schützende Hand über ihn halten.«

»Verschwinden Sie«, zischte Gibson.

»Sie haben mich ja gar nicht nach meinem Bein gefragt.«

»Was?«

»Nichts, Sir, ich hab nur laut gedacht ...«

Als Rebus durch die große Eingangshalle mit ihren Gemälden und Leuchtern und der schönen geschwungenen Treppe zurückging, spürte er, wie kalt das Haus war. Das lag nicht bloß an seinem Alter oder an dem gefliesten Boden. Das Haus war kalt bis in die Grundfesten.

Er traf in der Gorgie Road ein, als Siobhan sich gerade die erste Tasse koffeinfreien Kaffee an diesem Tag einschenkte.

»Was ist denn mit Ihrem Bein passiert?«, fragte sie.

Rebus wies mit seinem Stock auf den Mann hinter der Kamera.

»Was zum Teufel machen Sie denn hier?«

»Ich vertrete Petrie«, antwortete Brian Holmes.

»Ich frag mich, was wir überhaupt hier tun«, bemerkte Siobhan. Rebus überhörte ihre Worte.

»Sie sind krankgeschrieben.«

»Mir war's langweilig. Ich hab gestern mit dem Chief Super gesprochen, und der hat es abgesegnet. Deshalb bin ich hier.« Holmes sah ganz fit aus, wirkte aber schlecht gelaunt. »Allerdings hatte ich einen Hintergedanken dabei«, erklärte er. »Ich wollte von Siobhan die Geschichte mit Eddie und Pat hören. Es klingt alles so ... unglaublich. Ich meine, ich hab gestern auf dem Friedhof *geweint*, und der Drecksack sitzt zu Hause und fummelt an sich rum.«

»Er wird bald im Gefängnis an sich rumfummeln können«, sagte Rebus. Dann, zu Siobhan gewandt: »Lassen Sie mich doch mal an Ihrem Kaffee nippen.« Er nahm zwei Schlucke, dann gab er ihr den Plastikbecher zurück. »Danke. Irgendwas Neues?«

»Bisher ist niemand aufgetaucht. Nicht mal unser Kumpel von der Steuerfahndung.«

»Ich meine die anderen Sachen.«

»Was *ist* denn nun mit Ihrem Bein passiert?«, hakte Holmes nach. Also erzählte Rebus es ihm.

»Das ist alles meine Schuld«, sagte Holmes, »weil ich Sie in diese Sache reingezogen hab.«

»Das stimmt«, entgegnete Rebus, »und als Strafe dafür werden Sie jetzt dieses Fenster nicht aus den Augen lassen.« Er wandte sich wieder an Siobhan. »Also?«

Sie holte tief Luft. »Ich hab gestern Nachmittag Ringan und Calder verhört. Sie sind beide unter Anklage gestellt worden. Ich hab außerdem herausgefunden, dass Mrs Cafferty keinen Führerschein besitzt, weder unter ihrem jetzigen noch unter ihrem Mädchennamen. Bones Mercedes gehörte vorher …«

»Big Ger Cafferty.«

»Das wussten Sie bereits?«

»Ich hab's vermutet«, antwortete Rebus. »Was ist mit der anderen Hälfte von Bones Geschäft?«

»Die gehört einer Firma namens Geronimo Holdings.«

»Die wiederum Big Ger gehört?«

»Und in dem Wort Geronimo steckt sowohl sein Name als auch der seiner Frau, wie entzückend. Also, was halten Sie von dem Ganzen?«

»Sieht fast so aus, als hätte Ger seine Hälfte von dem Geschäft bei einer Wette mit Bone gewonnen.«

»Entweder das«, fügte Holmes hinzu. »Oder er hat es anstelle von Schutzgeldzahlungen bekommen, die Bone nicht aufbringen konnte.«

»Vielleicht«, sagte Rebus. »Aber das mit der Wette scheint mir wahrscheinlicher.«

»Zumal Bone den Wagen bei einer Wette mit Cafferty gewonnen hat«, erklärte Siobhan. »Sie scheinen also häufiger miteinander zu wetten.«

Rebus nickte. »Nun ja, das läuft auf eine enge Verbindung zwischen den beiden hinaus. Außerdem gibt es wohl noch eine weitere, sehr enge Verbindung, obwohl ich die noch nicht beweisen kann.«

»Moment mal«, sagte Siobhan, »wenn die Messerattacke und das eingeschlagene Fenster was mit Schutzgeld oder Glücksspiel zu tun haben, dann hängen sie auch mit Cafferty zusammen. Und da Cafferty die Hälfte vom Laden gehört, würde das bedeuten, dass er sein *eigenes* Fenster eingeschmissen hat.«

Rebus schüttelte den Kopf. »Ich hab nicht gesagt, dass das alles mit Schutzgeld oder Glücksspiel zu tun hat.«

»Und wie passt der Cousin da rein?«, warf Holmes ein.

»Du meine Güte«, bemerkte Rebus, »Sie sind aber wild darauf, wieder mitzumachen. Ich bin mir noch nicht ganz sicher, wie Kintoul da reinpasst, aber ich hab so eine Idee.«

»Achtung«, rief Holmes, »da tut sich was!«

Alle drei beobachteten, wie ein verbeulter violetter Mini auf den Parkplatz des Taxiunternehmens fuhr. Dann ging die Fahrertür auf, und der Kleiderschrank quetschte sich aus dem Auto.

»Wie Zahnpasta aus der Tube«, sagte Rebus.

»Mein Gott«, fügte Holmes hinzu. »Der muss die Vordersitze rausgenommen haben.«

»Heute ganz allein«, bemerkte Siobhan.

»Ich wette, Cafferty kommt irgendwann vorbei«, meinte Rebus, »nur um nach dem Rechten zu sehen. Er ist schon mal böse reingelegt worden, das will er bestimmt nicht noch mal erleben.«

»Böse reingelegt?«, wiederholte Siobhan. »Sind Sie sicher?«

Rebus zwinkerte ihr zu. »Darauf würd ich meinen Kopf verwetten.«

Er musste bis zum frühen Nachmittag auf die Information warten, die er brauchte. Er hatte veranlasst, dass sie ihm zu einem Zeitungsladen in der Nähe gefaxt wurde. Während der langen Wartezeit in der Gorgie Road hatte er weiter mit Holmes und Siobhan über den Fall diskutiert. In einem Punkt waren sie beide der gleichen Meinung: Niemand würde gegen Cafferty aussagen. Und ähnlicher Meinung in einem anderen: Man konnte noch nicht mal ganz sicher sein, ob Cafferty überhaupt etwas mit der Sache zu tun hatte.

»Das werde ich heut Nachmittag erfahren«, erklärte Rebus, als er sich auf den Weg machte, um sein Fax abzuholen.

Allmählich gewöhnte er sich daran, mit dem Spazierstock zu gehen, und solange er in Bewegung blieb, wurde das Bein auch nicht steif. Doch er wusste, dass die Fahrt nach Cardenden ihm nicht gut tun würde. Er zog in Erwägung, mit dem Zug zu fahren, verwarf die Idee aber gleich wieder. Möglicherwiese wollte er ganz schnell wieder aus Fife verschwinden, und das wäre bei den Fahrplänen der Scotsrail wohl kaum möglich.

Kurz nach halb drei stieß er die Tür zu Hutchy's Wettbüro auf. Der Laden war stickig, und es roch nach Alter und Staub. Die Zigarettenkippen auf dem Fußboden stammten vermutlich von letzter Woche. Es gab ein Rennen um zwei Uhr fünfunddreißig, und einige Wetter standen an den Wänden herum und warteten auf den Beginn der Übertragung. Rebus ließ sich vom Aussehen des Ladens nicht irritieren. Niemand wollte in einem schicken Etablissement wetten; das bedeutete nämlich, dass der Buchmacher zu viel verdiente. Diese heruntergekommene Umgebung war psychologisch geschickt gewählt. Als würde der Buchmacher sagen, du magst zwar kein Glück haben, aber sieh mich an, mir geht's auch nicht besser.

Nur dass das nicht stimmte.

Rebus bemerkte ein vage vertrautes Gesicht, das auf einer der an die Wand gepinnten Zeitungen die Form der Pferde studierte. Allerdings war diese Stadt voller vage vertrauter

Gesichter. Er ging auf den mit einer Glasscheibe abgetrennten Schalter zu. »Ich hätte gern Mr Greenwood gesprochen.«

»Haben Sie einen Termin?«

Doch Rebus redete schon nicht mehr mit der Frau. Seine Aufmerksamkeit war ganz auf den Mann gerichtet, der von einem Schreibtisch hinter ihr aufblickte. »Mr Greenwood, ich bin von der Polizei. Kann ich Sie kurz sprechen?«

Greenwood musste erst darüber nachdenken, dann erhob er sich, schloss die Tür von dem Kabäuschen auf und kam heraus. »Hier herum«, sagte er und führte Rebus in den hinteren Teil des Ladens. Dort sperrte er eine weitere Tür auf, durch die man in ein sehr viel gemütlicheres Büro gelangte.

»Irgendwelche Probleme?«, fragte er sogleich, während er sich hinsetzte und aus einer Schreibtischschublade eine Flasche Whisky hervorholte.

»Für mich nicht, Sir.« Rebus nahm Greenwood gegenüber Platz und musterte ihn. Gott, es war nicht einfach nach all den Jahren. Doch Midge hatte mit seinem Porträt gar nicht so falsch gelegen. Ein Schachspieler würde sich nun darauf einstellen, zunächst einen Bauern zu spielen; doch Rebus beschloss, direkt mit seiner Dame anzugreifen. »Nun, Eck«, sagte er und machte es sich bequem, »wie ist es Ihnen denn so ergangen?«

Greenwood schaute um sich. »Reden Sie mit mir?«

»Muss ich wohl. Ich heiße nicht Eck. Wollen Sie weiter irgendwelche Spielchen spielen? Na schön, dann spielen wir.« Greenwood antwortete nicht, stattdessen schenkte er sich einen großen Whisky ein.

»Ihr Name ist Eck Robertson. Sie sind vor der Cafferty-Bande geflohen und haben eine ganz schöne Menge von Big Gers Geld mitgehen lassen. Außerdem haben Sie die Identität eines anderen Mannes angenommen – die von Thomas Greenwood. Sie wussten, dass Tommy sich nicht beschweren würde, weil er bereits tot war. Mal wieder ein Beweis für Big

Gers erstaunliche Fähigkeiten, Menschen verschwinden zu lassen. Sie haben seinen Namen und seine Identität angenommen und sich hier am Arsch der Welt in Fife niedergelassen. Sie haben aus einem Koffer voller Geld gelebt, diesen Laden so weit in Schwung gebracht, dass er Profit abwarf.« Rebus hielt inne. »Na, wie mach ich das?«

Greenwood *alias* Eck Robertson schluckte laut und füllte sein Glas erneut.

»Allerdings haben Sie mehr von Greenwoods Identität übernehmen müssen, als Ihnen lieb war. Als Sie sich hier niederließen, trat nämlich das Finanzamt wegen einem unbezahlten Einkommensteuerbescheid an Sie heran. Sie schrieben zurück und zahlten schließlich.« Rebus zog die gefaxten Blätter aus der Tasche. »Ich hab hier eine Kopie von Ihrem Brief zusammen mit älteren Schreiben von dem *echten* Thomas Greenwood. Warten Sie's ab, bis sich ein Graphologe im Gerichtssaal darauf stürzt. Haben Sie schon mal erlebt, wie diese Leute eine Jury zu überzeugen verstehen? Das ist wie bei Perry Mason. Selbst ich kann erkennen, dass die Unterschriften nicht gleich sind.«

»Ich habe meinen Schreibstil geändert.«

Rebus lächelte. »Und Ihr Gesicht verändert. Sie haben sich die Haare gefärbt, den Schnurrbart abrasiert und tragen Kontaktlinsen … getönte. Ihre Augen waren früher braun, nicht wahr, Eck?«

»Hören Sie, mein Name ist …«

Rebus stand auf. »Ganz wie Sie meinen. Ich bin jedoch sicher, dass Big Ger keine große Mühe haben wird, Sie zu erkennen.«

»Warten Sie, setzen Sie sich.« Rebus nahm wieder Platz und wartete. Eck Robertson versuchte zu lächeln. Er schaltete für einen Augenblick sein Radio an und lauschte dem Rennen, dann schaltete er es wieder aus. Ein Sechs-zu-eins-Favorit hatte mit großem Vorsprung gewonnen.

»Mal wieder ein Sieg für die Buchmacher«, bemerkte Rebus. »Sie hatten schon immer eine Schwäche für Pferde, stimmt's? Allerdings nicht so sehr wie Tam. Tam war ganz wild aufs Wetten. Er wettete mit Ihnen, er könnte Big Ger um Geld erleichtern, ohne dass Ger es merkte. Er schöpfte immer jeweils nur kleinere Beträge ab, aber es kam einiges zusammen. Hier.« Rebus warf die Zeichnung von Tam Robertson auf den Schreibtisch. »So könnte er heutzutage aussehen, wenn Big Ger nicht dahinter gekommen wär.«

Eck Robertson starrte auf die Zeichnung und fuhr mit einem Finger darüber.

»Sie mussten abhauen, bevor Big Ger auch Sie erwischte, also nahmen Sie das Geld. Radiator ist ebenfalls abgehauen. Schließlich hatte er euch beide in die Gang gebracht. Er hätte ebenfalls mit einer Strafe rechnen müssen.« Rebus hielt erneut inne. »Oder hat Big Ger ihn sich geschnappt?«

Robertson, der den Blick nicht von der Zeichnung losreißen konnte, zuckte die Achseln.

»Nun ja, wie dem auch sei«, fuhr Rebus fort. »Ich glaub, jetzt möchte ich doch 'nen Whisky.« Sein Bein tat höllisch weh, und er hielt den Griff des Spazierstocks so fest umklammert, dass die Knöchel weiß wurden. Robertson brauchte eine Weile, um den Drink einzuschenken. »Also«, wollte Rebus wissen, »möchten Sie dem noch was hinzufügen?«

»Wie haben Sie mich gefunden?«

»Jemand hat Sie gesehen.«

Robertson nickte. »Dieser Koch, wie hieß er noch gleich? Ringan? Ich hab ihn in einem Pub in Cowdenbeath getroffen. Sah aus, als wär er sturzbetrunken, also bin ich ganz schnell wieder raus. Ich dachte, er hätte mich nicht gesehen, und falls doch, glaubte ich nicht, dass er mich erkennen würde. Da hab ich mich wohl geirrt, was?«

»Allerdings.« Rebus nippte an dem Whisky, als wäre es eine Medizin.

»Es war Aengus Gibson«, sagte Robertson plötzlich. »Aengus hatte die Waffe.«

Dann erzählte er den Rest der Geschichte. Tam hatte beim Poker betrogen, wie immer. Doch Angus war ihm auf die Schliche gekommen, zog die Waffe und erschoss Tam.

»Wir sind verduftet.«

»Was?« Rebus konnte es nicht fassen. »Haben Sie nicht an Rache gedacht? Dieser junge Trunkenbold hatte gerade Ihren Bruder getötet!«

»Niemand vergriff sich an Black Aengus. Er war Big Gers Kumpel. Nach irgendeinem Missverständnis, einem Einbruch in Mos Wohnung, waren sie Freunde geworden. Big Ger hatte große Pläne mit ihm.«

»Was für Pläne?«

Robertson zuckte die Achseln. »Halt so Pläne. Mit dem Geld hatten Sie Recht. Ich musste so schnell wie möglich abhauen.«

»Aber warum gerade hierher?«

Robertson blinzelte. »Es war die letzte Station auf der Bahnstrecke. Big Ger hatte nie sonderliches Interesse an Fife. Da würde er sich nämlich mit den Italienern und Oraniern rumschlagen müssen.«

Rebus' Gedanken rasten. »Und wie hat Ger reagiert, als Aengus Tam erschoss?«

»Wie meinen Sie das?«

»Eck, ich *weiß*, dass Big Ger bei dem Pokerspiel dabei war. Also wie hat er reagiert?«

»Er ist genauso verduftet wie wir andern auch.«

Also war Big Ger tatsächlich dort gewesen! Robertsons Blick fiel erneut auf das Porträt seines Bruders. Rebus konnte sich ziemlich genau vorstellen, wie Caffertys »Pläne« mit Aengus ausgesehen haben mussten. Allein die Vorstellung, jemanden im Griff zu haben, der eines Tages Chef der Gibson-Brauerei sein würde. Ihn schon all die Jahre im Griff zu haben …

»Wer hat die Waffe mitgenommen, Eck?«

Eck zuckte wieder die Achseln. Rebus hatte den Eindruck, dass er nicht mehr zuhörte, und klopfte mit seinem Stock auf die Schreibtischkante. »Sie haben sich sehr viel Mühe gegeben. Eddie Ringan hat das beeindruckt. Er hat von Ihnen gelernt, dass es möglich ist zu verschwinden. Eine nützliche Lektion, wenn Big Ger hinter einem her ist. Er lässt tatsächlich Menschen verschwinden, nicht? Wirft sie einfach ins Meer. So macht er das doch, oder?«

»Nach einer Weile, aye.«

Rebus nahm das stirnrunzelnd zur Kenntnis. Doch die nächsten Worte von Eck Robertson trafen ihn wie ein Schlag.

»Ein Metzgereiwagen fällt niemandem auf.«

Rebus nickte lächelnd. »Da haben Sie Recht.« Er befeuchtete seine Lippen. »Eck, wären Sie bereit, gegen ihn auszusagen? In einem Gerichtssaal unter Ausschluss der Öffentlichkeit, ohne dass Ihre neue Identität bekannt wird. Würden Sie das tun?«

Doch Eck Robertson schüttelte den Kopf. Er schüttelte ihn immer noch, als die Tür plötzlich aufflog. Ah, das vage vertraute Gesicht, das sich über die Form der Pferde informiert hatte. Es war der Poolspieler aus dem Midden.

»Alles in Ordnung, Tommy?«

»Prima, Sharky, prima.« Doch »Tommy Greenwood« sah keineswegs so aus, als ob alles in Ordnung wäre.

»Raus mit dir, mein Sohn«, sagte Rebus. »Mr Greenwood und ich haben was Geschäftliches zu besprechen.«

Sharky ignorierte ihn. »Soll ich ihn rausschmeißen, Tommy?«

Tommy Greenwood hatte gar nicht erst die Chance zu antworten. Rebus rammte Sharky den Griff seines Spazierstocks unter die Nase und schlug ihn dann noch fester auf die Knie. Der junge Mann sackte zusammen. Rebus stand auf. »Praktisch, so ein Ding«, meinte er. Er zeigte mit dem Stock auf

Eck Robertson. »Die Zeichnung können Sie als Andenken behalten, Eck. Ich werde allerdings wiederkommen. Ich will, dass Sie gegen Cafferty aussagen. Noch nicht sofort. Erst wenn ich ganz konkret was gegen ihn in der Hand habe. Und wenn Sie nicht aussagen, kann ich jederzeit Eck Robertson auferstehen lassen. Denken Sie darüber nach. Auf irgendeine Weise wird Big Ger es schon erfahren.«

Er fuhr gerade über die Forth-Brücke, als er die Nachricht im Radio hörte.

»Verdammt«, sagte er und trat aufs Gaspedal.

31

Rebus zeigte seinen Ausweis, als er durch das Tor der Brauerei fuhr. Es stand nur noch ein einziger Polizeiwagen am Unglücksort, von einem Krankenwagen keine Spur. Arbeiter standen in Gruppen zusammen, ließen Zigaretten herumgehen und unterhielten sich leise über das, was passiert war.

Den Detective Sergeant kannte Rebus. Er arbeitete in Edinburgh West und hieß unglücklicherweise Robert Burns, wie der große schottische Nationaldichter. Burns war groß und kräftig, hatte rote Haare und das Gesicht voller Sommersprossen. Sonntagnachmittags war er manchmal am Fuß des Mound anzutreffen, wo er den dort herumspazierenden Heiden gründlich einheizte. Rebus war froh, Burns zu sehen. Er mochte einem zwar manchmal die Hölle heiß machen, aber er schwafelte nie.

Burns zeigte auf den riesigen Aluminiumtank. »Da ist er raufgeklettert.« Ja, Rebus konnte nur zu deutlich die Metallleiter sehen, die bis an den oberen Rand des Tanks führte. Etwa alle zehn Meter liefen Stege rund um den riesigen Behälter. »Und als er oben ankam, ist er gesprungen. Viele Arbeiter haben ihn beobachtet, und sie haben alle das Gleiche gesagt. Er ist einfach immer weiter geklettert, bis keine Stufen mehr da waren, dann hat er sich mit ausgestreckten Armen heruntergestürzt. Einer von ihnen meinte, der Sprung war besser als alles, was er je bei einer Olympiade gesehen hat.«

»So gut?« Sie waren nicht die Einzigen, die auf den Tank starrten. Ab und zu blickte einer der Arbeiter nach oben und verfolgte mit den Augen Aengus Gibsons Sturz. Er war auf dem Asphalt aufgeschlagen und wie eine Ziehharmonika zusammengequetscht worden. Im Boden war eine Delle, als ob dort ein Felsblock gelegen hätte.

»Sein Vater ist hinter ihm her geklettert«, fuhr Burns fort. »Ist aber nicht weit gekommen. Ein Wunder, dass der alte Knabe keinen Herzschlag gekriegt hat. Man musste ihm vom dritten Steg runterhelfen.«

Rebus zählte drei Stege nach oben. »Ein bisschen wie bei Dante, was?«, sagte er mit einem Zwinkern zu Burns.

»Der alte Knabe sagt, es sei ein Unfall gewesen.«

»Natürlich tut er das.«

»War es aber nicht.«

»Natürlich nicht.«

»Ich hab ein Dutzend Zeugen, die sagen, er ist gesprungen.«

»Ein Dutzend Zeugen«, korrigierte Rebus, »die ihre Meinung ändern werden, sobald ihre Jobs auf dem Spiel stehen.«

»Aye, mag sein.«

Rebus holte tief Luft. Er hatte diesen Hopfengeruch immer gemocht, doch er wusste, dass er ihn von nun an anders wahrnehmen würde.

»Der Herr gibt's, und der Herr nimmt's«, sagte Burns. »Was ist übrigens mit Ihrem Bein passiert?«

»Eingewachsene Zehennägel«, antwortete Rebus. »Der Herr hat sie gegeben, und das Krankenhaus hat sie genommen.«

Burns schüttelte gerade den Kopf über diese Blasphemie, als im Gebäude hinter ihnen ein Fenster geöffnet wurde.

»Sie!«, brüllte Broderick Gibson. »Sie haben ihn umgebracht! Sie waren es!« Sein krummer Finger, ein Finger, den er anscheinend nicht mehr gerade kriegte, war mehr oder weniger auf Rebus gerichtet. Seine Augen waren wie nasses Glas, sein Atem ging keuchend. Jemand hatte ihm die Hände auf die Schultern gelegt und versuchte, ihn sanft dazu zu bewegen, ins Büro zurückzukehren. »Das bleibt nicht ungesühnt!«, rief er Rebus zu. »Denken Sie an meine Worte. Der Tag der Abrechnung wird kommen!«

Der alte Mann wurde schließlich nach drinnen gezogen und das Fenster geschlossen. Die Arbeiter schauten zu den beiden Polizisten herüber.

Das war's dann also. Aengus Gibson hatte Tam Robertson erschossen, und nun war Aengus tot. Ende der Geschichte. Rebus fiel spontan eine Person außerhalb von Aengus' Familie ein, die sehr bestürzt sein würde: Big Ger Cafferty. Cafferty hatte Black Aengus beschützt, ihn vielleicht sogar erpresst und die ganze Zeit auf den Tag gewartet, an dem der junge Mann die Brauerei übernehmen würde. Mit Aengus' Tod fiel das ganze Kartenhaus zusammen. Und das war auch gut so.

Trotzdem gab es keine Möglichkeit, an Cafferty heranzukommen, ihn zur Verantwortung zu ziehen.

Zu Hause erwartete Michael ihn mit ein paar Neuigkeiten.

»Die Ärztin hat versucht, dich zu erreichen.«

»Welche? Ich hatte in letzter Zeit mit mehreren zu tun.«

»Dr. Patience Aitken. Sie scheint zu glauben, dass du ihr aus dem Weg gehst. Offenbar funktioniert diese Taktik also.«

»Das ist keine Taktik. Ich hatte in letzter Zeit nur den Kopf so voll.«

»Wenn du so weitermachst, weißt du irgendwann nicht mehr, wer du bist.« Michael lächelte. »Sie hört sich übrigens nett an.«

»Sie *ist* nett. Ich bin das Arschloch.«

»Dann geh sie doch besuchen.«

Rebus ließ sich auf das Sofa plumpsen. »Mach ich vielleicht auch. Was liest du da?« Michael zeigte ihm den Einband. »Schon wieder ein Buch über Hypnotherapie. Du musst dieses Gebiet doch bald abgegrast haben.«

»Ich hab gerade mal hineingerochen.« Michael hielt inne. »Ich werde an einem Kurs teilnehmen.«

»Oh?«

»Ich möchte Hypnotherapist werden. Schließlich weiß ich ja, dass ich Leute hypnotisieren kann.«

»Du kriegst sie jedenfalls dazu, die Hose runterzulassen und wie ein Hund zu bellen.«

»Genau; wird allmählich Zeit, dass ich etwas Nützlicheres damit anfange.«

»Es heißt doch, Lachen ist die beste Medizin.«

»Lass den Quatsch, John, es ist mir ernst. Außerdem werde ich wieder zu Chrissie und den Kindern ziehen.«

»Oh?«

»Ich hab mit ihr gesprochen. Wir haben beschlossen, es noch mal zu versuchen.«

»Klingt romantisch.«

»Wenigstens einer von uns beiden muss doch eine kleine romantische Ader haben.« Michael nahm das Telefon und hielt es Rebus hin. »Und jetzt rufst du die Ärztin an.«

»Ja, Sir«, sagte Rebus.

Broderick Gibson war ein einflussreicher Mann, das konnte man nicht abstreiten. Am Mittwochmorgen berichteten die Zeitungen von dem »tragischen Unfall« in der Gibson-Brauerei bei Fountainbridge, Edinburgh. Es gab Fotos von Aengus, einige aus seiner Black-Aengus-Zeit, andere im gewandelten Outfit auf Wohltätigkeitsveranstaltungen. Von Selbstmord hörte man nichts. Wieder einmal hatte Aengus'

Vater etwas vertuscht, die Wahrheit verzerrt. Das war offenbar mit den Jahren für ihn zur Routine geworden.

Um zehn Uhr fünfzehn erhielt Rebus einen Anruf. Es war Chief Superintendent Watson.

»Hier ist jemand, der Sie sprechen möchte«, sagte er. »Ich hab ihm erklärt, Sie wären suspendiert, aber er ist verdammt hartnäckig.«

»Wer ist es denn?«, fragte Rebus.

»Irgendein blinder alter Typ namens Vanderhyde.«

Vanderhyde wartete immer noch, als Rebus ankam. Er schien sich ganz behaglich zu fühlen und sich auf die Geräusche um ihn herum zu konzentrieren. Allgemeines Geplauder, Telefongespräche und das Klappern von Tastaturen. Er saß auf einem Stuhl vor Rebus' Schreibtisch. Trotz der Schmerzen ging Rebus auf Zehenspitzen um ihn herum und setzte sich. Er betrachtete Matthew Vanderhyde eine Weile. Dieser trug einen dunklen Anzug mit weißem Hemd und dunkler Krawatte. Trauerkleidung. Er hatte eine Aktenmappe aus blauer Pappe dabei, die auf seinem Schoß lag. Sein Spazierstock lehnte am Stuhl.

»Nun, Inspector«, sagte Vanderhyde plötzlich, »haben Sie genug gesehen?«

Rebus verzog den Mund zu einem schiefen Lächeln. »Guten Morgen, Mr Vanderhyde. Wodurch hab ich mich verraten?«

»Sie haben irgendeinen Stock bei sich. Der ist gegen die Ecke von Ihrem Schreibtisch gestoßen.«

Rebus nickte. »Es tat mir sehr Leid, als ich hörte ...«

»Bestimmt nicht mehr Leid als seinen Eltern. Sie haben im Lauf der Jahre hart an Aengus gearbeitet. Und es *war* hart mit ihm. Manchmal teuflisch hart. Nun ist alles dahin.« Vanderhyde beugte sich auf dem Stuhl vor. Wenn er sehen könnte, hätte sein Blick sich jetzt in Rebus' Augen gebohrt. Doch so wie die Dinge lagen, sah Rebus die Widerspiegelung seines eigenen Gesichts in Vanderhydes Brillengläsern. »Hatte er verdient zu sterben, Inspector?«

»Er hatte die Wahl.«

»Hatte er?«

Rebus fielen die Worte des Priesters wieder ein. *Kannst du für den Rest deines Lebens mit der Erinnerung und der Schuld leben?* Vanderhyde wusste, dass Rebus nicht antworten würde. Er nickte bedächtig und lehnte sich ein wenig zurück.

»Sie waren in jener Nacht dort, nicht wahr?«, fragte Rebus.

»Wo?«

»Beim Kartenspiel.«

»Blinde sind schlechte Kartenspieler, Inspector.«

»Jemand, der sehen kann, könnte einem Blinden behilflich sein.« Rebus wartete. Vanderhyde saß stocksteif da wie die Wachsfigur eines Viktorianers. »Jemand wie Broderick Gibson zum Beispiel.«

Vanderhyde fuhr mit den Fingern über die blaue Aktenmappe, nahm sie und legte sie auf den Schreibtisch.

»Broderick wollte, dass Sie das bekommen.«

»Was ist das?«

»Das wollte er mir nicht sagen. Er hat nur gesagt, er hofft, dass Sie denken, es hat sich gelohnt, obwohl er selbst das bezweifelt.« Vanderhyde hielt inne. »Natürlich hat mich meine Neugier dazu getrieben, den fraglichen Gegenstand auf meine Art zu untersuchen. Es handelt sich um irgendein Buch.«

Rebus nahm die schwere Aktenmappe entgegen. Vanderhyde zog seine Hand zurück, griff nach seinem Stock und legte die Hand darauf. »Bei Aengus wurde ein Schlüsselbund gefunden. Die Schlüssel schienen in kein Schloss im Haus oder in der Firma zu passen. Letzte Nacht fand Broderick dann ein paar Kontoauszüge, auf denen monatliche Zahlungen an ein Maklerbüro aufgeführt waren. Er kennt den Chef dieser

Agentur und hat ihn angerufen. Aengus hatte anscheinend seit längerem eine Wohnung in der Blair Street gemietet.«

Die war Rebus bekannt. Es handelte sich um eine schmale Straße zwischen High Street und Cowgate, eine Gegend, die auf der Kippe stand zwischen gutbürgerlich und verkommen. »Niemand wusste davon?«

Vanderhyde schüttelte den Kopf. »Das war seine kleine Höhle, Inspector. Ein absoluter Saustall, laut Broderick. Verschimmeltes Essen und leere Flaschen, pornographische Videos ...«

»Eine richtige Junggesellenbude also.«

Vanderhyde ignorierte die Bemerkung. »Das Buch wurde dort gefunden.«

Rebus hatte die Mappe bereits aufgeschlagen. Drinnen lag ein großes Notizbuch mit Ringheftung. Es trug keinen Titel, doch die schmalen Zeilen waren von vorn bis hinten voll geschrieben. Schon nach den ersten Sätzen wusste Rebus, was es war: das Tagebuch von Aengus Gibson.

32

Rebus saß an seinem Schreibtisch und las. Niemand kümmerte sich um ihn, da er ja eigentlich suspendiert war. Irgendwann verschwand die Sonne, und das Büro leerte sich langsam. Er hätte sich genauso gut in einer Einzelzelle befinden können, so wenig nahm er von alldem Notiz. Der Telefonhörer lag neben der Gabel, und seinen Kopf, der über das Tagebuch gebeugt war, hatte er in den Händen vergraben; ein deutliches Zeichen, dass er nicht gestört werden wollte.

Er überflog das Tagebuch erst einmal rasch. Schließlich waren nur einige Seiten für ihn von Belang. Die frühen Eintragungen handelten von wilden Partys, von Bettgeschichten in Landhäusern mit verheirateten Frauen, die selbst heute noch »Säulen« der Gesellschaft waren, und noch häufiger mit den Töchtern dieser Frauen. Streitigkeiten mit den Eltern, meist über Geld. Geld. In diesen frühen Eintragungen war viel von Geld die Rede, Geld für Reisen, Autos, Champagner, Kleidung. Das Tagebuch selbst begann recht merkwürdig:

Manchmal, meist wenn ich allein bin, aber gelegentlich auch in Gesellschaft, nehme ich aus den Augenwinkeln eine Gestalt wahr. Jedenfalls glaube ich das. Doch wenn ich genau hinschaue, ist niemand da. Vielleicht ist da irgendein Gebilde, zum Beispiel eine zufällige, interessante Anordnung zwischen dem Rahmen einer offenen Tür und dem Fenster dahinter, das mich an eine menschliche Gestalt erinnert. Ich erwähne das mit der Tür und dem Fenster, weil es das jüngste Beispiel dieser Art war.

Ich bin jedoch immer mehr davon überzeugt, dass ich tatsächlich Dinge sehe. Und was ich sehe – genauer gesagt, was mir gezeigt wird –, bin ich selbst. Jener andere Teil von mir. Als Kind hab ich die Kirche besucht und an Geister geglaubt. Ich glaube immer noch an Geister …

Rebus übersprang den Rest und las den Anfang der nächsten Eintragung:

Ich kann dieses Tagebuch in dem sicheren Wissen schreiben, dass wer auch immer es liest – ja du, lieber Leser – dies nach meinem Tod tut. Niemand weiß, dass es existiert, und da ich keine Freunde oder Vertrauten habe, ist es unwahrscheinlich, dass jemand es zufällig zu Gesicht bekommt. Natürlich könnte ein Einbrecher es mitnehmen. Wenn ja, Pech für ihn. Es ist nämlich das am wenigsten Wertvolle in dieser Wohnung, obwohl es wertvoller werden könnte, je länger ich es führe …

Es gab große Lücken in der Chronologie. Manchmal waren in einem Jahr nur ein halbes Dutzend datierte Eintragungen zu finden. Black Aengus schien im Tagebuchschreiben nicht zuverlässiger gewesen zu sein als in seinem übrigen Leben. Vor fünf Jahren hatte es jedoch eine Flut von Eintragungen gegeben. Der versehentliche Einbruch in die Wohnung von Mo Johnson; wie Aengus sich mit Mo anfreundete und von ihr einem gewissen Morris Cafferty vorgestellt wurde. Nachdem Aengus ihn häufiger auf Partys sowie in diversen Pubs und Klubs getroffen hatte, hieß Cafferty nur noch »Big Ger«.

Die bei weitem längste Eintragung betraf allerdings den einen Tag, der Rebus am meisten interessierte:

Eigentlich ist es hier gar nicht so schlecht. Das Pflegepersonal ist verständnisvoll und hat immer irgendwelche Scherze oder Geschichten auf Lager. Sie bringen mich behutsam in mein Zimmer zurück, wenn ich mal wieder irgendwo herumirre. Die Flure sind lang und labyrinthisch. Einmal glaubte ich, im Flur einen Baum zu sehen, aber es war ein Bild an einem Fenster. Eine Schwester legte meine Hand auf das kalte Glas, damit ich mich selbst davon überzeugen konnte.

Wie alle anderen hat sie es abgelehnt, Wodka einzuschmuggeln.

Aus meinem Fenster sehe ich ein Eichhörnchen – ein rotes Eichhörnchen, glaube ich –, das von Baum zu Baum springt. Dahinter wölben sich spärlich begrünte Hügel.

Doch eigentlich betrachte ich gar nicht diese ländliche Idylle, sondern blicke in ein Zimmer. Ein Zimmer, in dem ich mich vermutlich noch häufig aufhalten werde, selbst nachdem ich das Krankenhaus verlassen habe.

Warum habe ich bloß versucht, meinen Vater zu dieser Pokerpartie zu überreden? Mittlerweile weiß ich die Antwort. Weil Cafferty ihn dabeihaben wollte. Und Vater war durchaus nicht abgeneigt – es steckt immer noch ein Funke in ihm, ein Funke von der Wildheit, die er mir vererbt hat. Aber er konnte nicht kommen. Wenn er dort gewesen wäre, hätte die Sache vielleicht einen anderen Verlauf genommen.

Ich traf mich mit Onkel Matthew in der Bar. Gott, was für ein Langweiler. Er meint, weil er sich mal mit Dämonen und dem Schreckgespenst Nationalismus befasst hat, wär er wichtig. Ich hätte ihm erklären können, dass Männer wie Cafferty das Sagen haben. Sie sind diejenigen, die insgeheim die Fäden ziehen und die Puppen tanzen lassen. Sie sorgen dafür, dass die Dinge laufen. Und mein Gott, was für Dinge!

Tam Robertson schlug vor, ich solle bei der Pokerrunde mitmachen, die im ersten Stock stattfinden würde. Der geforderte Einsatz war nicht hoch, außerdem konnte ich immer rasch in der Blair Street Geld holen, falls ich noch welches brauchte. Natürlich wusste ich, was Tam Robertson für einen Ruf hatte. Wenn er Karten austeilte, bewegten sich seine Ellbogen ständig auf und ab. Einige Leute glaubten, er könne beim Austeilen die Unterseite der Karten sehen, obwohl mir das ziemlich unwahrscheinlich erschien. Sein Bruder Eck erklärte diese Eigenheit mit der Tatsache, dass Tam sich als junger Mann mal den Arm gebrochen hatte. Ich bin kein gewiefter Kartenspieler und rechnete damit, ein paar Pfund zu verlieren, aber ich war sicher, dass ich merken würde, wenn jemand versuchte, mich zu betrügen.

Doch als die beiden anderen Spieler auftauchten, wusste ich, man würde mich nicht linken. Einer von ihnen war Cafferty. Er hatte einen Mann namens Jimmy Bone bei sich, von Beruf Metzger. Er sah auch wie ein Metzger aus – aufgedunsenes Gesicht, rote Wangen und Finger so dick wie Würste. Außerdem hatte er so was frisch Geschrubbtes an sich. Das findet man häufig bei Metzgern, Chirurgen und Leuten, die im Schlachthof arbeiten. Sie sehen sauberer als sauber aus.

Wo ich jetzt darüber nachdenke, fällt mir auf, dass Cafferty auch so aussah. Eck ebenfalls. Und Tam. Tam rieb sich ständig die Hände und verbreitete einen Zitronenseifengeruch. Oder er kontrollierte seine Fingernägel und stocherte mit etwas Spitzem daran herum. Von seiner Kleidung her hätte man das nie vermutet, doch er war zwanghaft reinlich. Jetzt im Nachhinein ist mir klar, dass die Robertson-Brüder gar nicht erfreut waren, Cafferty zu sehen. Auch der Metzger wirkte nicht gerade glücklich, dass man ihn zum Spielen überredet hatte. Er beklagte sich ständig, dass er eh schon so viele Schulden hätte, doch Cafferty wollte nichts davon wissen.

Der Metzger war ein unmöglicher Pokerspieler. Er machte ein betrübtes Gesicht, wenn er schlechte Karten hatte, und zappelte herum und scharrte mit den Füßen, wenn sie gut waren. Je länger sich das Spiel hinzog, desto deutlicher wurde, dass zwischen Cafferty und den Robertsons unterschwellig etwas ablief. Cafferty beklagte sich immer wieder über die Geschäfte. Sie wären flau und Geld hätte nicht mehr den Wert wie früher. Dann wandte er sich urplötzlich mir zu und schlug mir auf den Handrücken.

»Wie viele Tote hast du schon gesehen?«

In Caffertys Gesellschaft gab ich mich noch verwegener als sonst, spielte den Ultracoolen.

»Nicht viele«, sagte ich (oder was ähnlich Lockeres).

»Überhaupt welche?«, beharrte er. Er wartete die Antwort gar nicht erst ab. »Ich hab Dutzende gesehen. Ja, Dutzende. Und was noch hinzukommt, Black Aengus, ich hab etliche davon selbst ins Jenseits befördert.«

Er nahm seine Hand weg, lehnte sich zurück und sagte nichts mehr. Die nächste Runde wurde schweigend ausgeteilt. Ich wünschte, Mo wäre da. Sie verstand es, ihn zu beruhigen. Er trank Whisky aus der Flasche und ließ ihn im Mund kreisen, bevor er ihn geräuschvoll hinunterschluckte. Nüchtern ist er unberechenbar, betrunken gefährlich. Deshalb mag ich ihn. Auf seltsame Weise bewundere ich ihn sogar. Er kriegt, was er will, und scheut dafür vor nichts zurück. Diese Zielstrebigkeit hat etwas Faszinierendes. Und natürlich bin ich in seiner Gesellschaft jemand, den man respektiert, der von Leuten geachtet wird, die mich sonst als eingebildeten Snob bezeichnen würden, oder – wie es eine bestimmte Person mal tat – als »besoffenes Stück Scheiße«. Cafferty war sauer darüber, als ich es ihm erzählte, und stattete dem Betreffenden einen Besuch ab.

Weshalb gibt er sich überhaupt mit mir ab? Bis zu jenem Abend habe ich geglaubt, dass wir vielleicht gegenseitig das Feuer im Auge des anderen erkannten. Doch nun weiß ich es besser. Er gab sich mit mir ab, weil ich für ihn ein weiteres Mittel zum Zweck war. Einem unerbittlichen und tödlichen Zweck.

Ich trank Wodka, zunächst mit Orangensaft, später pur – aber immer aus einem Glas und mit Eis. Die Robertsons tranken Bier. Sie hatten einen Kasten mit Flaschen zwischen sich auf dem Fußboden stehen. Der Metzger trank Whisky, wann immer Cafferty geruhte, ihm etwas einzuschenken, was für den armen Metzger viel zu selten geschah. Ich hatte innerhalb weniger Minuten zwanzig Pfund verloren, nach einer Viertelstunde schon sechzig. Cafferty legte wieder seine Hand auf meine.

»Wenn ich nicht zufällig vorbeigekommen wäre, hätten die dich schon bis aufs Hemd ausgezogen.«

»Ich spiele niemals falsch«, warf Tam Robertson ein.

Ich bekam den Eindruck, Cafferty hatte die ganze Zeit gewollt, dass er etwas sagte. Robertson bestätigte das, indem er sich auf die Lippe biss.

Cafferty fragte ihn, ob er ganz sicher sei, dass er niemals falsch spielen würde. Um die Lage zu entschärfen, versuchte sein Bruder, unsere Aufmerksamkeit wieder auf das Spiel zu lenken. Doch Cafferty grinste Tam Robertson an, während er seine Karten aufnahm. Etwas später wiederholte er: »Ich habe viele Männer getötet.« Dabei hielt er den Blick auf mich gerichtet, doch die Stimme sprach zu den Robertsons. »Aber niemals ohne guten Grund. Es handelte sich um Leute, die mir was schuldeten, Leute, die mir Unrecht getan, und Leute, die mich betrogen hatten. Ich meine, es weiß doch jeder, worauf er sich bei mir einlässt. Oder etwa nicht?«

Da mir keine andere Antwort einfiel, stimmte ich ihm zu.

»Und wenn man sich erst mal auf etwas eingelassen hat, muss man die Konsequenzen tragen, stimmt's?« Ich nickte wieder. »Black Aengus«, sagte er, »hast du schon mal daran *gedacht,* jemanden zu töten?«

»Schon oft.«

Das entsprach der Wahrheit, obwohl ich jetzt wünschte, ich hätte den Mund gehalten. Ich hatte Männer töten wollen, die reicher waren als ich, besser aussahen als ich, Männer, die schöne Frauen besaßen, und Frauen, die mich abgewiesen hatten. Ich hatte Leute töten wollen, die sich weigerten, mich zu bedienen, wenn ich betrunken war, Leute, die nicht zurücklächelten, wenn ich sie anlächelte, Leute, die in Hotels ausgerufen wurden, die Filme in Hollywood drehten, eigene Ranchen und Schlösser besaßen und über eine Privatarmee verfügten. Insofern war meine Antwort richtig.

»Schon oft.«

Cafferty nickte. Er hatte die Flasche Whisky beinah ausgetrunken. Ich war sicher, dass etwas passieren würde, irgendeine brutale Sache, und stellte mich darauf ein – zumindest glaubte ich das. Die Robertsons sahen aus, als würden sie gleich explodieren. Tam hatte die Hände auf die Tischkante gestützt, als wollte er jeden Moment aufspringen. Und dann ging die Tür auf. Jemand aus der Küche brachte die Sandwiches, die wir bestellt hatten. Geräucherten Lachs und Roastbeef. Der Mann wartete, dass jemand zahlte.

»Na los, Tam«, sagte Cafferty mit leiser Stimme, »du hast doch heute Abend eine Glückssträhne. Bezahl den Mann.«

Widerwillig zählte Tam einige Scheine ab und reichte sie dem Kellner.

»Und ein Trinkgeld«, sagte Cafferty. Ein weiterer Schein ging an den Kellner, worauf dieser den Raum verließ. »Eine sehr nette Geste«, meinte Cafferty. Er war mit Geben dran. »Mit wie viel stehst du jetzt im Minus, Black Aengus?«

»Halb so wild«, sagte ich.

»Ich hab gefragt, wie viel.«

»Etwa vierzig.« Irgendwann war ich bei hundert gewesen, doch mit zwei guten Spielen hatte ich einiges wieder wettmachen können. Außerdem war unübersehbar, dass die beiden besten Spieler am Tisch – damit meine ich die Robertson-Brüder – Schwierigkeiten hatten, sich zu konzentrieren. Im Zimmer war es nicht sonderlich warm, trotzdem lief Schweiß von Ecks Koteletten. Er wischte ihn immer wieder weg.

»Du lässt dich von denen um vierzig übers Ohr hauen?«, sagte Cafferty im Plauderton.

Tam Robertson sprang so heftig auf, dass sein Stuhl umkippte.

»Mir reicht es langsam!«

Doch Eck richtete den Stuhl wieder auf und drückte Tam auf den Sitz. Cafferty war mit dem Geben fertig und betrachtete seine Karten, als würde er nicht bemerken, was um ihn herum vorging. Der Metzger stand plötzlich auf und erklärte, ihm sei schlecht. Mit raschen Schritten verließ er den Raum.

»Der kommt nicht wieder«, verkündete Cafferty.

Ich sagte mit wenig Überzeugung, ich hätte ebenfalls vor, früh ins Bett zu gehen. Als Cafferty sich daraufhin mir zuwandte, sah er ganz anders aus und klang auch völlig anders als in den vielen Situationen, in denen ich ihn bisher erlebt hatte.

»Du Arschloch würdest doch eher sterben, als früh ins Bett zu gehen.« Er hatte begonnen, die Karten zusammenzuschieben, um sie zu mischen. Ich konnte spüren, wie das Blut in meinen Wangen kribbelte. In seinem Tonfall hatte beinah Abscheu gelegen. Ich redete mir ein, dass er bloß zu viel getrunken hatte. Leute sagen oft Dinge … und so weiter. Was regte ich mich denn über Bösartigkeiten auf, die ein Betrunkener von sich gab? Ich brauchte mich doch nur an der eigenen Nase zu packen!

Cafferty teilte erneut die Karten aus. Als er mit Setzen dran war, warf er einen Geldschein in den Topf und legte seine Karten mit dem Gesicht nach unten auf den Tisch. Dann griff er in seinen Hosenbund. Er trug einen Anzug und hatte den ganzen Abend das Jackett angelassen. Er ist der Meinung, dass die Polizei mehr Hemmungen hat, Leute festzunehmen, die gut gekleidet sind, oder sie gar zu schlagen oder zu treten.

»Sie sehen nicht gern, wenn gutes Material ruiniert wird«, erklärte er mir mal. »Die Schotten gehen sorgsam mit den Dingen um.«

Als er nun die Hand aus dem Hosenbund zog, hielt er eine Pistole. Die Robertsons fingen an zu protestieren, während ich bloß auf die Waffe starrte. Natürlich hatte ich schon Waffen gesehen, aber niemals aus der Nähe und niemals in so einer Situation. Plötzlich schien der Wodka, der den ganzen Abend wenig oder gar keine Wirkung gezeigt hatte, mich fast vom Stuhl zu hauen. Ich glaubte, mich übergeben zu müssen, schluckte es aber hinunter. Ich befürchtete sogar, ohnmächtig zu werden. Und die ganze Zeit redete Cafferty mit ruhiger Stimme davon, dass Tam ihn betrogen hätte und wo denn das Geld sei.

»Und Black Aengus hast du auch übers Ohr gehauen«, sagte er. Ich wollte einwenden, dass das nicht stimmte, aber ich fürchtete immer noch, ich müsste mich übergeben, sobald ich den Mund aufmachte. Deshalb schüttelte ich nur den Kopf. Davon wurde mir noch schwindliger. Du kannst dir den Schmerz und die Hoffnungslosigkeit vorstellen, die ich empfinde, während ich versuche, das alles gewissenhaft und wahrheitsgetreu aufzuschreiben. Vierzehn Wochen sind seit jenem Abend vergangen, doch jede Nacht sucht mich das Grauen aufs Neue heim, ob ich wach liege oder schlafe. Man gibt mir hier Tabletten, aber keinen Tropfen Alkohol. Tagsüber darf ich auf dem Gelände spazieren gehen. Es finden »Encountergruppen« statt, bei denen ich mir meine Probleme von der Seele reden soll. Gott, wenn das doch nur so einfach wäre! Das Erste, was mein Vater getan hat, war, mich aus der Schusslinie zu bringen. Ich bin versucht zu sagen, mich *ihm* vom Hals zu schaffen. Seine Lösung war, mich in die Ferien zu schicken. Mutter begleitete mich auf einer Rundreise durch die Neuenglandstaaten, wo eine Tante ein Haus in Bar Harbor besitzt. Ich versuchte, mit Mutter zu reden, konnte mich aber anscheinend nicht verständlich machen. Sie hatte dieses dumme, mitfühlende Lächeln in ihrem Gesicht.

Doch ich schweife ab, nicht dass das eine Rolle spielte. Zurück zur Pokerrunde. Du ahnst vielleicht schon, was als Nächstes passierte. Wieder spürte ich Caffertys Hand auf meiner, nur diesmal nahm er meine Hand in seine. Dann drückte er mir die Waffe hinein. Ich kann sie jetzt noch spüren, kalt und hart. Ein Teil von mir dachte, dass die Waffe eine Attrappe war und er den Robertsons nur Angst einjagen wollte. Der andere Teil von mir wusste zwar, dass sie echt war, glaubte aber nicht, dass er sie benutzen würde.

Dann spürte ich, wie er Druck auf meine Finger ausübte, bis mein Zeigefinger auf dem Abzug lag. Seine Hand hielt nun meine ganz umschlossen und zielte mit der Waffe. Er presste seine Finger gegen meine. Dann gab es einen ohrenbetäubenden Knall, und kleine Wölkchen beißenden Pulvers hingen im Raum. Wir alle wurden mit Blut bespritzt. Zuerst fühlte es sich warm an auf meiner Haut, erkaltete dann jedoch rasch. Eck beugte sich über seinen Bruder und redete auf ihn ein. Die Waffe fiel klappernd auf den Tisch. Obwohl ich es in dem Moment kaum wahrnahm, erinnere ich mich, dass Cafferty sie in einen Plastikbeutel steckte. Ich weiß, dass alle Fingerabdrücke darauf von mir stammen.

Ich geriet in Panik und sprang völlig hysterisch vom Tisch auf. Cafferty blieb sitzen und wirkte friedlicher denn je. Seine Ruhe bewirkte bei mir das genaue Gegenteil. Ich schmiss die Wodkaflasche an die Wand, wo sie klirrend zerbrach. Alkohol spritzte über Tapete und Vorhänge. Da kam mir eine Idee. Ich schnappte mir ein Feuerzeug vom Tisch und zündete den Wodka an. Erst dann stand Cafferty auf. Er beschimpfte mich und versuchte, die Flammen zu ersticken, doch sie züngelten bereits außer Reichweite die Vorhänge hinauf und rasten über die Stoffbordüre an der Decke entlang. Er sah ein, dass das Feuer sich zu schnell ausbreitete, um es löschen zu können. Ich glaube, Eck hatte seinen Bruder bereits aufgegeben und war geflohen, noch bevor ich aus dem Zimmer rannte. Ich lief drei Stufen auf einmal nehmend die Treppe hinunter, stürmte in die Küche und verlangte, man solle das Gas aufdrehen. Wenn das Central schon brannte, dann sollte auch alles Beweismaterial mit ihm in Rauch aufgehen.

Ich muss so irr ausgesehen haben, dass der Koch meine Anweisungen befolgte. Ich glaube, er war derjenige, der uns die Sandwiches gebracht hatte, bloß dass er da ein Jackett trug. Es war schon spät, und er saß allein in der Küche und schrieb etwas in ein Heft. Ich forderte ihn auf zu verschwinden. Er ging durch die Hintertür hinaus. Ich folgte ihm und lief zurück zur Blair Street.

Ich glaube, das ist alles. Es geht mir kein bisschen besser, nachdem ich es aufgeschrieben habe. Kein Exorzismus, keine Katharsis. Vielleicht wird es die nie geben. Man hat nämlich die Leiche gefunden. Und noch schlimmer, man weiß, dass der Mann erschossen wurde. Ich verstehe zwar nicht, wie zum Teufel die das rausbekommen haben, aber sie wissen es. Vielleicht hat es ihnen jemand erzählt. Eck Robertson hätte allen Grund dazu. Es ist alles meine Schuld. Ich weiß, dass Cafferty mich beschimpft hat, weil ich alles vermasselt habe, als ich das Zimmer in Brand steckte. Hätte ich das nicht getan, hätte er dafür gesorgt, dass Tam Robertsons Leiche auf die übliche Weise verschwindet. Niemand hätte etwas davon erfahren. Wir wären ungestraft davongekommen.

Aber »ungestraft davonkommen« heißt nicht unbedingt, dass man auch über etwas hinwegkommt. Der

Anblick der Leiche verfolgt mich. Letzte Nacht habe ich geträumt, sie wäre glimmend und verkohlt zu mir zurückgekommen. Sie zeigte mit dem Finger auf mich und drückte den Abzug. O Gott, diese Qualen. Und die Leute glauben, ich sei wegen Alkoholismus hier. Ich habe Vater immer noch nicht alles erzählt – bisher. Er weiß es jedoch. Er weiß, dass ich dort war. Doch er sagt nichts. Manchmal wünsche ich, er hätte mich als Kind häufiger geschlagen und mir nicht alles durchgehen lassen. Doch er *mochte* es, wenn ich mich schlecht benahm! »Wir machen aus dir einen richtigen Mann«, pflegte er zu sagen. Vater, was ist aus mir geworden?

So war es also gewesen. Rebus lehnte sich zurück und starrte an die Decke. Eddie Ringan wusste etwas mehr, als er zugegeben hatte. Er war Zeuge des Kartenspiels und konnte bestätigen, dass Cafferty sich dort aufhielt. Kein Wunder, dass er in Panik geraten war. Cafferty hatte ihn vermutlich damals nicht gekannt, nicht auf einen Kellner geachtet, der schwarzarbeitete und nicht zum festen Personal gehörte.

Rebus rieb sich die Augen und wandte sich wieder dem Tagebuch zu. Es folgten eine kürzere Eintragung über einen Urlaub, dann noch ein paar Notizen über das Krankenhaus. Schließlich einige Monate später:

Heute (Sonntag) habe ich Cafferty getroffen. Nicht auf meine Initiative hin. Er muss mir gefolgt sein und hat mich auf dem Blackford Hill eingeholt. Ich war durch die Hermitage gekommen und kletterte den steilen Hügel hinauf. Er muss geglaubt haben, ich versuche, ihm zu entkommen. Er packte mich am Arm und riss mich herum. Ich hab vor Schreck fast einen Herzschlag bekommen.

Er erklärte mir, ich müsse von nun an sauber bleiben,

und das mit dem Krankenhaus sei eine gute Idee gewesen. Ich denke, er wollte mir nur klarmachen, dass er bestens darüber informiert war, was ich in letzter Zeit getan hatte. Und ich glaube, ich weiß auch, was er vorhat. Er beobachtet, wie ich in den Betrieb eingearbeitet werde, und wartet auf den Tag, an dem ich die Firma von meinem Vater übernehme. Ich glaube, er will alles, Leib und Seele.

Ja, Leib und Seele.

Das Tagebuch enthielt noch sehr viel mehr Eintragungen. Stil und Inhalt änderten sich in dem Maß, in dem auch Aengus versuchte, sich zu ändern. Es war ihm schwer gefallen. Hinter dem öffentlichen Image, dem Gesicht, das er bei Wohltätigkeitsveranstaltungen zur Schau trug, verbarg sich eine Sehnsucht nach der wilden Vergangenheit, zumindest nach einem Teil davon. Rebus blätterte zur letzten, undatierten Eintragung:

Dir ist wohl klar, lieber Freund oder Feind, dass mir gefallen hat, wie sich die Waffe in meiner Hand anfühlte. Und als Caffertry meinen Finger auf den Abzug legte ... *er* hat abgedrückt. Dessen bin ich mir sicher. Aber mal angenommen, er hätte es nicht getan? Hätte ich trotzdem geschossen, seine starke, zielsichere Hand auf meiner? Nach all den Jahren, den vielen Albträumen, dem kalten Angstschweiß und den plötzlichen Hitzewallungen ist etwas geschehen. Der Fall wird neu aufgerollt. Ich habe mit Cafferty gesprochen, der meint, ich solle mir keine Sorgen machen. Er sagt, ich soll meine Energie ganz auf die Brauerei konzentrieren. Anscheinend weiß er besser über unsere finanzielle Situation Bescheid als ich. Vater spricht davon, im nächsten Jahr in Ruhestand zu gehen. Dann gehört das Unternehmen mir – und Cafferty. Ich habe ihn bei Wohltätigkeitsveranstaltungen getroffen, begleitet von Mo, und bei diversen anderen öffentlichen Anlässen. Wir haben uns zwar unterhalten, doch seit jener Nacht gehen wir nicht mehr freundschaftlich miteinander um. In jener Nacht habe ich mich als unfähig erwiesen, habe meine Schwäche gezeigt, als ich die Flasche zertrümmerte. Oder vielleicht war ja alles von Anfang an so geplant gewesen. Er zwinkert mir immer zu, wenn er mich sieht. Andererseits zwinkert er beinah jedem zu. Doch wenn er mir zuzwinkert, wenn er sein Auge für diese eine Sekunde schließt, ist es, als würde er auf mich zielen, mich ins Visier nehmen. Gott, wird das denn niemals enden? Wenn ich nicht solche Angst hätte, würde ich darum beten, dass die Polizei mir auf die Schliche kommt. Doch Cafferty wird das nicht zulassen. Er wird dafür sorgen, dass das niemals geschieht.

Rebus klappte das Tagebuch zu. Sein Herz raste, die Hände zitterten. Aengus, du armes Schwein. Als du gelesen hast, wir hätten die Waffe, hast du geglaubt, wir würden sie auf Fingerabdrücke untersuchen und dich dann holen kommen.

Doch stattdessen hatte Cafferty seinen Trumpf ausgespielt, indem er versuchte, Rebus zu belasten, um ihn eine Weile aus dem Verkehr zu ziehen. Und die Ironie bei der ganzen Sache war, dass aufgrund der verschmierten Fingerabdrücke Black Aengus entlastet war – entlastet von einem Mord, den er eigentlich nicht begangen hatte.

Allerdings gab es für all das mal wieder keine stichhaltigen Beweise. Rebus stellte sich vor, was die Verteidigung für einen Spaß hätte, wenn er im Gericht an der Royal Mile erschien mit nichts weiter in der Hand als dem Tagebuch eines Alkoholikers, in der Entziehungskur geschrieben. Die Edinburgher Gerichte galten als kompromisslos, selbst wenn die Beweise eindeutig waren. Und mit der Sorte Anwalt, die Cafferty sich leisten könnte, wäre die Sache von Anfang an zum Scheitern verurteilt.

Dennoch *wusste* Rebus, dass er irgendetwas in Bezug auf Cafferty unternehmen musste. Der Mann hatte Strafe verdient, mehrfache Strafe. Sie sollte dem Verbrechen angemessen sein, dachte er, verwarf die Idee jedoch gleich wieder. Schluss mit Waffen.

Er ging nicht nach Hause, jedenfalls nicht sofort, verließ das mittlerweile leere Büro und stieg in sein Auto. Dort blieb er einfach sitzen. Der Schlüssel steckte im Zündschloss. Seine Hände lagen locker auf dem Lenkrad. Nach fast einer Stunde ließ er den Motor an, hauptsächlich weil ihm allmählich kalt wurde. Er fuhr nirgends hin, außer in Gedanken, und nach mehrmaligem Wenden und diversen Umleitungen hatte er eine Idee. Die Strafe sollte dem Verbrechen angemessen sein. Ja, aber nicht Caffertys Strafe. Nein, nicht Caffertys.

Die Strafe für Andrew McPhail.

33

Die nächsten Tage hielt Rebus sich von St. Leonard's fern, obwohl Farmer Watson ihm mitteilte, dass Broderick Gibson erwäge, ihn zu verklagen, weil er seinen Sohn unter Druck gesetzt habe.

»Der hat sich seit Jahren selbst unter Druck gesetzt«, war Rebus' einziger Kommentar.

Doch er wartete im Auto, als Andy Steele entlassen wurde. Der Fischer und Möchtegerndetektiv blinzelte in die Sonne. Rebus hupte, und Steele kam misstrauisch näher. Rebus kurbelte sein Fenster herunter.

»Ach, Sie sind's«, sagte Steele enttäuscht. Rebus hatte dem

jungen Mann versprochen, ihm zu helfen, war dann aber nicht mehr aufgetaucht und hatte ihn seinem Schicksal überlassen.

»Die haben dich also freigelassen«, sagte Rebus.

»Aye, gegen Kaution.«

»Das heißt, dass jemand das Geld für dich hinterlegt hat.«
Steele nickte, dann blickte er erstaunt auf. »Sie?«

»Ich«, antwortete Rebus. »Und jetzt steig ein, ich hab einen Auftrag für dich.«

»Was für einen Auftrag?«

»Steig ein, dann erzähl ich's dir.«

Steele wirkte ein wenig lebendiger, als er zur Beifahrerseite ging und die Tür öffnete.

»Du willst doch Privatdetektiv werden«, stellte Rebus fest.
»Also hab ich einen Auftrag für dich.«

Einen Moment lang schien Steele nichts zu begreifen, dann versuchte er, einen klaren Kopf zu bekommen, indem er ihn kräftig schüttelte und sich mit den Händen durch die Haare fuhr.

»Klasse«, sagte er, »solange es nicht gegen das Gesetz verstößt.«

»O nein, es ist nichts Illegales. Ich möchte nur, dass du mit ein paar Leuten redest. Das sind außerdem gute Zuhörer, sollte also keine Probleme geben.«

»Was soll ich denen denn sagen?«

Rebus startete das Auto. »Jemand hätte einen Auftrag erteilt bezüglich einer bestimmten Person.«

»Einen Auftrag?«

»Na hör mal, Andy, das kennst du doch aus Filmen. Einen Auftrag.«

»Einen Auftrag«, murmelte Andy Steele vor sich hin, als Rebus sich in den Verkehr einfädelte.

Immer noch kein Zeichen von Andrew McPhail. Alex Maclean war, wie Rebus feststellte, wieder auf den Beinen, auch wenn er noch nicht arbeitete. Als Rebus Mrs MacKenzie besuchte, sagte sie, sie hätte keinen Mann mit verbundenen Händen und verbundenem Kopf in der Nähe gesehen. Allerdings meinte eine Nachbarin, sie schon. Nun ja, es spielte keine Rolle, McPhail würde ohnehin nicht hier auftauchen, sondern seine Vermieterin schriftlich oder telefonisch bitten, ihm seine Sachen an die neue Adresse zu schicken. Als Rebus wieder ins Auto stieg, sah er zu der Schule hinüber. Die Kinder waren in ihrer eigenen kleinen Welt … und sicher.

Er fuhr in diesen Tagen eine Menge herum, suchte Schulen und Spielplätze auf. Er ging davon aus, dass McPhail im Freien schlief. Vielleicht hatte er Edinburgh auch längst verlassen. Rebus stellte sich vor, wie er auf einen Kohlewaggon stieg, der nach Süden rollte. Eine Hand erschien und half McPhail in den Waggon. Es war Deek Torrance. Der Vorspann begann über die Leinwand zu flimmern …

Es war nicht schlimm, wenn er McPhail nicht fand, es würde dem Ganzen nur eine hübsche Note geben. Eine hübsche, grausame Note.

Wester Hailes war ein guter Ort, um verloren zu gehen, das heißt, es war ein Ort, wo man leicht verloren gehen konnte. Im äußersten Westen der Stadt gelegen und von der Umgehungsstraße auch zu sehen, die einen so weiten Bogen um Edinburgh machte, war Wester Hailes eine Gegend, in die die Stadt Leute abschob, um sie vergessen zu machen. Die Architektur war wenig phantasievoll, die Mauern der flachen Wohnblocks feucht und voller Risse.

Manche Leute verließen Wester Hailes, andere blieben ihr ganzes Leben dort, umgeben von Straßen, Industriebetrieben und leeren Grünflächen. Bisher war Rebus nie der Gedanke gekommen, dass dies ein gutes Versteck wäre. Man konnte durch die Straßen schlendern, um den Kingsknowe-Golfplatz oder den Sighthill-Park herum spazieren – solange man sich nicht auffällig verhielt, war man in Sicherheit. Dort gab es

Stellen, an denen man nächtigen konnte, ohne entdeckt zu werden. Und falls man eine gewisse Veranlagung besaß, fand man dort auch eine Schule. Eine Schule und etliche Spielplätze.

Dort fand er Andrew McPhail am zweiten Tag. Rebus hatte sich gar nicht erst mit Bussen und Bahnhöfen abgegeben, sondern gleich gewusst, wo er suchen musste. Er verfolgte McPhail eine Dreiviertelstunde, zuerst mit dem Auto und dann, als dieser einen Fußgängerweg nahm, mühsam zu Fuß. McPhail schritt munter einher. Ein Mann, der spazieren ging, weiter nichts. Sah vielleicht ein bisschen schäbig aus, aber bei der Arbeitslosigkeit heutzutage brachten so manche nicht immer die Willenskraft auf, sich morgens zu rasieren.

McPhail war bemüht, keine Aufmerksamkeit zu erregen. Wenn er Kinder sah, blieb er nicht stehen, um sie anzustarren. Er lächelte ihnen bloß zu und ging weiter. Als Rebus genug gesehen hatte, legte er einen Schritt zu und klopfte ihm auf die Schulter.

»Verdammt, Sie sind's!« McPhail fuhr mit der Hand an sein Herz. »Ich hätte fast einen Herzschlag gekriegt.«

»Das hätte Alex Maclean viel Arbeit erspart.«

»Wie geht's ihm?«

»Nur leichte Verbrennungen. Er läuft schon wieder rum und befindet sich auf dem Kriegspfad.«

»Um Himmels willen! Das alles ist doch *Jahre* her!«

»Und wird nicht wieder passieren?«

»Nein!«

»Es war also ein Zufall, dass Sie sich ein Zimmer gegenüber einer Grundschule genommen haben?«

»Ja.«

»Und ich hatte Unrecht mit der Annahme, dass ich Sie in der Nähe einer Schule oder eines Spielplatzes finden würde?«

McPhail machte den Mund auf und schloss ihn wieder. Dann schüttelte er den Kopf. »Nein, Sie hatten nicht Unrecht. Ich mag immer noch Kinder. Aber ich würde niemals ... Ich würde ihnen niemals etwas antun. Heutzutage sprech ich sie nicht mal mehr an.« Er sah Rebus in die Augen. »Ich *bemühe* mich, Inspector.«

Jeder wollte eine zweite Chance. Michael, McPhail und sogar Black Aengus. Manchmal konnte Rebus helfen. »Ich wüsste was für Sie«, sagte er. »Es gibt Hilfsprogramme für ehemalige Straftäter. Sie könnten an so was teilnehmen, nicht gerade in Edinburgh, aber woanders. Sie könnten Sozialhilfe beantragen und sich um einen Job bemühen.« McPhail sah aus, als wollte er etwas sagen. »Ich weiß, es kostet zunächst mal ein bisschen Knete, Sie wieder auf die Beine zu bringen. Aber da könnte ich Ihnen auch unter die Arme greifen.«

McPhail blinzelte. Ein Auge blieb halb geschlossen. »Warum?«

»Weil ich es möchte. Und danach würde man Sie in Ruhe lassen, das verspreche ich Ihnen. Ich werde niemandem sagen, wo Sie sind oder was aus Ihnen geworden ist. Abgemacht?«

McPhail dachte kurz darüber nach. »Abgemacht«, erwiderte er.

»Also gut.« Rebus legte seine Hand wieder auf McPhails Schulter und zog ihn ein bisschen näher zu sich heran. »Da ist nur noch eine Kleinigkeit, die Sie vorher für mich erledigen müssten ...«

In der Kneipe war nichts los, und Chick Muir wollte schon nach Hause gehen, als der junge Hüpfer an der Bar ihn fragte, ob er ihm einen Drink spendieren dürfe. Dagegen hatte Chick nichts einzuwenden.

»Ich trinke nicht gern allein«, erklärte der junge Mann.

»Kann ich gut verstehn«, meinte Chick erfreut und reichte sein leeres Glas dem Barmann. »Bist wohl nicht von hier?«

»Aus Aberdeen«, antwortete der junge Mann.

»Biste ja ganz schön weit weg von zu Hause. Ist es da oben immer noch wie bei *Dallas*?«

Chick spielte auf den Ölboom an, der fast genauso schnell wieder aufgehört, wie er begonnen hatte, außer in der Phantasie der Leute, die nicht in Aberdeen lebten.

»Kann schon sein«, sagte der junge Mann, »aber das hat die nicht daran gehindert, mich rauszuschmeißen.«

»Tut mir Leid.« Das tat es Chick wirklich. Er hatte gehofft, der junge Mann käme von den Bohrinseln und hätte die Taschen voller Geld. Er hatte ihn um einen Zehner anschnorren wollen, verwarf diesen Gedanken jetzt jedoch wieder.

»Ich heiße übrigens Andy Steele.«

»Chick Muir.« Chick steckte seine Zigarette in den Mund, damit er Andy Steele die Hand schütteln konnte. Der junge Mann hatte einen Griff wie ein Schraubstock.

»Weißt du, das Geld hat Aberdeen nicht viel Glück gebracht«, sinnierte Steele. »Bloß jede Menge Kredithaie und Gangster.«

»Das glaub ich dir gern.« Muir hatte sein Glas bereits zur Hälfte geleert. Er wünschte, er hätte gerade Whisky getrunken statt eines halben Pints Bier, als er zu diesem Drink eingeladen wurde. Es machte keinen guten Eindruck, von einem Pint zu einem Schnaps zu wechseln, also saß er nun mit einem Bier da.

»Das ist auch der Hauptgrund, weshalb ich hier bin«, sagte Steele.

»Was? Gangster?« Muir klang amüsiert.

»In gewisser Weise schon. Eigentlich besuche ich einen Freund, aber ich dachte, wo ich schon mal hier bin, könnte ich mir gleich noch ein paar Kröten verdienen.«

»Wie das?« Chick fühlte sich langsam ein wenig unbehaglich, allerdings war er auch äußerst neugierig.

Steele senkte die Stimme, obwohl sie allein in der Bar waren. »In Aberdeen geht das Gerücht um, dass jemand es auf eine gewisse Person in Edinburgh abgesehen hat.«

Der Barmann hatte das Tonbandgerät hinter der Theke angestellt. Sofort war der niedrige Raum von den Klängen eines Folk-Duos erfüllt. Dieses Duo hatte letzte Woche in dem Klub gespielt, und der Barmann hatte die Musik auf Band aufgenommen. Es hörte sich noch schlimmer an, als es in Wirklichkeit gewesen war.

»Mach das verdammt noch mal leiser!« Chick hatte zwar keine laute Stimme, aber niemand hätte behaupten können, dass es ihm an Autorität fehlte. Der Barmann stellte die Musik leiser, und als Chick ihn weiter wütend anstarrte, drehte er sie noch ein wenig herunter. »Was hast du grad gesagt?«, fragte er Andy Steele. Andy Steele, der gerade einen Schluck getrunken hatte, stellte sein Glas ab und wiederholte es. Kurz darauf, nach erfüllter Mission, spendierte er Chick einen letzten Drink.

Chick Muir rührte sein frisches Bier nicht an. Er starrte an dem Glas vorbei auf sein Bild im Spiegel hinter den Flaschen mit Messröhrchen. Dann führte er einige Telefongespräche. Zuvor brüllte er den Barmann erneut an, er solle diesen Scheiß abstellen. Der dritte Anruf galt St. Leonard's, wo man ihn ein bisschen zu fröhlich, wie er fand, darüber informierte, dass Inspector Rebus bis auf weiteres vom Dienst suspendiert sei. Er versuchte, Rebus zu Hause zu erreichen, hatte dort aber auch kein Glück. Ach egal, so wichtig war es auch nicht. Die Hauptsache war, er hatte mit dem Big Boss gesprochen. Nun war ihm der Big Boss was schuldig, und das war für den abgebrannten Chick Muir schon ein Erfolg.

Die gleiche Show zog Andy Steele noch in einem schummrigen Pub und in einem Wettladen ab. Am Abend ging er ins Powderhall-Stadium zum Hunderennen. Er sagte die Beschreibung, die Rebus ihm gegeben hatte, immer wieder lautlos vor sich hin, bis er schließlich den Mann entdeckte, der auf einem Fensterplatz in der Bar Unmengen Kartoffelchips in sich hineinstopfte.

»Bist du Shuggie Oliphant?«, fragte er.

»Der Nämliche«, antwortete der dicke Mann um die Dreißig. Dabei streckte er einen Finger in die unterste Ecke der Chipstüte, um den letzten Krümel Salz herauszuholen.

»Jemand hat mir erzählt, du wärst vielleicht an einer Information interessiert, die ich hab.«

Oliphant hatte ihn immer noch keines Blicks gewürdigt. Er faltete gerade die leere Tüte zu einem schmalen Streifen, machte einen Knoten daraus und legte ihn auf den Tisch. Dort lagen bereits vier von diesen Knoten in einer Reihe. »Du wirst aber erst bezahlt, wenn ich mein Geld hab«, informierte Oliphant ihn, während er schmatzend an einem fettigen Finger leckte.

Andy Steele nahm ihm gegenüber Platz. »Das ist kein Problem für mich«, sagte er.

Am Sonntagmorgen war Rebus bei stürmischem Wetter auf dem Calton Hill und wartete. Er schlenderte um das Observatorium herum wie andere Sonntagsspaziergänger auch. Seinem Bein ging es eindeutig besser. Die Leute wiesen sich gegenseitig auf irgendwelche markanten Punkte in der Ferne hin. Wolkenfetzen fegten über einen blassblauen Himmel. Er glaubte, dass es nirgends sonst auf der Welt eine Stadt gab, die inmitten solcher Hügel, Täler und Felsen lag. Der Vulkanfelsen unter dem Edinburgh Castle war der Anfang gewesen. Ein zu guter Platz, um dort *keine* Festung zu bauen. Und die Stadt war um die Burg herum gewachsen, bis nach Wester Hailes hinaus und noch weiter.

Das Observatorium war ein merkwürdiges Gebäude, aber funktional. Das Folly hingegen schien genau das zu sein, was der Name besagte, eine Torheit, die keinen anderen Zweck erfüllte, als dass man dort herumkraxeln oder seinen Namen darauf sprayen konnte. Es handelte sich um eine Seite eines geplanten griechischen Tempels. (Edinburgh galt schließlich einstmals als das »Athen des Nordens«.) Dem allzu exzentrischen Geist hinter dem Plan war nach Vollendung dieses ersten Teils das Geld ausgegangen. Und da stand das Ding nun, ein Kreis von Säulen auf einem Sockel, der so hoch war, dass die Kinder auf die Schultern eines Freundes steigen mussten, um hinaufzuklettern.

Als Rebus in diese Richtung blickte, sah er eine Frau, die die Beine vom Sockel baumeln ließ und ihm zuwinkte. Es war Siobhan Clarke. Er ging zu ihr.

»Wie lange sind Sie denn schon hier?«, rief er ihr zu.

»Nicht lange. Wo ist Ihr Stock?«

»Ich komme schon wieder gut ohne zurecht.« Das stimmte, allerdings meinte er mit »gut«, dass er in einem annehmbaren Tempo durch die Gegend humpeln konnte. »Die Hibs haben ja gestern tatsächlich gewonnen.«

»Wurde auch Zeit.«

»Unser Freund ist noch nicht aufgetaucht?«

Siobhan deutete auf den Parkplatz. »Da kommt er.«

Ein Mini Metro zwängte sich gerade oben auf dem Hügel zwischen zwei große, glänzende Autos in eine Parklücke. »Geben Sie mir eine Hand zum Runterspringen«, bat Siobhan.

»Denken Sie an mein Bein«, jammerte Rebus. Doch sie fühlte sich federleicht an, als er ihr herunterhalf.

»Danke«, sagte sie. Brian Holmes hatte sich die Darbietung nicht entgehen lassen, bevor er sein Auto abschloss und auf sie zukam.

»Ein richtiger Barischnikow«, bemerkte er.

»Zu freundlich«, erwiderte Rebus.

»Also, was soll das Ganze hier, Sir?«, fragte Siobhan. »Warum diese Heimlichtuerei?«

»Da ist doch nichts Geheimnisvolles dran«, meinte Rebus

und setzte sich in Bewegung, »wenn ein Inspector sich mit seinen beiden jüngeren Kollegen unterhalten will. Seinen *vertrauenswürdigen* jüngeren Kollegen.«

Siobhan sah Holmes an. Holmes schüttelte den Kopf: Er will was von uns. Als ob sie das nicht wüsste.

Sie lehnten sich gegen ein Geländer und genossen die Aussicht. Rebus bestritt den größten Teil des Gesprächs. Siobhan und Holmes warfen gelegentlich Fragen ein, größtenteils rhetorische.

»Das würden wir also auf eigene Faust tun?«

»Selbstverständlich«, antwortete Rebus. »Zwei eifrige Polizisten, die ein bisschen Initiative zeigen.« Er hatte selbst eine Frage. »Wird das mit der Beleuchtung ein Problem sein?«

Holmes zuckte die Achseln. »Da muss ich Jim Hutton fragen. Er ist Profifotograf. Macht Kalender und so Sachen.«

»Hier geht es aber nicht um kleine Kätzchen oder Schluchten in den Highlands«, erklärte Rebus.

»Nein, Sir«, sagte Holmes.

»Und Sie glauben, das funktioniert?«, fragte Siobhan.

Rebus zuckte die Schultern. »Das werden wir sehen.«

»Wir haben noch nicht zugestimmt, dass wir es machen, Sir.«

»Nein«, sagte Rebus und wandte sich ab, »aber ihr werdet's tun.«

34

Also beschlossen Holmes und Siobhan aus eigener Initiative, am Montagabend eine zusätzliche Schicht für die »Operation Geldsäcke« einzulegen. In dem ungeheizten Raum war es kalt und feucht und so dunkel, dass sich gelegentlich sogar eine Maus dorthin verirrte. Holmes hatte die Kamera aufgebaut und sich für die Aktion ein Spezialobjektiv ausgeliehen,

ein besonders lichtstarkes Teleobjektiv, das sich für Nacht-
aufnahmen eignete. Bisher hatte es mehr als genug mit Siobhan zu reden gegeben, doch an diesem Abend schien sie nicht
in der richtigen Stimmung zu sein. Sie biss ständig an ihren
Lippen herum und stand immer wieder auf, um ein paar
Dehnübungen zu machen.

»Kriegst du keine steifen Knochen?«, fragte sie.

»Ich doch nicht«, sagte Holmes leise. »Für so was bin ich
bestens trainiert – jahrelang vor der Glotze gehangen.«

»Ich dachte, du hältst dich so richtig fit.«

Er beobachtete, wie sie sich vorbeugte und mit beiden Armen an einen Fuß fasste. »Und du scheinst ja Knochen aus
Gummi zu haben.«

»Nicht ganz. Du hättest mich mal als junges Mädchen sehen sollen.« Der diffuse orangefarbene Schein einer Straßenlaterne fiel auf Holmes' Gesicht. »Grins nicht so.« Über ihnen war ein Trippeln zu hören.

»Eine Ratte«, stellte Holmes fest. »Hast du schon mal eine
in die Enge getrieben?« Sie schüttelte den Kopf. »Die können
springen wie die Lachse am Loch Tummel.«

»Als Kind war ich mal mit meinen Eltern dort am Stau-
damm.«

»In Pitlochry?« Sie nickte. »Dann hast du also die Lachse
springen sehen?« Sie nickte wieder. »Jetzt stell dir mal einen
mit Haaren, messerscharfen Zähnen und einem langen dicken Schwanz vor«, sagte Holmes.

»Lieber nicht.« Sie sah aus dem Fenster. »Glaubst du, er
kommt?«

»Ich weiß nicht. John Rebus irrt sich nur selten.«

»Ist das der Grund, weshalb ihn alle hassen?«

Holmes schien ein wenig überrascht. »Wer hasst ihn?«

Sie zuckte die Schultern. »Einige Leute, mit denen ich in St.
Leonard's gesprochen habe ... und anderswo. Sie trauen ihm
nicht.«

»Das würde er auch gar nicht anders wollen.«

»Warum nicht?«

»Weil er ein alter Griesgram ist.« Er erinnerte sich daran, wie Rebus ihn das erste Mal in einem Fall eingesetzt hatte. Damals hatte er einen kalten, frustrierenden Abend lang auf einen Hundekampf gewartet, der dann gar nicht stattfand. Er hoffte, dass es heute Abend besser laufen würde.

Die Ratte bewegte sich wieder, diesmal im hinteren Teil des Raums über ihnen, in der Nähe der Tür.

»Also glaubst du nun, dass er kommt?«, wiederholte Siobhan.

»Er wird kommen, Mädchen.« Beide drehten sich gleichzeitig zu der Gestalt in der Tür um. Es war Rebus. »Ihr beide quatscht hier herum wie zwei Tratschtanten«, sagte er. »Ich hätte die Treppe in Stiefeln raufkommen können, und ihr hättet mich nicht gehört.« Er ging zum Fenster. »Was passiert?«

»Nichts, Sir.«

Rebus hielt seine Uhr gegen das Licht. »Bei mir ist es fünf vor.«

Die Anzeige auf Siobhans Digitalarmbanduhr leuchtete. »Zehn vor, Sir.«

»Verdammte Uhr«, murmelte Rebus. »Jetzt dauert's nicht mehr lange. Zur vollen Stunde wird sich was tun. Falls dieser Blödmann aus Aberdeen keinen Mist gebaut hat.«

Doch der »Blödmann aus Aberdeen« war gar nicht so blöd. Big Ger Cafferty zahlte für Informationen. Selbst wenn es sich um etwas handelte, das er bereits wusste, zahlte er in der Regel. Das war eine billige Methode, *alles* zu erfahren. So hatte er beispielsweise bereits aus zwei Quellen gehört, dass irgendwelche Typen aus dem Norden vorhätten, sich gewaltsam in sein Revier zu drängen. Trotzdem gab er Shug Oliphant ein paar Scheinchen für seine Bemühungen. Und

Oliphant, dem daran lag, sich seine eigenen Quellen bei Laune zu halten, gab zehn Pfund an Andy Steele weiter, was zwei Fünftel von Oliphants Belohnung ausmachte.

»Bitte sehr«, sagte er.

»Danke schön«, erwiderte Andy Steele, aufrichtig erfreut.

»Irgendwas gefunden, was dich anmacht?«

Oliphant sprach von den Videokassetten, die in der kleinen Videothek, die er betrieb, überall in Regalen an den Wänden herumstanden. Hinter der schmalen Theke war so wenig Platz, dass Oliphant so gerade dazwischenpasste. Bei jeder Bewegung schien er irgendwas von einem Regal auf den Fußboden zu stoßen, wo es dann liegen blieb, weil kein Platz war zum Bücken.

»Ich hab noch so einiges unter der Theke«, fuhr er fort, »falls du Interesse hast.«

»Nein, ich will kein Video.«

Oliphant grinste unangenehm. »Ich bin mir gar nicht so sicher, ob der Gentleman deine Geschichte wirklich geglaubt hat«, erklärte er Andy. »Aber ich hab das Gerücht danach noch ein paarmal gehört, also könnte was dran sein.«

»Da ist was dran«, meinte Andy Steele. Rebus hatte Recht. Wenn man montags einem Tauben etwas erzählte, stand es am Dienstag in der Abendzeitung. »Die beobachten alle Orte, wo er häufiger hinkommt, auch das Unternehmen in der Gorgie Road.«

Oliphant wirkte äußerst misstrauisch. »Woher weißt du das?«

»Reiner Zufall. Ich hab einen von ihnen getroffen. Den kannte ich aus Aberdeen. Er hat gesagt, ich soll abhauen, wenn ich da nicht reingezogen werden will.«

»Aber du bist immer noch hier.«

»Ich fahr morgen früh mit dem Postzug.«

»Also wird diese Nacht was passieren?« Oliphant klang immer noch sehr skeptisch, allerdings war das so seine Art.

Steele zuckte die Achseln. »Ich weiß nur, dass sie ihn rund um die Uhr beobachten. Vielleicht wollen sie ja nur reden.«

Oliphant dachte darüber nach, während er mit den Fingern über eine Videobox fuhr. »Letzte Nacht wurden von zwei Pubs die Fenster eingeschlagen.« Steele verzog keine Miene. »Pubs, in denen der Gentleman verkehrte. Könnte da ein Zusammenhang bestehen?«

Steele zuckte die Schultern. »Vielleicht.« Wenn er ehrlich gewesen wäre, hätte er erzählt, dass er das Fluchtauto gefahren hatte, wähend Rebus persönlich die dicken Steine durch die Scheiben warf. Eins der Pubs war das Firth in Tollcross gewesen, das andere das Bowery am Fuß der Easter Road.

Stattdessen sagte er: »Ein Verrückter namens McPhail. Er beobachtet die Gorgie Road. Der steckt dahinter.«

Oliphant nickte. »Du weißt ja jetzt, wie's läuft. Komm in ein bis zwei Tagen wieder. Wenn die Information stimmt, gibt's Geld.«

Doch Steele schüttelte den Kopf. »Da bin ich längst in Aberdeen.«

»Ja, richtig«, meinte Oliphant. »Pass auf«, er riss ein Blatt aus einem Block, »schreib mir deine Adresse auf, und ich schick dir die Knete.«

Mit großem Vergnügen erfand Andy Steele eine Adresse.

Cafferty spielte gerade Snooker, als ihm die Nachricht überbracht wurde. Ihm gehörte ein Viertel einer gepflegten Snookerhalle plus Freizeitkomplex in Leith. Die angepeilte Klientel waren Yuppies gewesen, Jungs aus der Arbeiterklasse, die sich den steilen Weg nach oben erkämpften. Doch die Yuppies waren spurlos verschwunden. Deshalb richtete sich der Komplex nun vorsichtig auf ein weniger anspruchsvolles Publikum ein mit Video-Bingo, Happy Hour, einer Halle voller elektronischer Spielautomaten und Plänen für eine Bowlingbahn. Teenager hatten anscheinend immer Geld in der

Tasche. Für die Bowlingbahn würde man die wenig benutzte Turnhalle, das Restaurant daneben und den Aerobicraum zusammenlegen.

Um im Geschäft zu bleiben, das hatte Cafferty die Erfahrung gelehrt, musste man flexibel sein. Wenn sich der Wind drehte, durfte man nicht versuchen, in die Gegenrichtung zu steuern. Mögliche künftige Projekte umfassten einen Soulklub sowie einen Ballsaal im Stil der vierziger Jahre, letzterer mit Tanztees und »Verdunklungsnächten«. Fummelnächte, nannte Cafferty sie.

Er wusste, dass er ein miserabler Snookerspieler war, trotzdem mochte er es. Theoretisch wusste er, wie es ging, doch ihm fehlte die Praxis. Seine Eitelkeit verbot ihm, Stunden zu nehmen, und wegen seiner berüchtigten Ungeduld hätte es schon allerhand Mut gekostet, ihm welche zu geben. Auf Mos Rat hin hatte er einige andere Sportarten ausprobiert – Tennis, Squash und einmal sogar Skilaufen. Doch das Einzige, was ihm Spaß gemacht hatte, war Golf. Er liebte es, den Ball über den ganzen Platz zu schlagen. Das Problem war nur, dass er nicht wusste, wann er sich zurückhalten musste, und deshalb immer übers Ziel hinaus schoss. Wenn er nach neun Löchern nicht mindestens zwei Bälle kaputtgekriegt hatte, war er nicht glücklich.

Snooker hingegen war genau das Richtige für ihn. Da gab es alles, was er brauchte. Taktik, Zigaretten, Alkohol und ein paar Wetten nebenbei. Also war er mal wieder in der Halle. Licht fiel von oben auf die grünen Tische, sonst war es überall düster. Und ruhig. Nur das Klacken der Bälle, gelegentlich ein Kommentar oder Scherz, und ab und zu klopfte jemand mit dem Queue auf den Fußboden, um einen bemerkenswerten Stoß anzuzeigen. Dann kam Jimmy the Ear zu ihm herüber.

»Anruf vom Haus«, erklärte er Cafferty und gab Oliphants Nachricht weiter.

Andrew McPhail traute Rebus ungefähr so weit, wie er einen Baumstamm gegen den Wind werfen konnte. Er wusste, er sollte sich schleunigst in Sicherheit bringen und den Baumstamm landen lassen, wo er wollte. Mehrere Möglichkeiten waren denkbar. Rebus könnte eine Begegnung zwischen McPhail und Maclean eingefädelt haben. Nun ja, darauf könnte McPhail sich vorbereiten. Oder es könnte sich um eine andere Hinterhältigkeit handeln, etwas, das vermutlich mit einer Prügelei und der eindeutigen Botschaft endete, er solle sich aus Edinburgh verpissen.

Aber es könnte auch reell gemeint sein. Aye, wenn Wasser den Berg hinaufflösse. Rebus hatte McPhail gebeten, eine Nachricht zu überbringen, einen Brief, den er ihm aushändigte. Die Nachricht war für einen Mann namens Cafferty bestimmt, der gegen zehn das Taxibüro in der Gorgie Road verlassen würde.

»Wie lautet denn die Nachricht?«

»Machen Sie sich darüber keine Gedanken«, hatte Rebus geantwortet.

»Warum ich?«

»Ich kann sie nicht persönlich übergeben, mehr brauchen Sie nicht zu wissen. Achten Sie nur darauf, dass er es auch wirklich ist, und geben Sie ihm den Umschlag.«

»Das stinkt zum Himmel.«

»Einfacher kann ich es Ihnen nicht machen. Wir treffen uns hinterher und regeln alles für Ihre Zukunft. Die Sache ist bereits ins Rollen gebracht.«

»Aye«, sagte McPhail, »aber wo, zum Teufel, ist das Netz?«

Trotzdem ging er jetzt die Gorgie Road entlang. Es war ganz schön kalt und sah nach Regen aus. Rebus hatte ihn am Nachmittag mit nach St. Leonard's genommen, damit er sich dort duschen und rasieren konnte. Er hatte ihm sogar saubere Sachen aus seinem Zimmer bei Mrs MacKenzie mitgebracht.

»Ich will nicht, dass ein Penner meine Post austeilt«, hatte er erklärt. Ach ja, der Brief. McPhail war nicht bescheuert, er hatte den Umschlag am frühen Abend aufgerissen. Drinnen steckte ein kleinerer brauner Umschlag, auf dem etwas geschrieben stand: Nicht weiter gucken, McPhail!

Er hatte trotzdem erwogen, ihn zu öffnen. Es sah nicht danach aus, als ob viel drin wäre, anscheinend nur ein einziges Blatt Papier. Aber etwas hinderte ihn daran, ein kleiner Funke Hoffnung, die Hoffnung, dass alles gut werden würde.

Er besaß keine Uhr, konnte aber die Zeit gut einschätzen. Irgendwie fühlte es sich an wie zehn Uhr. Und er stand vor der Taxifirma. Drinnen brannte Licht, und die Wagen warteten abfahrbereit auf dem Parkplatz. Bald würde die beste Geschäftszeit beginnen, wenn nämlich die Pubs schlossen und die Leute nach Hause wollten. Die Nachtluft roch nach zehn Uhr. Von den Eisenbahngleisen wehte Dieselgeruch herüber. Andrew McPhail wartete.

Er sah die Scheinwerfer, und als das Auto – ein Jaguar – ausscherte und den Bordstein hinauffuhr, dachte er sofort: Der Fahrer ist betrunken. Doch der Wagen bremste weich und hielt so dicht neben ihm, dass er ihn fast gegen den Drahtzaun drückte. Der Fahrer stieg aus. Er war riesig. Ein Windstoß ließ sein langes Haar flattern, und McPhail sah, dass an einer Seite das Ohr fehlte.

»Sind Sie McPhail?«, fragte er schroff. Die hintere Tür des Jaguars öffnete sich langsam, und ein weiterer Mann stieg aus. Er war zwar nicht so groß wie der Fahrer, aber irgendwie *wirkte* er größer. Er hatte ein infames Lächeln.

Der Brief steckte in McPhails Tasche. »Cafferty?«, fragte er. Er musste das Wort förmlich herauszwingen.

Der lächelnde Mann bejahte dies mit einem bedächtigen Nicken. In der anderen Tasche hatte McPhail den abgebrochenen Hals einer Whiskyflasche, den er neben einem vollen Glascontainer gefunden hatte. Das war zwar keine tolle Waffe, aber mehr konnte er sich nicht leisten. Trotzdem schätzte er seine Chance nicht hoch ein. Ihn drückte heftig die Blase. Er griff nach dem Brief.

Der Fahrer fasste ihn von hinten, presste ihm die Arme gegen die Seiten und riss ihn herum, so dass er direkt vor Cafferty stand, der ihm einen Tritt in den Unterleib verpasste. Der Griff eines dreiteiligen Snooker-Queues rutschte wie von selbst aus dem Ärmel von Caffertys Mantel in dessen Hand. Während McPhail sich vor Schmerz krümmte, traf ihn das Queue seitlich an der Kinnlade und zertrümmerte den Kiefer. Einige Zähne fielen ihm aus dem Mund. Er krümmte sich noch weiter nach vorn und wurde mit einem Schlag auf den Nacken belohnt. Sein ganzer Körper war starr vor Schmerz. Nun packte ihn der Fahrer an den Haaren und riss ihm den Kopf hoch. Cafferty zwang mit dem Queue seinen Mund auf und schob ihm den Stock an der Zunge vorbei in den Hals.

»Aufhören!« Ein Mann und eine Frau kamen über die Straße gelaufen. Sie hielten Ausweise in der Hand. »Polizei.«

Cafferty hob beide Arme und streckte sie weit über den Kopf. Das Queue steckte noch immer in McPhails Mund. Der Fahrer ließ den geschundenen Mann los, der mit kerzengeradem Rücken auf die Knie gesunken war. Sirenen verkündeten das Nahen eines Polizeiwagens.

»Es ist nichts, Officer«, erklärte Cafferty gerade, »ein Missverständnis.«

»Schönes Missverständnis«, bemerkte der männliche Polizeibeamte. Seine Begleiterin ließ eine Hand in McPhails Tasche gleiten. Sie ertastete eine zerbrochene Flasche. Falsche Tasche. Aus der anderen Tasche zog sie den mittlerweile zerknitterten Brief und gab ihn Cafferty.

»Öffnen Sie das bitte, Sir«, befahl sie.

Cafferty starrte auf den Umschlag. »Ist das eine Falle?« Doch er öffnete ihn trotzdem. Drinnen lag ein Blatt Papier, das er auseinander faltete. Die kurze Nachricht war nicht unterschrieben. Er wusste jedoch sofort, von wem sie stammte. »Rebus!«, zischte er. »Dieser Dreckskerl von Rebus!«

Wenige Minuten später, als Cafferty und der Fahrer gerade abgeführt wurden und der Krankenwagen für Andrew McPhail kam, hob Siobhan den Zettel auf, den Cafferty auf den Boden geworfen hatte. Darauf stand schlicht: »Ich wünsch dir, dass man deine Haut in Stücke schneidet und als Souvenir verkauft.« Sie runzelte die Stirn und blickte zu dem Fenster hinauf, von dem aus sie die Überwachung durchgeführt hatten. Doch sie sah niemanden.

Hätte sie etwas gesehen, wären es die Umrisse eines Mannes gewesen, der mit der Hand die Form einer Pistole nachmachte, den Daumen so am Abzug, dass er Cafferty im Visier hatte, und dann imaginär abdrückte.

Peng!

35

In St. Leonard's glaubte niemand, dass Holmes und Siobhan nur aus übertriebenem Pflichtbewusstsein in jener Nacht dort gewesen waren. Die meisten vermuteten, dass die beiden sich getroffen hatten, um heimlich eine Nummer zu schieben, und zufällig Zeugen der Schlägerei geworden waren. Zum Glück hatte sich ein Film in der Überwachungskamera befunden. Und waren die Fotos nicht gut geworden?

Nun, wo Cafferty einsaß, hatten sie die Möglichkeit, seine Sachen zu beschlagnahmen und sie sich noch einmal anzusehen – einschließlich des berüchtigten codierten Tagebuchs. Watson und Lauderdale brüteten gerade über daraus fotokopierten Seiten, als es an der Tür des Chief Super klopfte.

»Herein!«, rief Watson.

John Rebus trat ein und sah bewundernd auf den freien Platz, den es plötzlich im Raum gab. »Wie ich sehe, haben Sie endlich Ihre Schränke bekommen, Sir.«

Lauderdale warf sich in Pose. »Was, zum Teufel, machen Sie denn hier? Sie sind doch vom Dienst suspendiert.«

»Ist schon in Ordnung, Frank«, mischte sich Watson ein. »Ich habe Inspector Rebus gebeten vorbeizukommen.« Er drehte die fotokopierten Seiten in Rebus' Richtung. »Sehen Sie sich das mal an.«

Er brauchte nicht lange. Bisher war das Problem bei diesem Code gewesen, dass sie nicht wussten, *wonach* sie suchen sollten. Doch nun hatte Rebus mehr als nur eine ungefähre Vorstellung davon. Er stieß mit dem Finger auf eine Eintragung. »Da«, sagte er. »3 TEM SCS.«

»Ja?«

»Das heißt, der Metzger auf der South Clark Street schuldet dreitausend. Er hat ›Metzger‹ abgekürzt und rückwärts geschrieben.«

Lauderdale sah ihn ungläubig an. »Sind Sie sicher?«

Rebus zuckte die Achseln. »Setzen Sie die Fachleute in Fettes daran. Die finden bestimmt noch weitere Schuldner.«

»Danke, John«, sagte Watson. Rebus drehte sich elegant auf dem Absatz um und verließ den Raum. Lauderdale starrte seinen Vorgesetzten an.

»Ich hab das Gefühl«, stellte er fest, »dass hier etwas vorgeht, von dem ich nichts weiß.«

»Nun ja, Frank«, meinte Watson, »weshalb sollte es heute anders sein als an anderen Tagen?«

Da verschlug's CI Lauderdale, wie es so schön heißt, schlagartig die Sprache.

Siobhan Clarke war diejenige, die die wichtigste Information in diesem Fall lieferte.

Jetzt *war* es nämlich ein Fall. Rebus störte es nicht, dass die ganze Maschinerie ohne ihn lief. Holmes und Clarke erstatteten ihm am Ende des Tages immer Bericht. Die Codeknacker hatten sich mächtig ins Zeug gelegt, so dass sich die Detectives nun die Opfer aus Caffertys schwarzem Buch vorknöpfen konnten. Würden nur ein bis zwei von ihnen vor Gericht aussagen, wäre Cafferty fällig. Bisher war jedoch niemand dazu bereit. Rebus hatte so eine Idee, wer sich vielleicht überreden ließe.

Dann erwähnte Siobhan, dass Caffertys Firma Geronimo Holdings einen Anteil von neunundsiebzig Prozent an einem großen Bauernhof im Südwesten der Region Borders besäße, nicht weit von dem Küstenabschnitt entfernt, an dem bis vor kurzem häufiger Leichen angespült worden waren. Man schickte einen Polizeitrupp zu dem Bauernhof und fand reichlich Material für die Spurensicherung ... besonders in den Schweineställen. Die Ställe selbst waren zwar einigermaßen sauber, doch über jedem der baufälligen Verschläge befand sich ein abgeschlossener Speicher. Der größte Teil des Bauernhofs entsprach dem neuesten Stand der Hightech-Landwirtschaft, nicht jedoch die Ställe. Das brachte die Polizei überhaupt auf die Idee, dass dort etwas faul sein könnte. In den dunklen Räumen über den Schweineställen, die mit jetzt bereits verfaultem Stroh ausgelegt waren, roch es nach Verwesung. Kleidungsfetzen wurden gefunden, in einer Ecke lag ein Hosengürtel von einem Mann. Sämtliche Räumlichkeiten wurden fotografiert und nach Teilchen abgesucht, die irgendwie nicht hingehörten. Im Haus gab währenddessen ein Mann, der zunächst behauptet hatte, er sei ein einfacher Landarbeiter, zu, dass er Derek Torrance sei, besser bekannt unter dem Namen Deek.

Zur gleichen Zeit fuhr Rebus nach Dalkeith, genauer gesagt zur Duncton Terrace. Es war noch früh am Morgen, und die Familie Kintoul befand sich zu Hause. Mutter, Vater und Sohn saßen an drei Seiten eines Klapptischs in der Küche.

Die Bratpfanne stand noch heiß auf dem fettigen Gasherd. Die Vinyltapete an den Wänden war feucht vom Kondenswasser. Das Essen auf den Tellern war mit brauner Soße übergossen. Rebus nahm den Geruch von Essig und Spülmittel wahr. Rory Kintoul entschuldigte sich und ging mit Rebus ins Wohnzimmer. Zwischen Küche und Wohnzimmer gab es eine Durchreiche, und Rebus fragte sich, ob Ehefrau und Sohn wohl an der Klappe lauschten.

Rebus nahm in einem der Sessel am Kamin Platz, Kintoul ihm gegenüber.

»Tut mir Leid, wenn ich ungelegen komme«, begann Rebus. Schließlich mussten bestimmte Förmlichkeiten eingehalten werden.

»Worum geht's, Inspector?«

»Wie Sie sicher gehört haben, Mr Kintoul, haben wir Morris Cafferty verhaftet. Er wird für eine ganze Weile aus dem Verkehr gezogen.« Rebus sah zu den Fotos auf dem Kaminsims, Schnappschüsse von Kindern mit Zahnlücken, vermutlich Nichten und Neffen. Er musste lächeln. »Ich dachte, da wäre es vielleicht an der Zeit, dass Sie es sich von der Seele reden.«

Er schwieg einen Moment, den Blick immer noch auf die gerahmten Fotos gerichtet. Kintoul sagte nichts.

»Nun weiß ich«, erklärte Rebus, »dass Sie ein guter Mann sind. Ich meine, ein *rechtschaffener* Mann. Für Sie kommt die Familie an erster Stelle, hab ich Recht?« Kintoul nickte unsicher. »Für Ihre Frau und Ihren Sohn würden Sie alles tun. Das gilt auch für andere aus der Familie, Eltern, Geschwister, Cousins und Cousinen ...« Rebus verstummte.

»Ich weiß, dass Cafferty aus dem Verkehr gezogen wird«, sagte Kintoul.

»Und?«

Kintoul zuckte die Schultern.

»Es sieht folgendermaßen aus«, fuhr Rebus fort. »Wir wissen so ungefähr alles, was es da zu wissen gibt. Wir brauchen nur noch eine kleine Bestätigung.«

»Das bedeutet, ich müsste aussagen?«

Rebus nickte. Eddie Ringan würde ebenfalls aussagen. Für ein gutes Wort von der Polizei in seinem eigenen Prozess würde er alles erzählen, was er über das Central Hotel wusste. »Mr Kintoul, Sie müssen eines akzeptieren. Sie müssen akzeptieren, dass Sie sich verändert haben. Sie sind nicht mehr der Mann, der Sie vor ein paar Jahren waren. Warum haben Sie es überhaupt getan?« Rebus stellte die Frage so, wie ein Freund sie stellen würde, der einfach neugierig ist.

Kintoul wischte sich einen Klecks Soße vom Kinn. »Ich hab Jim einen Gefallen getan. Er war immer auf Gefallen angewiesen.«

»Also sind Sie den Lieferwagen gefahren?«

»Ja, ich hab für ihn die Verkaufstouren gemacht.«

»Aber eigentlich waren Sie doch Labortechniker!«

Kintoul lächelte. »Mit dem Metzgereiwagen konnte ich aber mehr verdienen.« Er zuckte erneut die Schultern. »Wie Sie bereits sagten, Inspector, für mich kommt die Familie an erster Stelle, besonders wenn's um Geld geht.«

»Reden Sie weiter.«

»Wie viel wissen Sie?«

»Wir wissen, dass der Lieferwagen benutzt wurde, um die Leichen wegzuschaffen.«

»Ein Metzgereiwagen fällt niemandem auf.«

»Außer einem armen Constable im Nordosten von Fife. Und dem hat das eine Gehirnerschütterung eingebracht.«

»Das war nach meiner Zeit. Da hatte ich mich schon abgesetzt.« Er wartete, bis Rebus zustimmend nickte, dann fuhr er fort. »Bloß als ich rauswollte, wollte Cafferty mich nicht gehen lassen. Er hat mich unter Druck gesetzt.«

»Deshalb der Stich mit dem Messer?«

»Das war dieser Bodyguard von ihm, Jimmy the Ear. Er

hat den Kopf verloren und auf mich eingestochen, als ich aus dem Auto stieg. Durchgeknallter Dreckskerl.« Kintoul blickte zu der Durchreiche. »Wissen Sie, was Cafferty getan hat, als ich sagte, ich will den Lieferwagen nicht mehr fahren? Er hat Jason einen Job als ›Fahrer‹ angeboten. Jason ist mein Sohn.«

Rebus nickte. »Aber warum dieses ganzes Theater? Cafferty könnte doch hundert Typen kriegen, die für ihn einen Wagen fahren.«

»Ich dachte, Sie kennen ihn, Inspector. Cafferty ist halt so. Er ist … sehr eigen mit seinem Fleisch.«

»Er ist völlig verrückt«, bemerkte Rebus. »Wie sind Sie überhaupt in diese Sache hineingeraten?«

»Ich arbeitete noch Vollzeit als Verkaufsfahrer, als Cafferty den halben Laden von Jimmy gewann. Eines Abends tauchte einer von Caffertys Männern, so ein richtiger Schleimscheißer, bei mir auf und erklärte mir, wir würden am nächsten Morgen ganz früh an die Küste fahren. Über irgendeinen Bauernhof in den Borders.«

»Sie waren auf dem Bauernhof?« Deshalb also das Stückchen Stroh im Lieferwagen.

Die Farbe wich aus Kintouls Gesicht.

»Aye. Da lag etwas in den Schweineställen, in Kunstdüngersäcke verschnürt. Stank zum Himmel. Ich hatte lange genug in einer Metzgerei gearbeitet, um zu wissen, dass das gut ein paar Wochen, wenn nicht gar Monate in diesem Stall verrottet war.«

»Eine Leiche?«

»War ja wohl nahe liegend, oder? Ich hab mir die Seele aus dem Leib gekotzt. Caffertys Mann meinte, was für eine Verschwendung, ich hätte in den Trog kotzen sollen.« Kintoul hielt inne. Er wischte sich immer noch das Kinn, obwohl der Soßenfleck längst verschwunden war. »Cafferty wollte, dass die Leichen ordentlich verwest waren, umso geringer wäre das Risiko, dass sie in erkennbarem Zustand angespült wurden.«

»O Gott.«

»Das Schlimmste hab ich noch gar nicht erzählt.« Im Nebenraum unterhielten sich Kintouls Frau und sein Sohn mit gedämpfter Stimme. Rebus hatte keine Eile und beobachtete gelassen, wie Kintoul aufstand, um aus dem Fenster zu starren. Dort lag ein kleines Stück Garten, das ihm gehörte. Er drehte sich um und stellte sich, ohne Rebus anzusehen, vor das Gasfeuer im Kamin.

»Ich war einmal dabei, als er jemanden umgebracht hat«, sagte er unverblümt. Dann kniff er die Augen zusammen. Rebus versuchte, nicht zu heftig zu atmen. Dieser Mann würde einen fabelhaften Zeugen abgeben.

»Wie umgebracht?«, wollte er wissen. Immer noch ohne Druck auszuüben, immer noch der Freund.

Kintoul legte den Kopf zurück, damit die Tränen dahin zurückfließen konnten, wo sie hergekommen waren. »Wie? Mit bloßen Händen. Wir kamen spät an. Der Wagen hatte unterwegs eine Panne gehabt. Es war gegen zehn Uhr morgens. Der Bauernhof lag in Nebel gehüllt. Sie hatten beide Anzüge an, das haute mich total um. Und sie standen bis zu den Knöcheln in der Scheiße.«

Rebus runzelte verständnislos die Stirn. »Die waren im Schweinestall.«

Kintoul nickte. »Da gibt es ein eingezäuntes Gehege. Cafferty war mit diesem Mann dort drin. Einige Leute guckten durch den Zaun zu.« Er schluckte. »Ich schwöre Ihnen, Cafferty sah aus, als würde er es genießen. Wie der Schlamm spritzte und die Schweine in ihren Boxen quiekten. Und all die schweigenden Zuschauer.« Kintoul versuchte, die Erinnerung abzuschütteln. Das tat er vermutlich jeden Tag.

»Sie kämpften miteinander?«

»Der andere Mann sah aus, als wäre er schon vorher zusammengeschlagen worden. Niemand hätte das als fairen Kampf bezeichnet. Und nachdem Cafferty ihn windelweich geprügelt hatte, packte er ihn am Nacken und drückte ihn mit dem Kopf in den Dreck. Er kniete auf dem Rücken des Mannes, schwankte hin und her und presste dessen Gesicht mit beiden Händen nach unten. Er sah aus, als wäre das für ihn nichts Besonderes. Dann hörte der Mann auf, sich zu wehren ...«

Rebus und Kintoul saßen schweigend da. Das Blut pulsierte heftig in ihren Adern, während sie sich bemühten, dieses Bild von einem Schweinestall am Morgen aus dem Kopf zu bekommen ...

»Hinterher«, sagte Kintoul noch leiser als zuvor, »strahlte er uns an, als wären Ostern und Weihnachten für ihn auf einen Tag gefallen.«

Dann begann er mit schmerzlich verzogenem Gesicht leise zu weinen.

Rebus musste zurzeit so oft Leute im Royal Infirmary besuchen, dass er schon mit dem Gedanken spielte, sich eine Dauerkarte zu besorgen. Doch er hatte nicht erwartet, Flower dort zu treffen.

»Gerade eingeliefert? Die psychiatrische Abteilung ist am anderen Ende des Flurs.«

»Haha«, sagte Flower.

»Was wollen Sie hier überhaupt?«

»Das Gleiche könnte ich Sie fragen!«

»Ich wohne hier, und Sie?«

»Ich möchte jemandem ein paar Fragen stellen.«

»Andrew McPhail?« Flower nickte. »Hat Ihnen niemand gesagt, dass sein Kiefer mit Draht zusammengeflickt wurde?« Flower zuckte zusammen, was ein breites Grinsen bei Rebus hervorrief. »Was haben Sie überhaupt damit zu tun?«

»Es geht um Cafferty«, erklärte Flower.

»O aye, natürlich, das hab ich ganz vergessen.«

»Sieht aus, als hätten wir ihn diesmal.«

»Sieht so aus. Doch bei Cafferty kann man nie wissen.« Rebus starrte Flower unverwandt an. »Er hat sich nur deshalb so lange gehalten, weil er clever ist. Er ist clever, und er hat die besten Anwälte. Außerdem haben viele Leute Angst vor ihm, und er hat so manchen gekauft … vielleicht sogar den einen oder anderen Polizisten.«

Flower hatte seinem Blick standgehalten, doch nun blinzelte er. »Sie glauben, Cafferty hätte mich gekauft?«

Darüber hatte Rebus durchaus nachgedacht. Seiner Meinung nach steckte Cafferty hinter dem Angriff auf Michael und der Schieberei mit der Waffe. Der ungeschickte Unfall mit Fahrerflucht war hingegen so stümperhaft gewesen, dass er Broderick Gibson dahinter vermutete. Cafferty hätte ganz einfach bessere Männer eingesetzt.

Er hatte nun lange genug geschwiegen und schüttelte den Kopf. »Ich glaube nicht, dass Sie dazu intelligent genug sind. Cafferty mag nämlich nur intelligente Leute. Aber ich bin davon überzeugt, dass Sie mich beim Finanzamt angeschwärzt haben.«

»Ich weiß nicht, wovon Sie reden.«

Rebus grinste. »Ich liebe Klischees.« Dann ging er den Flur entlang.

Andrew McPhail war leicht zu finden. Man brauchte nur nach einem demolierten Gesicht zu suchen. Es war so wüst verdrahtet, dass man unwillkürlich an einen laienhaft zusammengesetzten Verteilerkasten denken musste. Rebus glaubte zu erkennen, an welchen Stellen man zwei Drähte benutzt hatte, obwohl einer genügt hätte. Aber schließlich war er kein Arzt. McPhail lag mit geschlossenen Augen da.

»Hallo«, sagte Rebus. Die Augen öffneten sich. Sie waren voller Zorn, doch damit konnte Rebus umgehen. Er hob eine Hand. »Nein«, begann er, »Sie brauchen sich nicht bei mir zu bedanken.« Dann lächelte er. »Es ist alles für die Zeit nach Ihrer Entlassung geregelt. Rauf in den Norden zur Rehabilitation, vielleicht ein Job und belebende Spaziergänge am Meer. Mann, ich beneide Sie.« Sie blickten sich im Krankensaal um. Alle Betten waren besetzt. Die Krankenschwestern sahen aus, als könnten sie einen Urlaub gebrauchen – oder zumindest eine kleine Erfrischung.

»Ich hab gesagt, ich würde Sie in Ruhe lassen«, fuhr Rebus fort, »und ich halte mein Wort. Nur noch einen guten Rat.« Er stützte die Hände auf die Bettkante und beugte sich zu McPhail. »Cafferty ist der größte Verbrecher in der Stadt. Vermutlich sind Sie der Einzige in Edinburgh, der das nicht gewusst hat. Nun wissen seine Männer, dass ein Typ namens McPhail ihren Boss reingelegt hat. Also kommen Sie bloß nicht auf die Idee, jemals wieder zurückzukehren, ist das klar?« McPhail starrte ihn immer noch wütend an. »Okay«, meinte Rebus, stand auf, drehte sich um und entfernte sich einige Schritte. Dann blieb er stehen und wandte sich noch einmal um. »Ach ja, ich wollte Ihnen noch was sagen.« Er ging zum Bett zurück und stellte sich ans Fußende, an dem McPhails Fieberkurve und die Liste der Medikamente, die man ihm verordnet hatte, hingen. Rebus wartete, bis McPhails feuchte Augen auf ihn gerichtet waren, dann lächelte er noch einmal mitfühlend.

»Es tut mir Leid«, sagte er. Diesmal drehte er sich um und verließ endgültig den Raum.

Rebus hatte Andy Steele als Vermittler gebraucht. Es wäre für ihn ein zu großes Risiko gewesen, die Geschichte selbst in Umlauf zu setzen. Cafferty hätte vielleicht erfahren, von wem sie stammte, und das hätte alles scheitern lassen. McPhail war nicht notwendig, aber trotzdem ganz nützlich gewesen. Rebus erklärte Andy Steele zweimal, wie die Intrige gelaufen war, und selbst dann schien der junge Mann noch nicht alles zu begreifen. Er sah aus wie ein Mensch, den ein Dutzend Fragen quälten, auf die es keine Antwort gab.

»Was hast du denn nun vor?«, fragte Rebus. Eigentlich hatte er gehofft, dass Steele bereits auf der Heimreise war.

»Ich werde mich für ein Stipendium bewerben«, antwortete Steele.

»Du willst studieren?«

»Wohl kaum! Es handelt sich um eins von diesen Programmen, mit denen man Arbeitslosen neue Jobs verschaffen will.«

»O aye?«

Steele nickte. »Ich komm dafür in Frage.«

»Und was ist das für ein Job?«

»In einem Detektivbüro natürlich!«

»Wo genau?«

»In Edinburgh. Seit ich hier bin, hab ich mehr Geld verdient als in sechs Monaten in Aberdeen.«

»Das kann doch nicht dein Ernst sein«, sagte Rebus. Aber Andy Steele meinte es ernst.

36

Er hatte noch ein letztes Gespräch vor sich, auf das er sich gar nicht freute. Von St. Leonard's ging er zur Universitätsbibliothek am George Square. Der Sicherheitsposten an der Tür warf einen kurzen Blick auf Rebus' Ausweis und deutete dann mit dem Kopf zur Ausleihtheke, wo Nell, groß und breitschultrig, gerade Bücher von einem Studenten im Dufflecoat zurücknahm. Überrascht nahm sie seine Gegenwart zur Kenntnis, schien zunächst sogar erfreut, doch als sie die Bücher kontrollierte, bemerkte Rebus, dass sie nicht ganz bei der Sache war. Schließlich kam sie zu ihm herüber.

»Hallo, John.«

»Nell.«

»Was führt Sie hierher?«

»Kann ich Sie kurz sprechen?«

Sie bat ihre Kollegin, fünf Minuten für sie einzuspringen. Dann gingen sie in einen von Bücherregalen gesäumten Gang.

»Brian hat mir erzählt, der Fall wäre abgeschlossen. Der Fall, der ihm so viel Sorgen gemacht hatte.«

Rebus nickte.

»Das ist ja toll. Danke für Ihre Hilfe.«

Rebus zuckte die Schultern.

Sie neigte den Kopf ein wenig zur Seite. »Ist irgendwas nicht in Ordnung?«

»Ich weiß es nicht genau«, sagte Rebus. »Vielleicht können Sie es mir sagen?«

»*Ich?*«

Rebus nickte wieder.

»Ich versteh Sie nicht.«

»Sie haben mit einem Polizisten zusammengelebt, Nell. Sie wissen, dass wir uns auf Motive stützen müssen. Manchmal haben wir nicht viel mehr als das in der Hand. Ich habe in letzter Zeit viel über Motive nachgedacht.« Er schwieg, als eine Studentin in der Tür erschien, in den Flur trat, Nell kurz zulächelte und wieder ging. Nell blickte ihr nach. Rebus hatte den Eindruck, sie wäre gern für ein paar Minuten in die Haut der Studentin geschlüpft.

»Motive?«, fragte sie. Sie lehnte an der Wand, doch ihre Haltung vermittelte keineswegs Gelassenheit.

»In jener Nacht im Krankenhaus«, sagte er, »der Nacht, in der Brian überfallen wurde, da haben Sie doch was von einem Streit erzählt, und dass er anschließend ins Heartbreak Café abgehauen ist?«

Sie nickte. »Das stimmt. Wir hatten uns an dem Abend auf einen Drink getroffen, um über alles zu reden. Doch stattdessen haben wir uns gestritten. Ich versteh nicht …«

»Ich hab immer wieder darüber nachgedacht, was für ein Motiv hinter dem Überfall stecken könnte. Zu Anfang waren es zu viele, doch es ist mir gelungen, sie einzugrenzen. Und es blieben lauter Motive übrig, die auf *Sie* verweisen, Nell.«

»Was?«

»Sie haben mir erzählt, Sie hätten Angst um ihn, und zwar, weil er selbst Angst hatte. Und die hatte er deshalb, weil er auf etwas gestoßen war, womit man womöglich Big Ger Cafferty drankriegen könnte. Wäre es da nicht besser, wenn jemand anders den Fall übernähme, sich jemand anders der Gefahr aussetzte? Mit anderen Worten: ich. Also haben Sie mich da reingezogen.«

»Moment mal …« Doch Rebus hob die Hand und schloss die Augen – ein Zeichen, dass sie schweigen sollte. »Dann«, fuhr er fort, »war da außerdem noch DC Clarke. Die beiden kamen prächtig miteinander aus. Waren Sie vielleicht eifersüchtig? Immer ein gutes Motiv.«

»Ich kann es nicht fassen.«

Rebus ignorierte ihre Worte. »Und natürlich das offenkundigste Motiv. Sie beide haben sich seit längerem darüber gestritten, ob Sie Kinder haben wollten oder nicht. Das und die Tatsache, dass er zu viel arbeitete und sich nicht genügend um Sie kümmerte.«

»Hat er Ihnen das gesagt?«

Rebus klang nicht unfreundlich. »Sie haben mir selbst erzählt, dass Sie sich an dem Abend gestritten hatten. Und Sie wussten, wo er hinging – da, wo er immer hinging. Also warum nicht neben seinem Auto warten und ihm den Schädel einschlagen, wenn er rauskam? Eine hübsche kleine Rache.« Rebus hielt inne. »Wie viele Motive waren das? Ich hab den Überblick verloren. Jedenfalls genug, oder?«

»Ich kann es nicht fassen.« Tränen stiegen ihr in die Augen. Mit jedem Blinzeln wurden es mehr. Sie wischte sich mit Daumen und Zeigefinger die Nase ab und atmete geräuschvoll ein. »Was werden Sie jetzt tun?«, wollte sie schließlich wissen.

»Ich werde Ihnen ein Taschentuch leihen«, antwortete Rebus.

»Ich will Ihr Scheißtaschentuch nicht!«

Rebus legte einen Finger auf seine Lippen. »Wir sind doch hier in einer Bibliothek!«

Schniefend wischte sie sich die Tränen weg.

»Nell«, sagte er mit ruhiger Stimme, »Sie brauchen nichts zu sagen. Ich will es gar nicht wissen. Ich wollte nur, dass *Sie* es wissen. Okay?«

»Sie halten sich ja für ganz schön clever.«

Er zuckte die Schultern. »Das Angebot mit dem Taschentuch gilt noch.«

»Verschwinden Sie.«

»Wollen Sie wirklich, dass Brian bei der Polizei aufhört?«

Doch sie ging bereits mit erhobenem Kopf davon. Er beobachtete, wie sie hinter die Theke trat, wo ihre Kollegin sofort bemerkte, dass etwas nicht stimmte, und tröstend einen Arm um sie legte. Rebus betrachtete die Bücher in den Regalen vor ihm, fand jedoch nichts, das ihn dazu hätte bewegen können, noch länger zu bleiben.

Er saß auf einer Bank in den Meadows, die Hinterseite der Bibliothek im Rücken. Die Hände in den Taschen sah er einem improvisierten Fußballspiel zu. Acht Männer gegen sieben. Sie hatten ihn bereits gefragt, ob er mitmachen wolle, sie bräuchten noch einen Mann.

»Ihr müsst ja echt verzweifelt sein«, hatte er kopfschüttelnd geantwortet. Als Torpfosten dienten ein orange und weiß gestreifter Pylon, ein Haufen Mäntel, ein Haufen Ordner und Bücher sowie ein in den Boden gerammter Ast. Rebus sah häufiger als nötig auf die Uhr. Auf dem Spielfeld machte sich niemand sonderlich Gedanken darüber, wie lange die erste Halbzeit dauern sollte. Zwei von den Spielern sahen aus wie Brüder, obwohl sie jeweils in der gegnerischen Mannschaft spielten. Mickey war am Morgen ausgezogen und hatte das Foto von ihrem Vater und Onkel Jimmy mitgenommen.

»Als Erinnerung«, hatte er gesagt.

Eine Frau im Burberry-Trenchcoat setzte sich neben ihn auf die Bank.

»Sind die gut?«, fragte sie.

»Sie würden es den Hibs ganz schön zeigen.«

»Und was bedeutet das?«, wollte sie wissen.

Rebus wandte sich zu Dr. Patience Aitken, lächelte und nahm ihre Hand. »Wieso bist du so spät dran?«

»Das Übliche«, antwortete sie. »Die Arbeit.«

»Ich hab so oft versucht, bei dir anzurufen.«

»Dann sorg jetzt dafür, dass ich mir keine Gedanken mehr machen muss«, sagte sie.

»Wie?«

Sie rückte näher an ihn heran. »Sag mir, dass ich nicht nur eine Nummer in deinem kleinen schwarzen Buch bin ...«